D0271955

De Tuinen van de
Purperen Draak

Voor
Marinus Willem
de Visser

1875 – 1930

de ultieme kenner van
Chinese draken

De Tuinen van de Purperen Draak

Carole Wilkinson

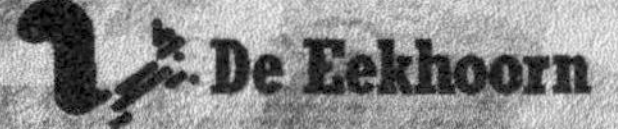

Oorspronkelijke titel: The Garden of the Purple Dragon
Voor het eerst verschenen bij Black Dog Books
15 Gertrude Street, Fitzroy Vic 3065, Australia
dog@bdb.com.au
Ontwerp: Blue Boat Design
Kaarttekening:

Voor Nederland:
© 2010 Uitgeverij De Eekhoorn BV, Oud-Beijerland
Internet: www.eekhoorn.com
Vertaling: Suzanne Braam
Redactie: Cindy Klompenhouwer
Grafische vormgeving: Solid-ontwerp.nl

ISBN: 978-90-454-1406-5 / NUR 284 - 345

Inhoud

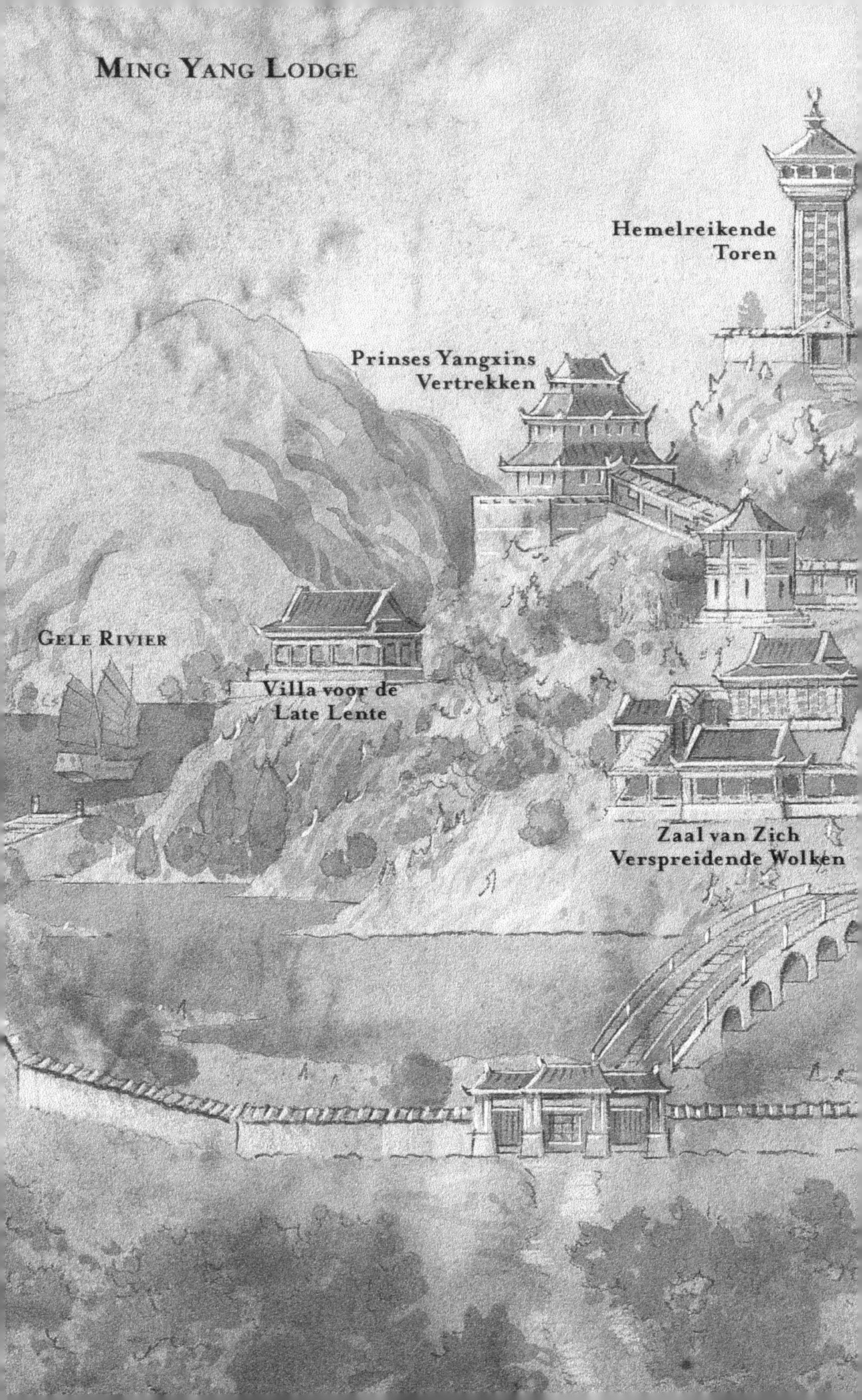
Ming Yang Lodge
Hemelreikende
Toren
Prinses Yangxins
Vertrekken
Gele Rivier
Villa voor de
Late Lente
Zaal van Zich
Verspreidende Wolken

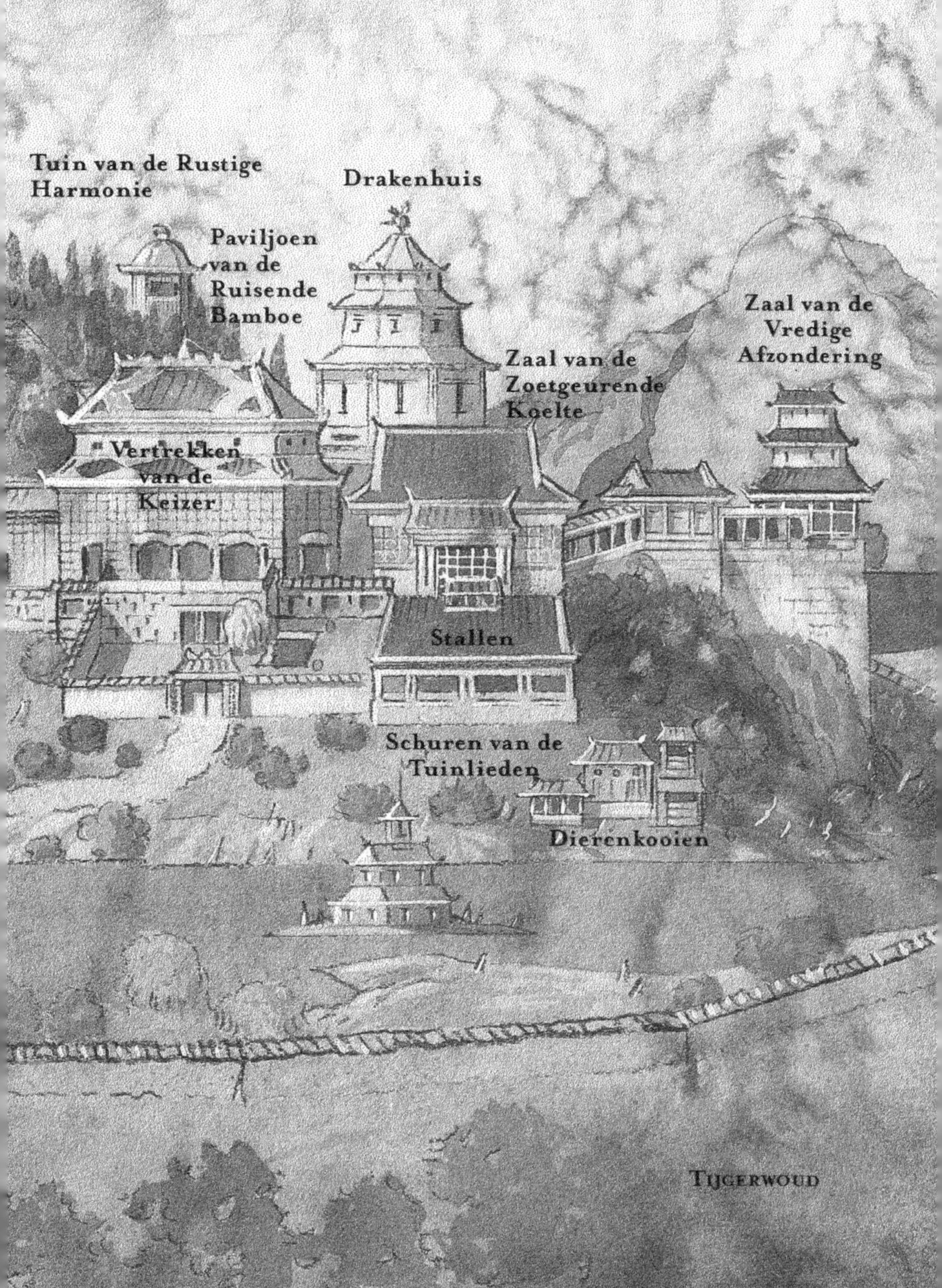
Tuin van de Rustige Harmonie
Drakenhuis
Paviljoen van de Ruisende Bamboe
Zaal van de Vredige Afzondering
Zaal van de Zoetgeurende Koelte
Vertrekken van de Keizer
Stallen
Schuren van de Tuinlieden
Dierenkooien
Tijgerwoud

Chinese Keizerrijk tijdens de Han-Dynastie

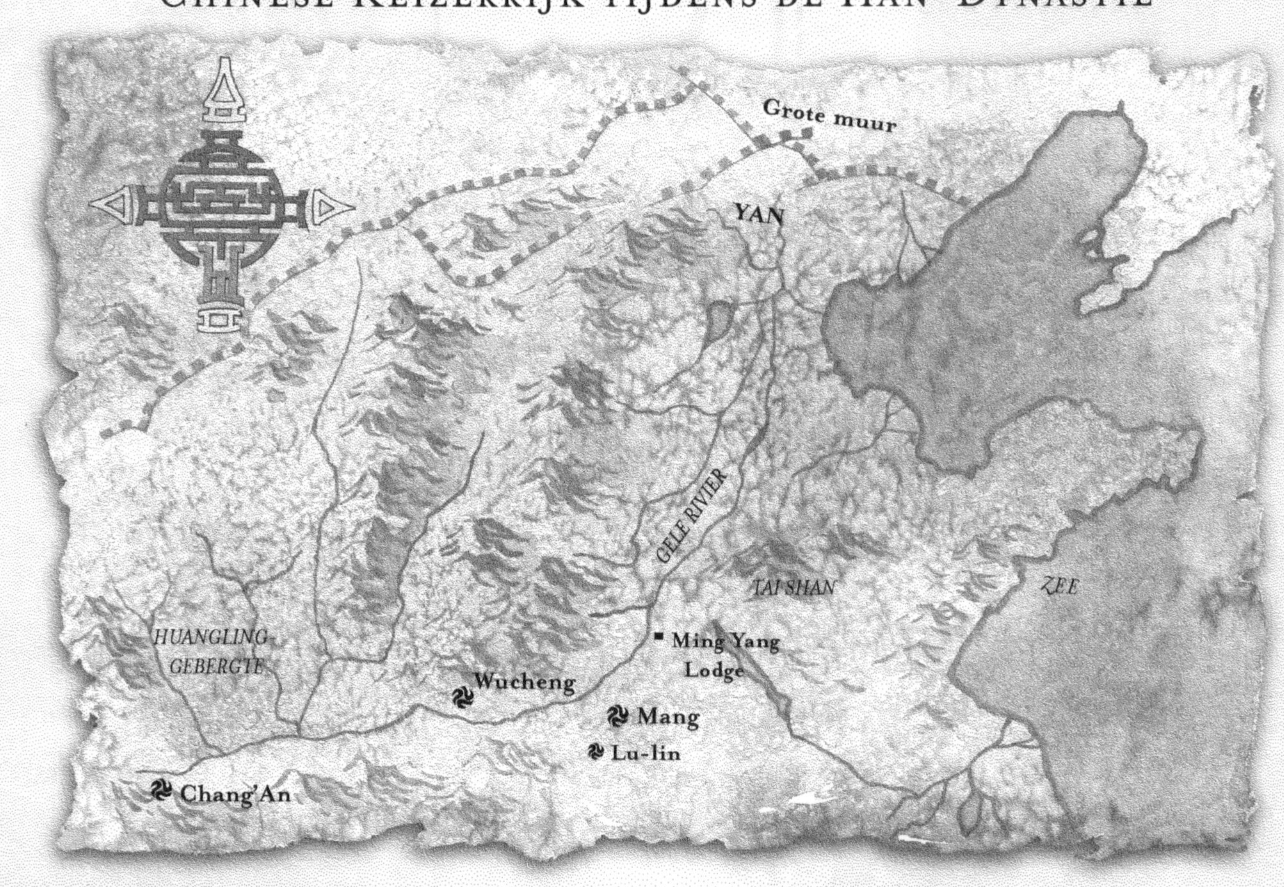

• hoofdstuk 1 •

Het zwarte drakenmeer

Ping keek het liefst naar het zuiden
waar de bergtoppen minder hoog en minder rotsachtig
waren en geen herinneringen opriepen
die ze liever vergat.

Het ruisen van vallend water was het enige geluid dat er te horen was. Het stortte van een rots naar beneden, waar het zich verzamelde in een donker, tamelijk diep meer. Onder de oppervlakte bewogen zich nog donkerder schaduwen – kleine vissen die heen en weer schoten en grotere, ovale vormen. In het ondiepe gedeelte tussen de zwarte rotsen groeiden pollen riet. Verder langs de oever groeiden tere varens tussen een kleine, verspreide hoeveelheid zwarte kiezelstenen. Een van de donkere, ovale vormen kwam langzaam naar de oppervlakte. Het was een schildpad. Hij werd gepakt door een stroom die hem meetrok naar de rand. De schildpad peddelde met zijn voeten – er zaten vliezen tussen zijn tenen – omdat hij anders misschien door de stroom over de rand geduwd werd, waar het water uit het rustige meer langs de bergwand verder naar beneden stortte.

Een libelle balanceerde op het wateroppervlak van het meer. Zijn dunne pootjes waren bloedrood. Zijn lange, dunne lijf was van een verrassend felle, blauwe kleur, als een stukje zonbeschenen hemel dat op aarde was gevallen. De libelle had twee paar broze vleugels die zwart dooraderd waren. Op elke vleugel was een soort oog te zien. Het had een kostbaar sieraad kunnen zijn dat een zorgeloze prinses had laten vallen. De vleugels van de libelle ritselden en hij vloog weg. Hij vloog naar een riethalm en toen van de halm naar een rotsblok.

Een schaduw viel op de libelle. Een bundeltje riethalmen vloog door de lucht, belandde met een klap op de rots, en plette de libelle. Ping pakte het dode insect op en stopte het in het leren buideltje dat aan haar riem hing, waarmee de libelle werd toegevoegd aan haar verzameling geplette rupsen en motten.

Een stevige bries woei door het riet. Er was een venijnige kou in de lucht en dat betekende dat de winter niet meer ver weg was. Ping staarde in de verte. Ze had een half jaar naar hetzelfde uitzicht gekeken, maar ze was het nog steeds niet zat. Het was een heldere dag en de bergtopppen strekten zich voor haar uit als een grote groep reuzen. Een woud van pijnbomen bedekte de lagere, meer glooiende hellingen. Op de hogere, steilere hellingen groeiden maar een paar kronkelige pijnbomen die als aasgieren waren neergestreken en zich met hun wortels aan de rotswand hadden vastgeklampt waar dat maar kon.

Tussen het saaie groen van de pijnbomen stond hier en daar een boom die al gekleurd was in de bekende tinten oranje en rood van de herfst. Het zonlicht werd weerkaatst door het wateroppervlak van een reusachtig groot meer in de verte. Ping had soms het gevoel dat ze in een van de schilderijen woonde, die in het Huangling Paleis hingen. Ze had altijd gedacht dat zulke landschappen alleen maar voorkwamen in de fantasie van schilders en tekenaars. Nu wist ze dat ze echt bestonden.

Achter haar onttrokken de steile rotsen van de Tai Shan de lucht helemaal aan het gezicht. Ping keek liever naar het zuiden, waar de bergtoppen minder hoog en minder rotsachtig waren en geen herinneringen opriepen die ze liever vergat.

De rust van de middag werd verstoord door een snerpend geschreeuw. Ping deed haar ogen dicht en zuchtte. Het schreeuwen werd luider, indringender. Het klonk alsof er een dier gewurgd werd. Ze haastte zich niet. Ze liep naar een groepje pijnbomen. Het waren kleine bomen, minder dan tweemaal Pings lengte en ze waren kronkelig en knoestig. Het geschreeuw ging over in aanhoudend krijsen.

Ze stond onder een bepaalde boom met haar handen op haar heupen.

'Long Kai Duan,' zei ze boos. 'Ik heb gezegd dat je niet in bomen mag klimmen!'

Een klein beest had zich ondersteboven vastgeklampt aan een van de hoogste takken. Het was bedekt met purperen schubben. Het was de kleur van viooltjes in de zon. Het dier had een lange rij scherpe uitsteeksels op zijn rug. Het had zijn staart om een tak geslagen. Het had brede poten die veel te groot leken voor zijn lijf. Elke poot had vier scherpe, zwarte klauwen die zich diep in de boomschors groeven. Het schepsel draaide zijn kop – ondersteboven – naar Ping. Heldergroene ogen knipperden angstig. De lange, rechte snuit eindigde in een dikke, roze neus met trillende neusvleugels. Het deed zijn grote bek open en krijste weer, waarbij scherpe, kleine tanden en een lange, rode tong zichtbaar werden. Het was een heel klein draakje, niet veel groter dan een kat of een haas.

De boomschors onder de voorpoten van het dier liet los. De schreeuw van de kleine draak werd schriller. De klauwen aan zijn achterpoten konden zijn volle gewicht niet dragen. Hij liet de boomschors los en hing nu jammerend te bengelen aan zijn staart. Ping klom op een rotsblok en strekte haar armen uit naar de draak. Hij greep haar vast. Ze voelde zijn klauwen in haar huid.

'Dat doet pijn!' riep Ping. Als de draak het al verstond, reageerde hij niet.

Ping gleed onderuit over het gladde oppervlak van de rots. Ze kwam op haar billen terecht en belandde even later met een plof op de harde aarde. De kleine draak liet haar arm los, gaf haar een vinnige kneep in haar neus en maakte zich uit de voeten.

Ping wreef over haar neus. 'Als dat jouw manier is om dankjewel te zeggen, doe dan vooral geen moeite.'

Ze onderzocht de schrammen op haar arm. Beide armen zaten vol met wondjes van de klauwen van de draak – een paar waren nog vers, andere waren inmiddels littekens geworden. Ze hoorde een plons. Kai had besloten dat boomklimmen te gevaarlijk was en nam een duik in het water. Het was zijn grote hobby die hem uren bezighield. Hij was een goed zwemmer en voelde zich als een vis in het water, maar Ping hield hem steeds angstig in het oog. Zij kon niet zwemmen. En de keren dat ze ooit in diep water terecht was gekomen, was ze doodsbang geweest.

Ping was op zoek gegaan naar een plek waar ze een kleine, purperen draak kon grootbrengen – een besloten plek waar niemand hen kon lastigvallen, waar Kai kon rondrennen zonder gezien te worden. Ze wist eigenlijk niet zoveel over het Keizerrijk. Ze kende maar één plek waar niemand ooit heenging – de Tai Shan, de heilige berg die ze beklommen had met de jonge keizer toen hij aan het begin van zijn bewind op zoek was naar de Hemelse zegen. Alleen de keizer en zijn toverpriesters mochten voorbij een bepaald punt nog hoger klimmen. Dat punt stond bekend onder de naam Halverwege de Hemelpoort. Als je dat punt voorbij ging, kreeg je de doodstraf.

De vlucht van de Tai Shan naar de zee op de rug van Long Danzi, Kais vader, had minder dan een dag geduurd. Ping had er een week over gedaan om terug te lopen naar de Tai Shan. Met de net uit zijn ei gekropen Kai op haar arm, had ze het keizerlijke pad beklommen. Ze was het gevaarlijke punt 'Halverwege de Hemelpoort' gepasseerd en had zich op verboden gebied begeven. Een poosje later week ze van het pad af, en nam een kortere weg over de steile hellingen. Liu Che, de jonge keizer, had een verhaal verteld over een meertje in het westen – het Zwarte Drakenmeer. Het klonk grimmig, maar een meer met zo'n naam zou misschien een gunstige plek kunnen zijn om Kai groot te brengen.

Het Zwarte Drakenmeer bleek niet zo onheilspellend als het klonk. De waterval stortte zich in een rotsachtige laagte waar de steile hellingen van de Tai Shan even overgingen in een klein plateau. Het water was niet zwart, het waren de rotsen die het meer zijn kleur gaven. Er was een pijnbomenbos aan een kant van het meer en een smalle wei aan de andere. Het plateau werd bijna de hele dag verwarmd door de zon. Ping had wortels gevonden, paddenstoelen en bessen om toe te voegen aan de eenvoudige maaltijden die ze maakte van graan en linzen. Er zwommen ook vissen in het meer.

Tegen de tijd dat Kai moe werd van het water, was de zon een oranje bal aan de rotsachtige horizon. Het reusachtige meer in de verte weerspiegelde dezelfde kleur, alsof gesmolten vloeistof vanuit het binnenste van de zon op de aarde had gelekt. Met een hand boven haar ogen genoot Ping een poosje van het schouwspel. Toen liep ze terug naar de plek waar ze bezig was vissoep te maken. Ze roerde in de pot die op een zelfgemaakt vuurtje stond te trekken. Ze voelde zich schuldig, omdat ze de vissen had gevangen die zo onschuldig naar haar toe waren gezwommen toen ze in het ondiepe gedeelte baadde, maar Kai en zij hadden meer voedsel nodig dan wortels en bessen. Ze moest haar kleine voorraad graan en linzen voor de winter bewaren. De schildpadjes zouden een welkome afwisseling zijn geweest van de vis, maar Ping kon het niet over haar hart verkrijgen ze te doden. Behalve de babydraak waren de schildpadjes haar enige gezelschap.

Een blatend geluid herinnerde haar eraan dat dit niet helemaal waar was.

'Ja, jij bent ook een vriendin,' zei ze tegen een geit die aan een boom vlakbij was vastgebonden. 'In feite heb jij meer gezond verstand dan Kai.'

Ping ging bij de geit op haar hurken zitten en begon haar

te melken. Ze hoefde de draak niet te roepen. Hij was er al voordat ze de kom warme melk op de grond had gezet. Met zijn voorpoten in de kom slobberde Kai met zijn lange tong de kom helemaal leeg. De melkspatten zaten tot op zijn neus.

De geit blaatte weer.

'Je hebt ook betere manieren dan hij,' zei Ping.

Ze ging bij het vuur zitten en warmde haar handen. Kai, de babydraak, was gegroeid. Hij was nu tien maal zo groot als het kleine schepseltje dat uit het drakenei – dat aanvoelde als een steen - in haar schoot was gevallen. En hij at ook tien keer zoveel. Toen Kai de kom helemaal drooggelikt had, begon hij klaaglijk te piepen.

'Ik heb nog iets lekkers voor je,' zei Ping.

Ze trok de libelle uit de buidel die aan haar riem hing. Kai griste het beestje uit haar hand. Ping liet hem zijn gang gaan, voor hij in haar vingers zou bijten. Met zijn lange snuit snuffelde hij in de buidel, op zoek naar meer.

'Ik wou dat je eens begon met je eigen eten te vangen,' mopperde Ping, terwijl ze hem een rups gaf.

Kai slikte het beestje in zijn geheel door. Ping haalde voor hem de overige vijf rupsen uit haar buideltje die hij ook achter elkaar opschrokte.

Hij ging zitten en liet een boer. Ping hoopte dat dat betekende dat hij eindelijk genoeg had gegeten. Nadat de kleine draak om de rand van Pings lange jurk was gelopen ging hij liggen. Hij viel vrijwel onmiddellijk in slaap.

Toen de oude, groene draak was weggevlogen naar het Eiland van de Gezegenden, had hij Ping achtergelaten op het strand aan de zee. De zorg voor een pas uit het ei gekropen draakje liet hij aan haar over. Ping had niet geweten wat ze moest. Danzi had haar verteld dat zij de Drakenhoeder was en dat ze wel wist wat ze moest doen. Het was een zware verantwoordelijkheid voor een meisje van tien-en-twee jaar. Ze wilde niet op het strand blijven. Ze hield niet van de zee. Hij was zo overweldigend groot. Ze voelde zich al onbetekenend genoeg, zonder klein gehouden te worden door het eindeloze water van de oceaan.

Het strand waar Kai uit de drakensteen - zijn ei - was gekropen, was ver weg van welke stad of dorp dan ook, maar dat betekende niet dat het altijd verlaten was. Vissers kwamen naar de kust om met hun kwetsbare bootjes van bamboe en geitenvachten het water op te gaan en Ping wist dat ze bij mensen weg moest blijven. Als iemand Kai zou zien zou het nieuws van een babydraak van de ene mens naar de andere worden doorverteld en van het ene dorp naar het andere. Dat wilde ze niet. Hoewel Diao, de drakenjager, dood was, zouden er anderen zijn die draken alleen maar zagen als beesten die je kon fijn hakken en verkopen. Ze al een gevecht moeten leveren met een dodenbezweerder. Hij had Danzi en haar gevangen genomen en haar de drakensteen afgepakt. Hij had buitengewone krachten die hij alleen maar voor slechte dingen gebruikte. Hij kon ook van gedaante veranderen, zoals de oude draak. Ping kreeg even een gevoel van trots, omdat ze hem te vlug af was geweest. Ze was ontsnapt mét Danzi en de drakensteen.

Zelfs een draakje zo klein als Kai was heel veel goud waard voor zulke hebzuchtige mannen. Bovendien zou de keizer onmiddellijk keizerlijke soldaten op haar afsturen, als hem iets over de draak ter ore zou komen. En die soldaten zouden haar oppakken. Voorzover de keizer wist had Ping de enige overgebleven keizerlijke draak helpen ontsnappen. Als Liu Che erachter kwam dat ze ook de geboorte van een nieuw draakje geheim had gehouden, zou hij woedend zijn.

De zon verdween van achter een berg in de verte. Het begon donker te worden. De eenzaamheid bekroop Ping als een kilte die ze altijd voelde als ze dacht aan Liu Che. Ze hadden samen lange gesprekken gevoerd, zij met zijn tweeën. Hoewel hij de keizer was, was hij pas tien-en-vijf jaar oud. Hij praatte graag met haar. Ping had het eenzame leven geleid van een slecht behandeld slavenmeisje. Liu Che had het beschermde leven geleid van een prins, maar ze hadden één ding gemeen: geen van tweeën hadden ze vrienden van hun eigen leeftijd.

Ze wilde wat soep in haar kom lepelen. Omdat het draakje op haar lange jurk sliep, kon ze maar net bij de kookpot, die met de borrelende vloeistof erin stond te trekken op het vuur. Haar soeplepel was niet zo grof gemaakt als haar emmer, die ze zelf van een blok hout had gesneden. Het was een bronzen soeplepel. Hij had een sierlijk gebogen steel met aan het einde een kleine drakenkop. Ze had hem gekocht in het dorp waar ze geweest was om de geit te kopen en haar voorraad graan en linzen aan te vullen. Een ijzeren soeplepel zou veel goedkoper zijn geweest, maar voor draken was ijzer pijnlijk als ze er te dicht bij in de buurt kwamen. Als ze het ijzer aanraakten, kregen ze brandwonden op hun huid. Pings mes was ook van brons.

Ping was opgelucht dat Kai sliep. Nu klonk er geen gejammer en ze voelde geen klauwen in haar huid dringen. Overigens vond ze de avond de minst leuke tijd van de dag. Dan miste ze haar vrienden het meest. Liu Che was niet de enige vriend die ze had verloren. Ze had maar korte tijd genoten van het gezelschap van de jonge keizer, maar Danzi en haar lievelingsrat Hua hadden haar vergezeld op deze gevaarlijke tocht van de bergen in het westen helemaal naar de zee in het oosten. Danzi was een draak van weinig woorden, maar hij praatte het meest in de avonden. Andere mensen vonden ratten lelijke, vieze beesten maar Hua was Pings redder geweest op heel veel momenten. Voor Hua in haar leven was gekomen had Ping niemand. Ze had nooit familie gehad. Haar ouders hadden haar als jonge slaaf verkocht aan meester Lan, toen ze nog klein was.

Oude vrienden en nieuwe, op de een of andere manier had Ping het klaargespeeld hen allemaal te verliezen. Ze herinnerde zich de geluiden die de oude draak maakte. Die hadden haar niet op haar tanden doen bijten, zoals het lawaai van de babydraak. Danzi's geluiden veranderden met zijn stemming. Zijn stem klonk soms wel treurig – als een sombere klok in de wind - maar in feite was hij dan gelukkig. Een dringend gongen betekende dat hij ongeduldig was. Als hij lachte klonk dat als het rinkelen van een heleboel klokjes tegelijk. En dan was er nog de zachte stem die Ping hoorde in haar hoofd en die Danzi's geluiden omzette in woorden. Toen Kai nog in zijn drakensteen zat, had ze hem ook kunnen horen, niet in woorden, maar in grote emoties zoals bedroefdheid, blijdschap, angst. Die bekwaamheid had de oude draak meegenomen, toen hij wegvloog, nadat de kleine draak uit de steen was gekomen. Ze bleef wachten, hoopte dat zich woorden vormden in haar geest, zoals het ook met Danzi was gegaan, maar er gebeurde niets. Kai maakte allerlei geluiden, jammeren, piepen, maar Ping moest maar raden wat hij bedoelde.

Ze spoelde haar kom uit en vulde hem met water uit een kleinere pot op het vuur. Ze nipte van het warme water. (Ze had haar voorraadje theeblaadjes allang opgebruikt.) Haar gedachten werden somber, als de lucht. Ze probeerde niet teveel aan Danzi en Hua te denken. Ze wilde geloven dat die twee allebei gelukkig waren en gezond – genezen van hun wonden en opgeknapt door het toverwater rond het Eiland van de Gezegenden aan de overkant van de zee. Maar ze kon zichzelf er niet van overtuigen dat het waar was. Eerst had ze uren zitten staren in oostelijke richting, in de hoop dat ze de oude draak zag die met grote slagen van zijn vleugels naar haar terugkwam, maar terwijl de maanden verstreken was Ping gaan accepteren dat hij nooit meer terug zou komen. Ze wist niet eens zeker of het Eiland van de Gezegenden eigenlijk wel bestond.

Soms kreeg ze tranen in haar ogen als ze aan Danzi dacht. Op andere momenten voelde ze zich gefrustreerd en borrelde de woede in haar binnenste op. Ze was de oude draak dankbaar dat hij haar had bevrijd van haar ellendige slavenleven op het Huangling Paleis. Ze was dankbaar voor alle kennis die hij haar had doorgegeven over kruiden, over de sterren en hoe ze haar qi-kracht op één punt kon concentreren. Ze had alles aan Danzi te danken. Ze had niet eens haar eigen naam geweten tot hij in haar leven kwam.

Tegelijkertijd was ze ook boos op hem. Toen ze op reis waren naar de zee, dag na dag, li na li, had hij haar veel over de wereld geleerd, maar het enige dat hij haar niet had verteld was hoe je een babydraak grootbracht. Hij had haar niet eens verteld dat de drakensteen, die zij voor hem droeg, een ei was. In plaats van haar de namen te zeggen van vogels en bloemen of te vertellen welke gewoonten beren hadden bij het paren, had hij haar beter elke vrije minuut alles kunnen vertellen wat hij wist over de opvoeding van draken. Hij gaf haar maar een paar woorden van advies voor hij wegvloog en zijn drakenzoon en haar achterliet - voor altijd.

Ping werd woedend als ze erover nadacht. Hij had tegen haar gezegd dat de babydraak melk nodig had en ze had een geitenherder gevonden die bereid was haar een geit te verkopen waar het jong van gestorven was, maar ze wist niet hoeveel melk Kai elke dag moest hebben. Het leek erop dat – als ze hem zijn gang liet gaan - hij door zou drinken tot hij uit elkaar zou barsten. Danzi had haar ook verteld dat ze tijdens Kais opgroeien insecten aan zijn eten moest toevoegen, en later kleine vogels, maar hij had er niet bij vermeld wanneer en hoeveel. Toen Kai drie maanden oud was, begon ze hem rupsen en libellen te voeren, omdat hij maar bleef piepen en jammeren alsof hij honger had.

Ping huiverde. Het vuur was uitgegaan. Het was donker. Haar kom warm water was koud geworden. De purperen schubben van de kleine, slapende draak glansden zwak in het licht van de halve maan. Ze droeg hem de grot in waar ze zouden slapen. Binnen lag een berg gedroogd gras met dennennaalden die als bed diende. Ze zette Kai op het bed en ging naast hem liggen. Kai sliep, helemaal opgerold, met zijn neus onder zijn achterpoten en zijn staart ingetrokken onder zijn buik. Het zag eruit alsof iemand hem in de knoop had gelegd. Hij werkte zich zo dicht naar Ping toe dat de stekeltjes op zijn rug in haar zij prikten.

De babydraak sliep in elk geval goed. Pings nachten waren vredig, maar ze kon vaak niet slapen. Het was niet het snurken naast haar oor dat haar wakker hield, maar het waren de gedachten die door haar hoofd tolden. Was het Tai Shan-gebergte een goede plek voor hen om te gaan wonen? Had ze dichter bij zee moeten blijven. Hoe zouden ze door de winter komen?

· Hoofdstuk 2 ·

Een kom, een emmer en een soeplepel

'Je kunt van vorm veranderen!'
De kleine draak knipperde met zijn
grote, groene ogen tegen haar en piepte weer.

Het had de hele morgen geregend en de lucht was nog steeds grijs. Ping stond bij de ingang van de grot en keek naar de druppels die golfjes maakten in het meer. Kai had wormen gegeten als ontbijt, maar het was niet genoeg voor hem. Het zag er niet naar uit dat de regen zou ophouden, maar binnen niet al te lange tijd zou Ping naar buiten moeten om de geit te melken.

Ze snoof. Er hing een stank in de lucht. Ze snoof opnieuw. Het was een zwavelachtige stank van rotte vogeleieren vermengd met de lucht van vis die al een tijd dood was. De lucht was maar al te bekend voor Ping. Ze stond op en algauw vond ze een grote donkergroene plas in de hoek van de grot.

'Kai! Ik heb tegen je gezegd dat je buiten moest plassen. Zelfs al regent het!'

De kleine draak boog zijn hoofd. De stekels op zijn rug hingen slap. Zijn schubben werden mat en kregen de kleur van pruimensap.

'Je bent altijd nat van het zwemmen in het meer, maar je kunt niet tegen een paar druppeltjes regen!'

Kai sloop naar achteren in de grot en verborg zijn kop onder zijn voorpoten.

'Je zult met je melk moeten wachten tot ik dit weer schoon heb.'

Ping veegde de drakenplas op met met een grote dot droog mos, maar de lucht bleef hangen.

Het zag er niet naar uit dat het weer vlug zou opklaren. De geit stond buiten. De regen liep in straaltjes van Pings armen. Ping wilde niet nog natter worden, dus nam ze de geit mee naar binnen. Ze legde haar wang tegen de vochtige vacht van het dier, terwijl ze het melkte. De geit was een geduldig beest dat geen problemen veroorzaakte en de beproevingen van het leven met een kleine draak zonder klagen accepteerde. Ze protesteerde niet als Kai naar haar knieën hapte of tevoorschijn sprong van achter de rotsen om haar te laten schrikken. En elke dag gaf ze zonder mekkeren warme melk.

Ping vulde een kom. Zoals altijd kwam de draak er bliksemsnel aan en slurpte de melkkom leeg, alsof hij anders de hongerdood zou sterven. Soms liet hij nog wel eens iets over voor Ping. Maar deze keer niet. Kai likte alles op tot de laatste druppel.

De lucht van natte geit maakte de stank in de grot nog

groter, maar Ping had de moed niet om het dier weer de regen in te sturen. Haar voedselreserve begon te slinken. Ze zou naar buiten moeten gaan en noten, bessen en paddenstoelen zoeken om de wintervoorraad aan te vullen, in plaats van haar tijd te verspillen in de grot. Ze staarde naar de motregen buiten. De dichtstbijzijnde bergtoppen waren saai grijs, de toppen die daarachter lagen werden al waziger in de regen, de verste toppen verdwenen bijna in de mist. Misschien zou ze de volgende dag naar buiten gaan.

Kai zocht in de grot naar iets om mee te spelen. Hij haalde zijn bed van gras en dennennaalden overhoop. Hij greep zich vast aan de staart van de geit en schommelde heen en weer. Hij joeg achter kevers aan, maar het lukte hem nooit ze te pakken. Het duurde niet lang of hij kreeg genoeg van het spelen en begon Ping te vervelen. Hij klom op haar schoot en draaide daar kringetjes, waarbij hij met zijn scherpe klauwen in haar benen prikte tot hij ook daar genoeg van had en wilde gaan liggen. Maar hij had geen slaap. Hij krabde zich achter een oor, kauwde op het einde van de reep stof die Ping rond haar middel had gedraaid en besnuffelde het buideltje, op zoek naar insecten. Ping dacht dat het misschien leuker zou zijn een poes of een jong hondje op haar schoot te hebben op zo'n koude dag, want draken waren niet aanhalig. Hoewel het warmbloedige dieren waren, voelden hun schubben koud aan en Kai had scherpe puntjes aan zijn schubben die door Pings lange jurk heen in haar huid drongen.

Een vuurtje maken in de grot leek Ping geen goed idee. De stank in de grot was al erg genoeg, ze wilde er niet ook nog rook aan toevoegen. Als middagmaal at ze noten en bessen die ze de vorige dag had gezocht. Kai kreeg de laatste insecten uit haar leren buideltje, en maakte toen een hoog klagend geluid wat betekende dat hij nog steeds honger had. Ping lette niet op hem, dus liep hij snuffelend rond in de grot, tot hij een grote mot ontdekte die opgevouwen in een rotsspleet zat achterin de grot. Hij sprong op, wilde het insect pakken, maar zijn reusachtige klauwen wogen zo zwaar als stenen. Hij kwam niet hoog genoeg, hoe vaak hij het ook probeerde. Ping had kunnen opstaan en de mot voor hem vangen, maar het weer maakte haar lui en suf.

Het was koud in de grot. Als Kai uitademde werd zijn adem een nevelig wolkje. Als hij Ping wilde pesten, moest hij lang doen over het uitademen. Dan vulde de grot zich met een vochtige, witte mist waardoor het nog kouder leek.

Het zomerweer had Ping verwend. Het was pas herfst, maar ze zat te rillen alsof het hartje winter was. Haar jurk, hoewel groezelig en versteld op verschillende plaatsen, was nog steeds veel dikker dan de tot op de draad versleten jas die ze gedragen had toen ze nog slavenmeisje was op het Huangling Paleis. Daar had ze geen warm geitenvel gehad om 's nachts onder te slapen. Ze had geslapen in een tochtige ossenstal en meester Lan had haar verboden een vuurtje te maken voor de warmte. Bij die herinnering begon ze zelfs te klappertanden. Ze had behoefte aan iets warms in haar binnenste. Ze besloot toch maar een vuurtje te maken.

Ze ging naar buiten in de regen en sprokkelde vlug wat vochtig hout. Met haar zwavelstokjes maakte ze vuur in een pol droog gras, maar het natte hout wilde niet branden. Het enige resultaat van haar pogingen was dat de grot met rook werd gevuld.

Achter in de grot klonk het kletterende geluid van iets

metaalachtigs dat op steen valt. Kai had haar kostbare dingetjes ontdekt die ze op een richel in de rotswand had neeggelegd, in de overtuiging dat Kai er niet bij kon. Ze besefte nu pas hoeveel hij gegroeid was. Hij stond op zijn achterpoten, scharrelde tussen haar spullen en stootte ze van de brede richel, waardoor ze op de stenen vloer van de grot vielen.

'Afblijven, Kai!' riep ze. 'Dat zijn mijn spullen.'

Er was niets wat hij leuk vond, er was niets te eten. Hij sloop terug, zijn staart sleepte over de grond en hij stak zijn kop tussen de dennennaalden op zijn slaapplek. Ping zei niets meer. Het had geen zin. Hij luisterde nooit naar wat ze ook zei.

Ze raapte de spulletjes op. Er zaten ook een paar kostbare cadeautjes tussen die ze van vrienden had gekregen. Er was de bronzen spiegel die Danzi haar had gegeven en de rechthoekige zegel van witte jade die ze van de keizer zelf had gekregen. Aan een kant van de smalle rechthoek stonden Chinese karakters gegraveerd. Aan de andere kant stond een draak. Ze voelde met haar vingertop over de koele jade. Een hoekje was beschadigd door de val van de richel. Ze verzamelde de andere dingen waaronder een kam en een schub die ze ook van de oude draak had gekregen. Er waren gouden en koperen munten, een hangertje van jade, een potje zegelinkt, een naald en een lang eind rode draad. Bovendien had ze nog een stuk purperen eierschaal – alles wat er nog over was van de drakensteen. En er was ook nog een groot, gedroogd boomblad dat in tweeën was gevouwen. Tenslotte was er het vierkant van bamboe waarop haar naam geschreven stond en dat ze van haar ouders had gekregen. Een paar bezittingen waren een heleboel geld waard, andere hadden geen geldwaarde, maar Ping was dol op ál deze dingen.

Ze had het vierkantje van bamboe altijd om haar hals gedragen, maar een paar weken geleden had Kai het touwtje stukgetrokken. Ze brak een eindje af van de rode draad, trok hem door het vierkantje van bamboe en hing het opnieuw om haar hals.

Ze hield de zegel van jade in haar ene hand en het spiegeltje in de andere. Het waren allebei symbolen van de taak van drakenhoeder die ze had vervuld, maar ze vertegenwoordigden allebei heel verschillende taken.

Ze bekeek het spiegeltje nauwkeurig, maar het had gelukkig geen schade opgelopen door de val. Op de ene kant was een draak geëtst – een volwassen draak die zich om een knop had gedraaid die uit het midden naar boven stak. De drakenpoot reikte naar de knop alsof het iets kostbaars was, zoals een parel. Toen Ping het spiegeltje had gekregen van Danzi, had hij haar gewaarschuwd dat het een symbool was van een levenslange verbintenis met hem en zijn erfgenamen. Kai was zijn zoon, zijn enige erfgenaam en mogelijk de laatst levende draak. Ze was dolblij geweest met de spiegel en trots om de taak van drakenhoeder te gaan vervullen. Ze begreep echter nog niet goed hoe groot de verantwoordelijkheid was die eraan vastzat. Evenmin had ze toen begrepen dat ze daarmee voor een eenzaam leven had gekozen. De spiegel was eigendom geweest van al Danzi's drakenhoeders. Hij was honderden jaren oud. Ze wist niet zeker of het niet een te grote eer was. Ze had aanvankelijk helemaal niet graag gereisd met de draak. Het was haar taak geweest Danzi eten te geven. De draak werd in het Huangling Paleis gevangen gehouden, waar zij slaafje was. Ze was niet van plan geweest hem te helpen ontsnappen. Het was eigenlijk Danzi geweest die haar had bevrijd. Hij had haar de taak gegeven zijn drakensteen helemaal naar zee te dragen. Ze glimlachte bij de gedachte hoe angstig ze was geweest bij het vooruitzicht dat ze het ellendige paleis ging verlaten. Ping draaide het spiegeltje om. De andere kant van brons behoorde glanzend gepoetst te zijn. Maar hij was vuil en het zilverachtige spoor van een slak liep er kriskras overheen. Ze stopte de spiegel terug in haar leren buideltje. Als het ophield met regenen zou ze het meenemen naar buiten en het in de plas afspoelen.

De zegel van jade was het teken van de keizerlijke Drakenhoeder wiens taak het was voor de draken van de keizer te zorgen. Ping had de zegel nooit moeten aannemen. Danzi zou liever zijn gestorven dan opnieuw gevangen genomen worden.

Een knetterend geluid onderbrak haar gedachten. Een kleine oranje vlam likte aan het hout op de plek waar ze vuur had gemaakt. Ping blies in de gloeiende kooltjes en er ontstonden meer vlammen. Ze hing een pot water boven het vuurtje en voegde er een paar rode bessen aan toe waardoor het water lekker ging ruiken. Kai kwam naar het vuurtje toe. Hij keek haar aan met een gewonde blik alsof zij degene was die iets verkeerd had gedaan. Hij struikelde over de stapel sprokkelhout en viel op zijn neus.

Ping lachte. 'Draken behoren heel scherp te kunnen zien!'

Ze kon nooit lang boos op hem zijn.

Kai ging bij het vuur zitten. In het licht van de vlammen glinsterden zijn schubben als kristallen van amethyst. Hij piepte.

'En denk niet dat je iets te eten krijgt, alleen maar omdat ik een pot water boven het vuur heb gehangen. Het duurt nog uren voor het tijd is voor het avondeten.'

De draak staarde jammerend naar de pot.

'Ik weet niet waarom ik eigenlijk tegen je praat. Je verstaat toch geen woord van wat ik zeg.'

Met een stok haalde Ping de pot weg boven het vuur, en hield hem even later schuin om het water in haar kom te schenken. Kai protesteerde opnieuw.

'Je houdt niet van warm water,' zei Ping.

De lucht rond de draak trilde een beetje en werd donkerder. Opeens zat er geen purperen draakje bij het vuur, maar stond er een tweede pot, precies dezelfde als de pot die Ping in haar handen hield. Van verbazing morste het meisje warm water op haar hand. Uit de tweede pot kwam een krijsend geluid. Ping vroeg zich af of ze haar verstand begon te verliezen. Met mensen die alleen leefden gebeurden de gekste dingen. Kwam het misschien van het eindeloze vis eten, waardoor ze dingen begon te zien en te horen die er niet waren? Ping pakte de lepel en wilde soep nemen uit de pot. Maar voor haar dat lukte, trilde de lucht opnieuw. Ping werd op slag misselijk, terwijl ze zag dat de pot bij het vuur veranderde in een tweede soeplepel met een drakenkop als versiering, precies hetzelfde als de lepel die ze in haar hand had.

'Kai, ben jij het?'

Ping werd nog misselijker toen de tweede soeplepel veranderde in een emmer en toen in een babydraak.

'Kai, je kunt van vorm veranderen!'

De kleine draak knipperde met zijn grote groene ogen tegen haar en krijste.

'Dat is fantastisch! Wat ben jij een slimme draak!'

Ze liep naar achteren in de grot en haalde voorzichtig de slapende mot uit de rotsspleet. Het beestje begon druk met zijn vleugels te fladderen, waardoor er stoffige, grijze poeder in Pings handpalmen viel. Ping hield Kai het tegenstribbelende insect voor.

'Je hebt een beloning verdiend.'

De kaken van de draak hapten naar de mot en raakten ook Pings vingertoppen.

'Brave jongen, Kai.'

Ping hield de hele dag het vuurtje aan. Tegen de avond hield het op met regenen. Zodra Kai sliep, haalde Ping de schub van de oude Danzi achter uit de grot en liep ermee naar buiten. De maan stond al vroeg aan de hemel. De hemel was al bezaaid met sterren. Bij daglicht was de drakenschub vaalgrijs, maar in het maanlicht had hij een groenachtige glans. Ze wreef met haar vingers over de ruwe oppervlakte. Ze wilde dat ze Danzi kon vertellen dat zijn zoon Kai eindelijk drakenvaardigheden begon te vertonen. Ze kreeg weer een beetje hoop in haar binnenste. Als hij van vorm kon veranderen, betekende dat dat ze zich tussen de mensen konden begeven. Ze konden naar een markt gaan en eten kopen voor de koude maanden.

En misschien groeide er op een dag wel een behoorlijke draak uit Kai.

· Hoofdstuk 3 ·

De rode feniks

Wat het ook was, het leefde –
en kwam regelrecht op Ping af.

Laat modderig water met rust, dan zal het langzaamaan helder worden.

De draak strekte zijn poot naar haar uit. Zijn klauwen waren reusachtig en scherp en zouden haar gemakkelijk opengescheurd kunnen hebben, maar ze raakten haar hand zo zacht als een vlinder.

'Ik weet niet wat je bedoelt, Danzi,' zei Ping.

Ping weet wel.

'Nee.'

Wel.

De draak sloeg zijn vleugels uit. Ze waren niet gescheurd, ze hadden geen littekens, ze waren volledig genezen. De vliezen van zijn vleugels waren door lange, dunne botten in segmensten verdeeld net als de vleugels van een vleermuis. De volle maan kwam tevoorschijn vanachter een wolk. Manenstralen verzamelden zich in het drakenlijf tot het heldergroen glansde.

'Laat me niet alleen Danzi.'

Moet gaan.

Ze probeerde naar de draak toe te rennen, maar haar voeten bewogen zich niet. Ze keek naar beneden. De hele aarde rond haar voeten was zo droog als een door de zon gebleekt bot, maar haar voeten stonden in een modderpoel. Ze kon ze er niet uit trekken.

De draak verhief zich van de grond.

'Ga niet weg, alsjeblieft,' jammerde ze. 'Help me zodat ik op je rug kan klimmen.'

Een ruw pad is vaak de eenvoudigste weg. De gemakkelijke weg blijkt vaak de moeilijkste.

De mooie manenstraaldraak vloog met flapperende vleugels op in de nachtelijke hemel. Hoe meer Ping probeerde haar voeten uit de modder te trekken, des te verder ze erin wegzakte. De draak was niet meer dan een klein lichtpuntje aan de hemel en toen verdween hij tussen de sterren. Een wind stak op. Hij blies bladeren en steentjes de lucht in. Een van de stenen raakte haar scherp op haar neus. Het deed zeer, maar de pijn in Pings hart was veel erger.

Ping werd wakker en merkte dat een kleine purperen draak zachtjes aan haar neus pikte.

'Kai, ik wil dat je een minder pijnlijke manier bedenkt om me wakker te maken,' zei ze, terwijl ze rechtop ging zitten.

Ze voelde nog steeds de wanhoop van de droom. Ze droomde niet vaak van Danzi, maar als dat gebeurde, waren die dromen hartverscheurend. Het leek of hij probeerde haar iets te vertellen, maar ze kon zijn boodschap nooit begrijpen. Het duurde een paar minuten voor ze genoeg kracht verzameld had om moedig aan de dag te beginnen.

De opwinding over het feit dat Kai van vorm kon veranderen bedaarde snel. Pings maag protesteerde steeds tegen het misselijk makend gevoel dat ze kreeg wanneer ze zag dat de draak van vorm veranderde. Ze probeerde niet te kijken, maar dat lukte niet gemakkelijk, omdat hij voortdurend van de ene vorm in de andere veranderde wanneer ze het het minst verwachtte.

Kai veranderde in de vorm van datgene wat hem onder ogen kwam. De ene minuut was hij een struik, de volgende een schildpad en dan weer was hij een kom. Ping probeerde hem aan te moedigen zich bij één vorm te houden en trakteerde hem op bosjes bruine rupsen. Daar was Kai dol op, maar Ping vond het niet leuk om ze te gaan zoeken, want de beestjes bespuwden haar met een plakkerige, groene substantie zodra ze ze van de bladeren pakte. Zoals gebruikelijk verstond Kai geen woord van wat Ping zei. Hij at de rupsen op en veranderde dan weer in iets anders. Pings optimisme verflauwde. Op pad zijn met een kom die zich voor de ogen van de mensen veranderde in een struik of een emmer, zou evenveel opzien baren als het feit dat ze een babydraak bij zich had.

Ping wist dat draken duizenden jaren konden leven als ze gezond waren. Dat was iets wat Danzi echt had verteld. Na vijf-maal-honderd jaar kreeg een draak hoorns, na tien-maal-honderd jaar kreeg hij vleugels. Misschien duurde het wel honderden jaren tot ze hun drakenvaardigheden hadden geleerd. Zelfs al zou Ping honderd jaar worden, zou Kai nog steeds een heel jong draakje zijn. En misschien kon hij dan nog steeds niet zelfstandig leven.

Een vraag die al in Pings hoofd zat sinds de draak uit zijn ei was gekropen was: Wie zou voor Kai zorgen als zij stierf? Op een dag zou ze iemand moeten zoeken die haar plaats kon innemen. Ze zou die persoon alles kunnen leren wat ze wist over draken – maar zou iemand zo'n taak op zich willen nemen?

Ping keek uit over het wateroppervlak van het meer. Er was geen libelle te zien. Ze had in de struiken gezocht die in de buurt stonden en had niet één rups gevonden. De afgelopen nacht had ze niet de moeite genomen om op zoek te gaan naar motten. Ze had geen insecten voor Kais ontbijt.

Kai zwom in het meer, zoals hij elke dag deed als het goed weer was. Als de kleine draak liep, was hij onhandig en lomp, en struikelde over stenen of afgevallen takken. In het water bewoog hij zich snel en behendig, dook op de keien af die op de bodem lagen en gleed er in de laatste seconde weer van weg.

'Ik zal blij zijn als je je eigen insecten kunt vangen,' zei Ping toen hij weer bovenkwam om adem te halen.

Ping tuurde in het donkere water. Ze zag grote waterkevers, zwart met geel gestreept, die tussen het riet doken. Ze had eerder de larven van deze beesten verzameld, omdat Kai die lekker vond, maar daar was het nu het seizoen niet meer voor. De kevers waren groot. Drie of vier zouden een goede maaltijd zijn voor de kleine draak.

'Waarom vang je ze niet?' mopperde Ping. 'Je jaagt er

alleen maar achteraan?'

Omdat Kai geen aandacht besteedde aan dit voorstel besloot ze zelf de beestjes te vangen. Ze haalde het visnet dat ze had geknoopt van dunne, buigzame takjes en liet het in het water zakken. Binnen een paar minuten had ze vijf kevers in haar net.

'Probeer ze eens, Kai,' zei ze. 'Ze zien er heel lekker uit.'

Kai kwam uit het water. Hij rook aan de kevers die ronddolden in het net.

'Dat is alles wat je vanmorgen krijgt,' zei Ping.

Kai protesteerde schreeuwend.

'Oké, ik zal ze voor je pletten,' zei Ping.

Ze maakte het net leeg op een vlakke rots en plette de kevers met de steen waarmee ze altijd graan dorste. Kai rook opnieuw aan de kevers. Hij likte langs de gele prut die onder de geplette keverschildjes uitkwam. Toen stopte hij een schildje in zijn mond. Hij kauwde erop en spuwde het toen weer uit.

Ping zuchtte. 'Als je ze niet lekker vindt, zul je het met melk moeten doen.'

Ping liep naar de plek waar de geit vastgebonden stond. Ze hurkte neer en legde haar wang tegen de flank van het dier, dat rustig doorging met grazen.

'Was Kai maar net zo gemakkelijk met eten als jij,' zei ze.

Kai begon weer geluiden te maken. Niet het klagende gekrijs dat hij liet horen als hij honger had. Niet het geluid dat hij maakte als hij wilde dat Ping met hem speelde. Het was een rauw hoestgeluid. Ping draaide zich om en zag dat de draak stond te kokhalzen. Ze rende naar hem toe.

'Wat is er mis met je, Kai?'

Ping ging zitten en klopte hem op zijn rug, wat niet

meeviel, omdat de draak van kop tot staart een rij scherpe stekels op zijn rug had. Het leek of hij geen adem meer kon halen. Ping dacht dat hij stikte, dat hij iets had ingeslikt en dat dat nu klem zat in zijn keel. Ze sloeg harder op zijn rug. Kai haalde nog steeds geen adem. En toen gaf hij met een grote boog over in Pings schoot. In het onaangename melkachtige mengsel van libellenpootjes en rupsenhuid zat een uitgeperste waterkever.

Kai liet een klaaglijk geluid horen en ging liggen. Zijn ogen stonden dof. Zijn tong was niet meer helderrood. Zijn schubben hadden de kleur gekregen van een blauwe plek. Ping bracht de kom met melk naar hem toe, maar hij dronk niet. Ping droeg hem de grot in en legde hem op het bed van dennennaalden. Ze wreef zachtjes over de maag van de kleine draak.

'Ik vind het erg, Kai,' zei ze. 'Ik had je de kevers niet moeten geven.'

Ping schaamde zich. Toen ze voor het eerst insecten door Kais eten had gedaan, had ze hem maar een paar hapjes laten proeven. En toen er na een dag geen slechte reactie kwam, gaf ze hem een beetje mee meer, waardoor de hoeveelheid per week groter werd, tot ze er zeker van was dat het insect niet vergiftig was. Ze was zorgeloos geworden.

Hij had er wel dood aan kunnen gaan.

Ping nam zelf ook geen ontbijt. Ze vond het niet eerlijk om te eten als Kai het niet kon. Ze zat de hele dag naast hem, wreef zachtjes over zijn maag. 's Avonds laat hield hij eindelijk op met kreunen en viel in slaap.

De volgende ochtend at Kai een beetje. Tegen een uur

of drie 's middags begon hij de geit te plagen, haalde zijn dennennaaldenbed ondersteboven en vroeg elk uur om eten. Terwijl Ping een net doodgedrukte libelle in haar buideltje stopte, raakte haar hand het spiegeltje. Ze herinnerde zich haar belofte om het schoon te maken en op te wrijven. Ze nam de spiegel mee naar het water. De zon verwarmde haar gezicht. Ze had het gevoel dat er niet veel warme dagen meer zouden komen voor het winter werd. Ze keek om zich heen, maar zag Kai nergens.

'Waar ben je, Kai?' riep ze.

Hij was te lang stil geweest. En dat was altijd een teken dat hij kattenkwaad uithaalde. Er lag een tak onder een van de pijnbomen die er eerder niet gelegen had.

'Ik wil dat je dichtbij de grot blijft,' zei ze tegen de tak.

Ze kreeg geen antwoord.

'Tot ik zeker weet dat je weer helemaal beter bent.'

Ze hoorde een schreeuw achter zich. Ze draaide zich om en zag de kleine draak. Ze had staan praten tegen een boomtak. Een groot nadeel van Kais nieuwe kracht tot vormverandering was dat ze hem niet altijd kon vinden, zelfs niet als hij vlakbij haar was. Het zou een poosje duren tot hij een beetje handiger werd met deze nieuwe vaardigheid, net als een kind dat leert lopen. Ze moest geduld hebben.

Het spiegeltje paste in haar handpalm. Ze doopte een stukje van haar lange jurk in de plas en wreef er de spiegel mee schoon. Ze kon haar spiegelbeeld zien. Haar haar zat in de knoop en er waren bladeren in blijven hangen. Haar gezicht was vuil en zat vol schrammen. Er zat een korstje op haar neus. En ze was magerder geworden. Ze had het zo druk gehad met het zorgen voor de babydraak dat ze zichzelf een beetje vergeten was.

Ping herinnerde zich de tijd dat Danzi haar had aangespoord zich te wassen en haar haar te kammen. Ze glimlachte bij de herinnering, maar haar hart deed even pijn. Herinneringen aan de oude draak hadden altijd dat effect op haar. Als hij haar nu zou zien, zou hij het erg vinden dat ze er zo uitzag. Ze liep terug de grot in om haar kam te halen. Het was een mooie, gemaakt van ebbenhout, ingelegd met parelmoer. Eenmaal weer buiten begon ze haar haar te kammen.

Terwijl ze stond te kammen keek ze naar de eindeloze lucht. In oostelijke richting zag ze in de verte een zwarte vlek. Ze wreef haar ogen uit, maar de vlek ging niet weg – hij werd groter. En terwijl ze bleef kijken zag ze dat het een vogel was die richting Tai Shan vloog. Hij werd steeds groter, kwam steeds dichter bij, tot hij recht boven haar hing. Het was een grote, rode vogel. Eerst dacht ze dat het een truc van het zonlicht was, maar de vogel was inderdaad vuurrood. Flapperend met zijn grote vleugels streek hij neer in een pijnboom.

Ping had zo'n vogel nog nooit gezien. Hij had drie lange staartveren die aan het einde omkrulden. Op zijn kop had hij een rode kam. Hij vouwde zijn grote vleugels dicht. De vogel was inderdaad vuurrood, de kleur van rijpe bessen. Het was een rode feniks. Terwijl Ping de vogel stond te bekijken, zag ze ook dat er een bult zat op de rug van het dier. Ze kon niet zien wat het precies was. De bult was niet met rode veren bedekt, maar grijs. Ze legde haar kam en spiegeltje even op een groot rotsblok waar ze net naast stond. Een steen onder de boom krijste opeens hevig geschrokken en veranderde weer in een babydraak. Kai rende naar Ping, sprong tegen haar op en draaide zich om haar hals. Hij begroef zijn neus in haar haar en draaide de punt van zijn staart om haar oor. Ping probeerde de kleine draak los te trekken, maar het leek of hij aan haar zat vastgeplakt zoals een schelpdier op een rots.

'Ik krijg geen lucht meer, Kai!' sputterde ze.

Terwijl Ping zich met de grootste moeite van Kai bevrijdde, zag ze de vogel die zich niet bewust was van de drukte die hij had veroorzaakt. Hij streek met zijn snavel zijn angstaanjagende staartveren glad. Elke staartveer was zo lang als Pings arm en eindigde in een regenboogkleurig oog.

De grijze bult op de rug van de feniks verschoof. Hij maakte zich los van het vogellijf en kwam vlug langs de stam van de boom naar beneden. Wat het ook was, het leefde – en rende regelrecht op Ping af. Er was niets waarachter ze kon wegkruipen. Ze pakte de soeplepel, het enige ding dat ze bij de hand had om zichzelf te beschermen. De grijze, wazige bol had dus pootjes en kwam naar haar toe. Ze sloeg er met de lepel naar, maar hij was haar te vlug af. Hij klom tegen haar jurk op alsof hij van plan was het draakje aan te vallen. Kai krijste van schrik, sprong op de grond, rende naar het meertje en dook in het water.

Ping probeerde het grijze ding van haar lange jurk te trekken. Ze schreeuwde, pakte het rare schepsel beet en gooide het van zich af. Het kwam netjes op zijn pootjes terecht. Nu pas zag Ping wat het was. Een rat, maar geen gewone rat. Deze was heel groot en staarde haar aan met helderblauwe ogen. In het licht van de zon had zijn vacht een blauwachtige glans, als geborduurd satijn. Hij miste ook een stuk uit een oor. Ping staarde naar de rat. Ze kende nog een rat met een stuk uit zijn oor...

'Ben je...' Ping kon de naam nauwelijks zeggen. 'Ben jij het, Hua?'

Ze ging zitten, stomverbaasd.

De rat nestelde zich in haar schoot, keek naar haar op en piepte. Ping staarde het beest aan. Ze streelde voorzichtig zijn warme vacht.

'Jij bent het echt, Hua!' zei Ping. 'Je bent weer beter en je bent gegroeid!' Ze staarde in de blauwe ogen van de rat en keek naar zijn grote gele tanden. 'En je bent veranderd.'

Ze trok Hua tegen zich aan om hem te knuffelen, bekeek zijn blauwachtige vacht en knuffelde hem weer. De glimlach op haar gezicht werd breder. 'Wat heerlijk om je terug te zien!'

De rat knabbelde zachtjes aan haar oor.

De rode feniks was klaar met het gladstrijken van zijn veren. Hij spreidde zijn vleugels en vloog weg. Ping keek hem na tot het nog maar een zwart puntje was, hoog in de lucht. Het leek erop dat Hua wilde blijven.

Ping kon geen sporen meer vinden van de wonden die Hua had gehad. Hij was helemaal genezen. Het Eiland van de Gezegenden bestond dus toch.

'Kai!' riep ze. 'Ik wil je graag Hua voorstellen.'

Ze keek rond. Haar glimlach werd vager en verdween tenslotte helemaal. Kai was in het water gedoken... en niet meer bovengekomen.

• Hoofdstuk 4 •

Een drakenvriend

Er kwam iets bovendrijven.
Het zag er levenloos uit,
was purper van kleur
en had een lange rij stekeltjes op zijn rug.

Ping tuurde angstig in het Zwarte Drakenmeer. Ze kon niets zien.

'Kai! Waar ben je? Als je je voor me verstopt, heb je een probleem!'

Ze keek goed tussen het riet, ze zocht naar kleine rotsblokken of gevallen takken die ze er niet eerder had gezien. Ze had Kai in het water zien duiken, nadat hij zo van Hua was geschrokken. Hij had nu toch boven moeten komen om adem te halen? Was hij missschien bovengekomen toen ze net niet keek? Of was hij nog steeds onder water?

Ping trok haar jurk op tot boven haar knieën, stoptc de

zoom tussen de sjaal om haar middel en stapte in het water. Het was ijskoud. Ze tuurde in de donkere diepte, maar zag alleen maar vissen en waterplanten. Ze waadde verder door het water dat intussen tot haar middel kwam. De kleine draak had zich altijd als een vis in het water gevoeld. Was hij misschien over de rand geslagen, daar waar het water van het meertje als een grote waterval neerstortte op het plateau beneden? De angst sloeg haar om het hart. Hij kon toch niet verdronken zijn? Haar voeten gleden uit over de gladde stenen onder water. Proestend en spetterend speelde ze het klaar overeind te blijven. De tijd verstreek. Ze hoorde haar hart in haar oren bonzen, steeds vlugger en harder naarmate Kai langer wegbleef. Hij was nu al minstens tien-en-vijf minuten onder water. Wat was ze voor een drakenhoeder? Ze hoefde alleen maar voor een jong draakje te zorgen. En ze had niet goed genoeg op hem gepast.

Ze herinnerde zich de angst van onder water te zijn. Ze was een keer bijna verdronken toen boeren hadden geprobeerd haar te offeren aan de drakengod die – dat geloofden ze – in hun meer woonde. Ze herinnerde zich de paniek toen ze wilde ademhalen en geen lucht binnenkreeg, maar water. Ze raakte opnieuw in paniek en wilde het op een gillen zetten, maar ze wist zich in te houden. Danzi had haar toen gered. Zij moest Kai redden.

Ze haalde diep adem en verdween onder water. Ze deed haar ogen open, maar door al haar uitglijden was de modder op de bodem naar boven gekomen. Het water was erg troebel. Ze stak beide handen in het donkere water, maar ze voelde niets anders dan gladde stenen. Naar adem snakkend kwam ze weer boven.

Ping viel neer naast het rotsblok waarop ze haar kam en spiegel had achtergelaten. Ze kon niet meer op haar benen staan, zo trilde ze. De tranen stroomden over haar wangen.

Hua sprong op de rots en duwde net zo lang met zijn snuit tegen het spiegeltje tot het de zonnestralen ving. Een straal helder licht weerspiegelde zich in de plas.

Er kwam iets bovendrijven. Het zag er levenloos uit, was purper van kleur, en had een lange rij stekeltjes op zijn rug. Het draaide langzaam rond en rond, gevangen in een draaikolk in het midden van het meer. Het was het kleine drakenlijf. Arme Kai. Hij had duizenden jaren moeten worden, niet een paar maanden. Ping zag niets meer, omdat ze zo moest huilen. Driftig veegde ze haar tranen weg. Het drakenlijf draaide zich nog een keer totdat de voorkant van de kop zichtbaar werd. Twee grote, groene ogen knipperden en gingen open. Een rode mond ging wijdopen en Ping hoorde een harde schreeuw.

Ze sprong overeind. 'Kai!'

De kleine draak bewoog zijn grote voeten en werkte zich met gemak uit de draaikolk. Maar hij kwam niet naar haar toe. Hij staarde naar Hua.

Ping sprong op, rende het water weer in en waadde naar hem toe. 'Het is goed,' zei ze. 'Dit is Hua. Hij doet je niets. Hij is een drakenvriend.'

Ping speelde het klaar de kleine draak zover te krijgen dat hij uit het meer kwam. Hij bleef dicht bij haar, terwijl hij angstig naar de rat keek. Hua scheen volkomen te begrijpen dat Kai bang voor hem was en hield afstand. Ping, nat en huiverend, probeerde een vuurtje te maken. Het hout was droog genoeg, maar haar handen trilden nog bij de gedachte wat er had kunnen gebeuren. Ze kon met die trillende handen niet snel genoeg een stok heen en weer wrijven om een vonk te maken. Hua kwam naar de vuurplek en ging op zijn achterpoten staan. Kai gilde van angst. De haren van de rattenvacht stonden overeind en de vacht leek blauw, hoewel hij niet werd beschenen door de zon. De rat leek nog groter. Opeens vloog een kleine dot speeksel uit zijn mond. Toen dat het hout raakte, ontploft het met een steekvlam en een knal. De vlam bleef maar een seconde of twee branden, maar het was genoeg want het hout vatte vlam. Hua liet zich weer zakken op vier poten en zijn vacht was weer plat en glad. Ping kon haar ogen niet geloven. Kai knipperde verbaasd met zijn ogen, maar kroop dichter bij het warme vuurtje.

'Hua,' zei Ping. 'Wat ben jij een bijzondere rat geworden.'

Ping hing een pot water boven het vuur en begon linzen en graan te koken die ze had bewaard voor noodgevallen. Na zoveel schokken en verrassingen moest ze iets eten.

Ping besefte dat ze had moeten weten dat draken heel lang onder water kunnen blijven. Danzi had onder water overleefd. Ze herinnerde zich dat hij haar had verteld dat als er niet genoeg eten was voor een hele winter, draken de koudste maanden een winterslaap hielden in diepe meren. Kai moest nog leren een draak te zijn. Ping had ook iets geleerd. Kai had gereageerd op de lichtflits van de spiegel, zoals een hond reageerde op het fluitje van zijn baas. Danzi had haar verteld dat het spiegeltje gebruikt kon worden als een signaal voor draken, maar daar had ze nu even niet aan gedacht. Als Hua er niet was geweest, zou ze er nooit meer op gekomen zijn. Ze ving de zonnestralen een aantal keren op met het spiegeltje en Kai kwam steeds naar haar toe. Ze gaf hem libellen en een extra kom melk. Hij zat bij het vuur van de insecten te smullen en was zich er niet van bewust dat hij haar zo'n angst had bezorgd.

Ping deelde haar eten met Hua. Ze zag dat hij handiger met zijn klauwen was geworden. Hij kon zijn tenen onafhankelijk van elkaar bewegen en raapte net zo gemakkelijk dingen met zijn voeten op als Ping met haar handen.

'Kon je maar praten, Hua,' zei ze.

De laatste keer dat ze Hua had gezien, was hij meer dood dan levend. Zijn kleine lijf was bijna vermorzeld door een klap met de stok van de drakenjager. Danzi had Hua naar het Eiland van de Gezegenden gebracht om hem te genezen met het levenswater. Als de rat zou kunnen praten, zou hij haar kunnen vertellen wat er met Danzi was gebeurd. Hua piepte, maar het verhaal van zijn avonturen over zee werd niet verteld.

Ping zuchtte. Ze had reisgezellen, het waren er nu drie, maar de enige geluiden die ze van hen kreeg waren gepiep, gekrijs en geblaat. Ze dacht aan de gesprekken die ze met Liu Che had gehad – over draken en bloemen en de kleur van lange gewaden. Ze verlangde ernaar een andere menselijke stem te horen. Zelfs herinneringen aan gelukkige momenten in een gezin zouden haar eenzaamheid verzacht hebben, maar die herinneringen bestonden niet. Toen ze slaafje was in het Huangling Paleis, had ze het altijd te druk gehad of was te moe geweest om aan haar ouders, of broers en zusjes te denken. Maar op de Tai Shan waren de nachten lang. Dan zag ze vaak de gezichtloze gestalten van haar vader en moeder in gedachten voor zich.

· Hoofdstuk 5 ·

Een druppel bloed

Ze wist zeker dat ze niet alleen was. Ze kroop verder. Toen hoorde ze een vaag, schurend geluid.

Een week na de onverwachte komst van Hua werd Ping wakker en vond een kookpot naast haar oor die klaaglijk jammerde. De pot veranderde in een emmer en toen in een kleine rotsblok en kreunde voortdurend. Ze draaide zich om. Een vuurtje gloeide op de plek waar ze altijd vuur maakte. Ernaast lag een hoopje paddenstoelen als haar ontbijt. Elke morgen maakte Hua het vuur aan en ging buiten op zoek naar eten, niet alleen voor zichzelf, maar ook voor Ping en Kai. Hij was nu vast naar buiten gegaan om insecten voor Kai te zoeken. Ping rekte zich uit en genoot van de luxe dat ze niet alles zelf hoefde te doen. Ze trok haar jurk, sokken en schoenen aan en liep naar buiten om de geit te melken. Kai zat bij de uitgang van de grot, met afhangende schubben. Een ijskoude mist hing over de berg. Ping keek rond, op zoek naar de geit. Ze had haar de avond ervoor vastgebonden aan de dichtstbijzijnde boom. Ping was nog niet helemaal klaarwakker. Misschien had Hua de geit verhuisd naar een plek met meer gras. Ze zocht, maar de mist maakte het moeilijk. Ze rilde, maar niet van de kou. Ze had een voorgevoel dat er iets mis was. Ze liep naar de rand van het plateau. De geit was nergens te zien. Ping kon haar niet eens roepen, omdat ze niet de moeite had genomen het dier een naam te geven. Ze voelde iets prikkelen in haar nek. Ze draaide zich vlug om, maar zelfs al was er iemand geweest, ze had hem niemand kunnen zien in de mist.

Ping liep naar het bosje pijnbomen. Ze had het gevoel dat er een steen in haar maag zat. Iemand verborg zich in het pijnbomenbos, ze wist het zeker.

De grote takken die zich hoog boven haar door elkaar hadden gevlochten, hielden het licht tegen. Ze liep geluidloos over het dikke tapijt van dennennaalden. De vogels zongen niet, insecten zoemden niet, het lange gras ritselde niet. Het leek of ze in een ruimte liep die behangen was met dikke wandtapijten die elk geluid absorbeerden. Ze wist zeker dat ze niet alleen was. Ze sloop verder. Toen hoorde ze vaag een krakend, schurend geluid. Een slang gleed door de dennennaalden vlak voor haar. Het was een grote slang met zwarte en oranje ringen in zijn huid. Hij stak zijn kop op en keek haar aan. Het seizoen voor de slangen was allang voorbij. Had ze haar mes maar meegenomen, dan had ze hem kunnen doden. Ping wilde terug naar de veiligheid van de grot, maar haar voeten bewogen zich niet. De slang gleed weg in de mist. Ping bleef doorlopen. De bomen werden schaarser. De bodem werd rotsachtiger en begon steil af te lopen. Het was niet veilig om verder te gaan. Het gevoel dat ze werd gadegeslagen werd sterker. Haar voet stootte ergens tegenaan. Het was geen steen, maar het was iets zachts en zwaars. Het was de geit. Ze lag aan haar voeten. Een straaltje bloed sijpelde uit haar dode lijf.

Een dier moest de geit hebben aangevallen. Een boskat misschien? Had ze de boskat laten schrikken op het moment dat hij zijn slachtoffer wilde opeten? Ping boog zich over de dode geit om het lijf te onderzoeken. Ze probeerde te begrijpen wat er was gebeurd. De kop van de geit lag naar achteren en Ping zag een rode, gapende wond in haar keel. Maar het was niet de ruwe wond van de aanval van een dier. De keel was zorgvuldig doorgesneden met een scherp mes. De geit was nog warm. Ze kon niet langer dan een paar minuten dood zijn.

Hoofdstuk 6

Geblinddoekt

Ze kwam bij een stuk waar de grond wat rotsachtiger was.
Daar hurkte ze neer, achter een hoge rotsblok.
Ze legde haar handen om Kais snuit
zodat hij niet kon schreeuwen.

Ping rende terug door het pijnbomenbos. Haar hart bonkte in haar keel. Kai zat niet bij de ingang van de grot waar ze hem had achtergelaten. Ze keek rond, maar de mist was als een blinddoek. Ze riep Kais naam en rende de grot in. De kleine draak was weer druk bezig zijn bed ondersteboven te gooien. De dennennaalden vlogen alle kanten uit. Ping haastte zich naar hem toe. Hij boog zijn hoofd, wist dat hij Ping boos had gemaakt, maar ze pakte hem op en drukte hem tegen zich aan. Ze merkte nauwelijks dat de stekels op zijn rug in haar armen drongen.

'We zoeken een andere plek om te wonen,' zei ze. Ze probeerde zo rustig mogelijk te praten. Ze pakte haar kookspullen in haar leren tas. Het was passen en meten voor ze er allemaal in konden. Ze verzamelde haar kostbaarheden en de schamele voedselvoorraad. Toen vertrokken ze. Kai verzette zich niet. Hoewel ze probeerde haar angst te verbergen, voelde hij die wel.

'Zit er niet over in, Kai,' zei Ping. 'Ik zal voor je zorgen.'

Ze hoopte dat ze overtuigend klonk.

Ping liep zo vlug mogelijk van de grot naar het keizerlijke pad dat onderlangs het punt Halverwege de Hemelpoort liep. Ze verwachtte dat de moordenaar van de geit elk moment voor haar zou opdoemen. Hua liep keurig achter haar aan. Ze begon te rennen.

Ademloos kwam ze een poosje later bij het keizerlijke pad. Ze zou liever de kleinere dierenpaadjes hebben gebruikt die alleen zij maar kende, maar het was veel te moeilijk ze te volgen in de mist. Soms zigzagden ze terug langs de weg die ze gekomen waren, soms leidden ze naar onverwachte rotspartijen. De dierenpaden waren te gevaarlijk. Het keizerlijke pad was de enige veilige weg bergafwaarts. Maar ze voelde zich er niet op haar gemak, onbeschut, hoewel niemand haar in de mist zou kunnen zien.

Het pad dook steil naar beneden en veranderde algauw in treden die in de rotsen waren uitgehouwen. Ping keek om. Ze wilde zeker weten dat ze door niemand gevolgd werd. Ze struikelde en viel zes treden naar beneden. Ze kroop overeind, keek of alles goed was met Kai en liep dapper door. Ze dwong zichzelf de treden langzamer af te lopen. De kleine draak maakte hoge, piepende geluiden die Pings hart pijn deden. Ze kon niet nadenken. Ze had geen flauw idee waar ze heen ging. Ze dacht nu en dan een glimp te zien van menselijke gestalten, maar zodra ze beter keek, bleken het kromgegroeide pijnbomen of rotsen te zijn die uit de mist opdoemden. Maar ze hield steeds het gevoel dat iemand in de buurt was.

Ze sloeg plotseling een smal pad in dat in westelijke richting liep. Het was gemaakt door schapen of geiten, maar was enige tijd niet gebruikt. Het gras stond er hoog. Ze volgde het pad, waarheen het haar ook zou leiden. Het was misschien gevaarlijk, maar dat kon gunstig voor haar zijn. Niemand kon haar de weg versperren. En als er al iemand was, dan moest hij of zij achter haar zijn. Ze draaide weer een ander pad in en toen weer, hopend dat ze uiteindelijk niet terug zou komen op de plek waar ze was begonnen. Ze was blij dat ze zich in de mist kon verschuilen. Ze kwam bij een stuk waar de grond wat rotsachtiger was. Daar hurkte ze neer, achter een hoge rotsblok. Ze legde haar handen om Kais snuit, zodat hij niet kon schreeuwen. Ze wachtte, haar oren gespitst op het kleinste geluid. Hua luisterde ook. Er was geen geluid. Ze wachtte nog een poosje, tot ze er zeker van was dat ze door niemand gevolgd werden.

Ze dacht steeds maar aan de gebeurtenissen van die ochtend, probeerde erachter te komen waarom iemand de geit had gedood. Ze kon maar één antwoord bedenken: iemand had haar bang willen maken. Haar hoofd zat vol met vragen. Waar zouden ze kunnen slapen? Wat zouden ze aan eten kunnen vinden? Hoe kwam ze aan een andere geit?

Haar jurk plakte nat en zwaar tegen haar huid. De kou drong door tot op haar botten. Kai jammerde. Ze hield hem tegen zich aan, in de hoop dat iets van zijn lichaamswarmte zijn weg zou vinden door zijn schubben en haar zou warmen. Ze was van plan door te lopen tot de zon onderging, maar ze was nu al doodmoe.

Elke stap kostte haar moeite. Haar benen deden pijn van het lopen dat ze niet gewend was. Ze had een lam gevoel in haar armen, omdat ze Kai steeds had gedragen. Ze had hoofdpijn van het piekeren wat ze moest doen.

Ze zette Kai neer. 'Loop voor me uit, zodat ik je kan zien.'

De kleine draak was te bang om weg te lopen. Hij wilde zo dicht mogelijk bij Ping zijn. Af en toe bleef hij plotseling staan en veranderde zichzelf in iets – een groot blad, een konijn, een hoop mest – en Ping viel over hem. Ze liet hem zien hoe hij achter haar aan moest lopen, en de zoom van haar jurk in zijn bek houden, zodat ze elkaar niet kwijt konden raken.

Ping bedacht dat ze beter bij het Zwarte Drakenmeer had kunnen blijven. Misschien was ze te snel geweest met haar besluit. Ze probeerde een andere verklaring voor de dood van de geit te vinden. Een hongerige bergkluizenaar was misschien de geit tegengekomen, maar ze had hem gestoord voor hij de kans kreeg het dode dier weg te halen. Een herder had de geit misschien gezien en gedacht dat Ping een dier uit zijn kudde had gestolen. Een sjamaan – een medicijnman - was misschien de heilige berg opgeklommen om een offer aan de Hemel te brengen. Hij had de rook gezien van haar vuur en besloten haar te straffen, omdat ze zich op de verboden hellingen van de Tai Shan had gewaagd. Maar geen van haar theorieën stelde haar gerust.

Ze liep struikelend verder door de mist. Toen ze opeens voor een grote zwerfkei stond, besefte ze dat ze van het pad was afgeraakt en ontdekte dat ze tot haar knieën in nat gras stond. Ze was niet alleen de weg kwijt. Kai hield zich ook niet meer vast aan de zoom van haar jurk.

'Waar ben je, Kai?' riep ze. Ze liep een eindje terug en struikelde over de kleine draak. Hij was blijven staan in het lange gras en begon te kreunen. Hua zocht bescherming tussen Kais voorpoten.

Een vlaag van woede maakte Pings gevoelloze lichaam niet warmer. Ze was boos op de naamloze persoon voor wie ze was weggegaan van het Zwarte Drakenmeer. Boos, omdat ze zo machteloos was. Toen werd Ping zich vaag bewust van een gevoel dat ze lange tijd niet had gehad. Ze werd ergens heengetrokken. Het leek of er een onzichtbare draad om haar middel was gebonden en dat iemand aan het andere einde van de draad stond te trekken. Het gaf haar moed. Ze tilde Kai op en gaf toe aan het gevoel.

Een uur later doemde een donkere vierkante vorm voor haar op uit de mist. Het was een hut. Hier was ze heengetrokken. Op de een of andere manier wist ze dat de hut er stond. Ze wist ook dat hij leeg was. Ping drukte de deurklink omlaag en ging naar binnen.

Het was een kleine hut. Er was maar één ruimte. Het enige licht kwam door een gat in de zoldering. Dat gat was om de rook af te voeren van een vuurplaats middenin de hut. Een stromatras hing over de dakspanten. Ping vond een keurige stapel gehakt hout, een mand met opgevouwen schapenvachten en een kastje vol eten. Vergeleken bij de koude grot die ze achter zich had gelaten was deze hut pure luxe.

Hua klom naar boven op de dakspanten en vond een grote verzameling insecten voor Kai. Ping at gezouten vlees, gedroogd fruit en noten uit de voorraad eten. Nadat ze had gegeten, trok ze de stromatras naar beneden en maakte een bed op de grond. Kai had geen enkele aanmoediging nodig: hij lag binnen de kortste keren lekker opgerold onder de schapenvachten. Ping kroop naast hem.

Ze was bijna vergeten dat ze helderziend was. Bij het simpele leven aan het Zwarte Drakenmeer had ze daar ook geen behoefte aan gehad. Als ze echt iets wilde vinden, kon ze zich heel goed concentreren en werd dan op de een of andere manier erheen getrokken. Dat had haar ook naar de hut gebracht. Boosheid maakte haar helderzienheid wakker, maar ze begon te leren hoe ze die ook met haar wil kon oproepen. Haar helderziendheid waarschuwde haar ook voor gevaar – een gevoel van angst, dat veranderde in een harde steen in haar maag zoals ze gevoeld had toen de geit gedood was. Ping voelde zich zo warm als een gebakken taro-wortel. De heerlijke, bijna vergeten, smaak van gekweekte noten en vruchten proefde ze nog in haar mond. De hut was een volmaakte plek, waarin ze de winter kon doorbrengen met Kai en Hua.

Hoofdstuk 7

Een herdershut

'Draken kunnen wekenlang onder water blijven,'
zei ze tegen Hua. Intussen tuurde ze toch een beetje ongerust
tussen het onkruid door in de plas.
'Ik weet niet hoe ze het doen.
Ze zullen een soort kieuwen hebben, net als vissen.'

Toen Ping de volgende morgen wakker werd, sprong ze op van de matras en maakte de luiken voor de vensters open. Het daglicht stroomde binnen. Ze had zich verslapen. De kast met eten stond open. Noten en gedroogde bonen lagen verspreid over de vloer. Een aantal gedroogde pruimen vertoonden duidelijke sporen van drakentanden. Kai zat wat te jammeren. Hij vond het eten van de herder niet lekker. Hij had honger.

De deur ging op een kier open. Hua kwam binnen met drie motten die hij naast de grote paddenstoel legde die hij al gevonden had.

'Kijk, Hua heeft ons ontbijt gebracht.'

Ping maakte een vuurtje en roosterde de paddenstoel op het gloeiende hout. De motten konden de honger van de kleine draak niet stillen. Hua scheen te begrijpen dat Kai meer eten nodig had, nu ze de geit niet meer hadden voor de melk. Hij rende weer naar buiten en keerde een poosje later terug met het ei van een vogel in zijn bek.

'Hua! Jij weet al wat ik wil voor ik het zelfs maar bedacht heb!' riep Ping dankbaar.

De rat legde het ei neer voor de draak. Kai snuffelde eraan en rolde het in de rondte met zijn neus. Toen piepte hij ongelukkig tegen Ping.

Ping lachte. 'Geef het maar aan mij, Hua.'

Hua bracht haar het ei. Ze keek in de helderblauwe ogen van de rat. Ze zag een vonk van begrip die zelfs ontbrak in de ogen van sommige mensen die ze gekend had. Er zou nuttige kennis te vinden zijn in de behaarde kleine rattenkop, daar was ze van overtuigd.

'Wist ik maar wat je denkt,' zei Ping.

Ze brak het ei in een kom en Kai at het rauw op.

Misschien had Danzi de rat gestuurd om haar te helpen. Wie weet had hij de kracht niet om helemaal terug te vliegen vanaf het Eiland van de Gezegenden. Ze probeerde zich de oude draak voor te stellen, genezen en gelukkig op het Eiland van de Gezegenden, zittend in de zon, genietend van perziken van onsterfelijkheid, nippend van het levenswater. Wat de reden ook was, ze was blij dat Hua was teruggekomen.

Na het ontbijt gingen ze naar buiten. De wanden van de hut waren gemaakt van jonge boomtakken en boomschors. Het dak was gemaakt van netjes gevlochten bundels gras die door stenen op hun plaats werden gehouden. De hut was goed gebouwd en Ping was er zeker van dat hij haar goed zou beschermen tegen wind en regen. Aan de zijkant van de hut, onder de beschutting van de overhangende dakrand, stond een schop en ook daar lag een keurig opgestapelde berg gehakt hout. Aan de manier waarop de schapenvachten en het eten waren opgeborgen zag Ping dat dit de hut moest zijn van een herder die zijn kudde voor de winter had meegenomen naar zijn dorp.

De hut was gebouwd op een klein vlak stuk dat was uitgehouwen in de bergwand. De herder had de plek goed gekozen. Vóór de hut lag een zacht glooiende wei waar de schapen en geiten konden grazen. Vanuit de deur was er een mooi uitzicht op twee bergtoppen. In de smalle ruimte tussen de toppen, zag Ping een vlakte die zich uitstrekte tot aan de horizon. Heel in de verte lag een dorpje. Misschien woonde de herder daar.

Achter de hut ging de heuvel weer steil omhoog. Erachter zag Ping de top van een volgende heuvel, hoger dan de eerste. Het was goed dat de donkere bergen van de Tai Shan op een behoorlijke afstand lagen en niet voortdurend elke beweging van haar kon zien, zoals bij het Zwarte Drakenmeer. Ze hadden een lange weg afgelegd.

De weinige wolken aan de hemel hielden afstand van de zon en Ping genoot van de warmte. Haar angst was met de mist verdwenen.

'De herder komt vast niet terug voor de lente,' zei Ping tegen Hua. 'We kunnen de winter hier blijven. Maar we moeten voortaan veel voorzichtiger zijn.'

Ze ging terug naar binnen en doofde het vuurtje. 'Iemand in het dorp heeft misschien zulke scherpe ogen dat hij de rook kan zien. We moeten geen vuur meer maken voor het 's avonds donker is.'

Ze pakte haar emmer. 'Kom, Hua. We gaan de boel verkennen en we hebben als eerste water nodig.'

Kai jammerde klaaglijk toen ze wegging.

'Jij mag ook mee, maar ik draag je niet.'

De kleine draak liep achter haar aan.

In de zomer zou de wei bezaaid zijn met bloemen, maar vanmorgen wemelde het er van de slakken die uit hun schuilplaatsen waren gelokt door de regen. Kai hield van slakken. Ping pakte er een paar voor hem.

Ze zag nergens in de buurt een vijver of beekje. Ten westen van de hut lagen grote zwerfkeien die de gladde, groene helling als littekens bedekten. Het zag eruit alsof een stuk van de berg lang geleden was afgebroken en helemaal langs deze helling naar beneden was getuimeld, waar het was blijven steken en een deel van het landschap was geworden.

'Misschien vinden we daarginds wel een beekje,' zei ze tegen Hua.

De rotsblokken waren groter dan Ping. Er liep een pad tussen de grote keien door. Het kwam uit op een ruim plateau. In het midden bevond zich een groot gat dat vol water stond. Het water liep er royaal overheen.

Ping glimlachte. 'Ik wist dat de herder zijn hut nooit ver van water zou hebben gebouwd.'

De plas was heel veel kleiner dan het Zwarte Drakenmeer. De doorsnee bedroeg ongeveer een chang. Het was meer een soort put, gevormd door de natuur, niet gegraven door mensen. Er was geen waterval die zich erin stortte, geen bergbeekje dat hem vulde. Het was een stille plas. Of de put gevuld werd door regen of door een ondergrondse bron wist Ping niet. Door een glibberig netwerk van onkruid dat op het wateroppervlak dreef, kon Ping onmogelijk zien hoe diep de put was. Ze duwde het onkruid opzij, vormde haar handen tot een kommetje en schepte zo wat water op. Het water er een beetje groen uit. Ze proefde ervan. Het was niet zo zoet als het water in het Zwarte Drakenmeer, maar als het goed genoeg was voor de herder, was het zeker goed genoeg voor haar. Ze doopte haar emmer erin.

Kai kwam naar de rand van de plas en snuffelde aan het water. Toen dook hij erin en verdween naar de diepte.

'Ik heb liever niet dat hij dat doet,' zei Ping tegen Hua. Maar na de ervaring bij het Zwarte Drakenmeer wist Ping dat er geen reden was om bezorgd te zijn. De kleine draak kwam altijd weer boven – uiteindelijk.

'Draken kunnen wekenlang onder water blijven,' zei ze tegen Hua. Intussen tuurde ze toch een beetje ongerust tussen het onkruid door in de plas. 'Ik weet niet hoe ze het doen. Ze zullen een soort kieuwen hebben, net als vissen.'

Ping merkte dat ze haar adem inhield, alsof zij onder water zat en vertrouwde op het kleine beetje lucht dat ze in haar longen kon houden. Tenslotte moest ze ademhalen. Misschien zou eten Kai uit het water lokken. Ze haalde de slakken uit haar leren buideltje en zette ze op de rotsgrond. Met de zoom van haar jurk veegde ze het slakkenslijm van haar hand. De slakken kwamen langzaam uit hun huizen en begonnen weg te kruipen.

'Waar ben je, Kai?' riep Ping. 'Schiet op! Je eten gaat ervandoor!'

Ze herinnerde zich de spiegel. Ze trok hem uit haar buideltje en draaide het in zo'n hoek dat het de zonnestralen ving. De spiegel flitste. Even later kwam Kai boven. Ping slaakte een diepe zucht. De kleine draak kwam uit de plas. Op zijn kop zat groen onkruid en hij keek blij. Het water scheen hem nieuwe kracht te geven. Hij schudde zich uit, waarbij Ping een douche kreeg van waterdruppels, en liep naar de slakken. Hij keek haar vol verwachting aan.

'Je moet ze zelf openmaken,' zei Ping, terwijl ze de slakkenhuizen met een steen plette. 'Je kunt niet zonder me, dat zie je!'

Kai snuffelde tussen de gebroken schalen van de slakkenhuisjes en vond het slakkenvlees. Ping krabbelde over de kop van de klein draak. Er waren een paar plekjes waar hij graag gekrabd wilde worden: in zijn linkeroksel, tussen de kussentjes onder zijn voeten, in de rimpels rond zijn neus. Hij vond nog meer plekjes lekker om gekrabd te worden, behalve onder zijn kin. Dat was vreemd, omdat Danzi altijd juist graag gekrabd werd onder zijn kin. Kais lievelingsplekje om gekriebeld te worden was rond de bulten op zijn kop, waaruit over een paar honderd jaar zijn hoorns zouden groeien. Ping kreeg een angstig gevoel als ze dacht aan de toekomst van het draakje. Ze hoopte dat alles wat gemakkelijker zou worden als hij groter werd, maar ze wist het niet zeker. Kai beet zachtjes in haar vingers, wat zijn manier was om te zeggen dat hij genoeg gekriebeld was. Hij liep terug naar de geplette schalen van de slakkenhuizen en likte ze uit, om zeker te weten dat hij er geen vlees in had laten zitten. Ping glimlachte toen ze zag dat de kleine draak een stukje schaal ontdekte tussen de stenen en met zijn lange, rode tong probeerde het eruit te halen.

Terwijl ze terugliep naar de hut, dacht ze aan de onzichtbare draad die haar hierheen had getrokken. Danzi had haar verteld, dat je helderziend kon worden als je een tijd met een draak had doorgebracht.

'Zoveel dingen die ik alweer vergeten was, die Danzi me had verteld,' zei Ping. 'Ik wist niet meer dat ik helderziend was en dat ik over qi-kracht kon beschikken. Ik weet niet eens of ik die nog kan oproepen.'

Qi is de levenskracht die door alle levende dingen stroomde. De oude draak had haar geleerd hoe ze de qi in haar moest gebruiken, zodat ze de kracht had om het op te nemen tegen aanvallers die veel sterker waren dan zijzelf. Ze kon ook de geconcentreerde energie uit haar vingertoppen laten schieten. Ze had er vele weken over gedaan om deze vaardigheid onder de knie te krijgen.

'Het is zo lang geleden dat ik de qi-oefeningen heb gedaan,' zei Ping tegen Hua. 'Als we niet waren weggegaan bij het Zwarte Drakenmeer, had ik de lessen van Danzi misschien wel helemaal vergeten.'

Elke gebeurtenis onder de Hemel heeft zijn reden – had de oude draak tegen haar gezegd.

Ze stond op de grazige helling voor de herdershut met haar gezicht naar de ondergaande zon. Ze haalde diep adem, zoals Danzi haar had geleerd. Daarmee ademde ze de door de zon beschenen lucht in. Het zonlicht in de ochtend was het rijkst aan qi maar het oranje licht laat in de middag was ook heel goed. Ze begon de oefeningen te doen die de draak haar had geleerd – langzame, draaiende bewegingen van armen en benen. Ze was de oefeningen niet vergeten, maar ze was stijf. Ze kon niet op een voet blijven staan zonder te wiebelen. Er waren ook oefeningen voor de geest om alle gedachten weg te ruimen. Ze besloot om de wintermaanden te gebruiken om de oefeningen te doen, en haar vaardigheden weer terug te krijgen.

'En als ik bezig ben mijn vaardigheden oefenen,' zei ze tegen Kai, 'oefen jij de jouwe. We moeten de berg af, naar beneden, naar de vlakte en in een dorpje een nieuwe geit kopen. En dat kunnen we niet doen tot jij zeker een uur in dezelfde vorm kunt blijven.'

Kai keek haar aan en knipperde met zijn ogen. Ping wist niet of hij had begrepen wat ze zei.

'Je moet vanavond je eten verdienen,' zei ze. 'Je moet je in iets veranderen en zeker een minuut in die vorm blijven.'

Kai krabbelde achter zijn oor.

Ping had zich al afgevraagd of het voor hem gemakkelijker was zich te veranderen in simpele voorwerpen. Ze pakte het draakje op en zette het neer voor een grote steen.

'Verander je daarin,' zei ze.

De kleine draak keek naar de steen en veranderde zich heel snel in zo'n zelfde steen. Ping was blij.

'Brave jongen, Kai,' zei ze. 'Zo moet je zeker een minuut blijven en...'

Voor ze haar zin kon afmaken was hij alweer terug in zijn drakengedaante en krijste klaaglijk tegen haar.

Ze wees naar de steen. 'Nee, je moet zó blijven.'

Kai werd opnieuw een steen.

'Heel goed!'

Meestal veranderde Kai zich snel in alles wat maar binnen zijn gezichtsveld lag.

'Goed zo, Kai,' zei Ping, hoewel ze niet helemaal zeker wist of de draak begreep wat ze zei. Hij scheen zich alleen maar te veranderen in dingen die hij werkelijk kon zien en er was weinig anders te zien dan stenen.

Hua kwam terug van zijn zoektocht naar eten. Hij bleef

staan voor de steenvormige Kai. De steen veranderde in een rat die precies op Hua leek. De twee ratten besnuffelden elkaar even argwanend voor een van de twee weer een draakje werd.

'Ik zal zien of ik een paar insecten voor je kan vinden,' zei Ping tegen Kai, 'voor het geval je het met opzet hebt gedaan.'

De volgende morgen - na weer een nacht lekker slapen in de herdershut - stond Ping vroeg op om haar qi concentratieoefeningen te doen, terwijl de zon opkwam. De draak was bezig met zijn ontbijt. Hua had een aantal vette wormen voor hem gevonden en een indrukwekkende verzameling motten.

Ping stond met haar gezicht naar de opkomende zon en begon haar oefeningen, zich concentrerend op elke beweging, terwijl ze de koele ochtendlucht inademde met het gouden zonlicht rijk aan qi. Ze werkte de serie oefeningen af. Daarna ging ze zitten en oefende het zich concentreren op haar gedachten. Kai was klaar met zijn ontbijt. Hij ging voor Ping zitten en veranderde in een kookpot. De kookpot liet een boer.

'Ik tel vanaf vijfhonderd terug tot één,' zei Ping. 'Laten we zien of je in die vorm kunt blijven, terwijl ik dat doe.'

Ping kon niet terugtellen zonder haar ogen dicht te doen, maar zodra ze een oog opendeed om naar de draak te kijken, was hij nog steeds een kookpot. Ze was klaar met tellen en begon aan een andere oefening. Ze staarde naar de berg in de verte en stelde zich voor dat ze op die berg het pad van een kevertje volgde. Kai bleef nog steeds in zijn vorm van kookpot.

'Dat is goed, Kai,' zei ze toen ze klaar was met haar oefening. 'Je mag nu weer een draakje worden, want ik wil je oren poetsen.'

Hij bleef in de vorm van een kookpot.

Graszaadjes bleven wel eens steken in de oren van de draak, waardoor er na een tijd een donkere smeer in zijn oren zat die vies rook. Ping zocht een takje en kauwde op een einde ervan om een soort borsteltje te maken dat ze in zijn oren kon steken, maar Kai bleef nog steeds in de vorm van de kookpot.

'Genoeg van vorm veranderd voor vandaag, Kai.'

De pot bewoog zich niet.

En de hele verdere dag, hoezeer ze hem probeerde te lokken met een bord geplette slakken, Kai kwam niet meer terug in zijn eigen drakenvorm. Ping dacht dat hij misschien genoeg kreeg van het spelletje, als ze niet meer op hem lette. Daarom was ze druk bezig in en om de hut, maar elke keer dat ze uit haar ooghoeken naar hem keek was hij nog steeds een kookpot.

Ze vroeg zich af of hij meer begreep dan ze gedacht had. Misschien had hij inderdaad gehoord en begrepen dat ze van plan was zijn oren schoon te maken.

'Oké,' zei ze. 'Dan poets ik je oren niet. Ik zal ze nooit meer poetsen. En al gaan ze stinken, dan kan me dat niets schelen.'

Het hielp niet. Hij bleef de pot. Laat in de middag begon ze ongerust te worden. Ze wilde hem optillen. Hoewel ze in feite de pot zag staan, sloten haar handen zich om een klein, geschubd lijf. Het was een eng gevoel, waar ze een beetje draaierig van werd en sterretjes voor haar ogen zag. Ze moest even wachten tot dat duizelige gevoel weer weg was en toen droeg ze Kai naar binnen.

'Kai, word alsjeblieft weer een draak. Komt het omdat je geen melk hebt gekregen? Is dat het probleem?'

De pot gaf geen antwoord.

'Als dat het probleem is, gaan we morgen op zoek naar een geit. Je weet nu hoe lang je in één vorm kunt blijven, dus kunnen we naar een dorp gaan.'

De pan verroerde zich niet.

'Morgen,' zei Ping dringend. 'Het eerste wat we doen. We gaan op zoek naar een geit of een schaap.'

Ondanks de knusse warmte van het bed van de herder sliep Ping niet goed die nacht. Maar de pot aan haar voeteneinde sliep als een roos – ze kon hem horen snurken.

Misschien zit hij vast, dacht ze. Het veranderen van vorm moet best moeilijk zijn. Misschien lukt het hem niet weer een draak te worden.

De volgende morgen was Kai nog steeds een kookpot. De krekels die Hua had meegebracht voor Kais ontbijt werden niet aangeraakt. De pot maakte een jammerlijk, huilend geluid en Ping was ervan overtuigd dat Kai vastzat in zijn vorm van kookpot.

Ze kon niemand om hulp vragen. Zelfs al zou ze op zoek gaan naar een kruidengenezer of een dokter, ze zou nauwelijks kunnen vertellen dat haar draak vastzat in zijn vorm van kookpot. Ze zouden denken dat ze gek was.

'Wat moet ik doen, Hua?'

De rat knipperde met zijn ogen. Hij kon haar ook niet helpen.

Ping droeg de kookpot naar de plas in de hoop dat de kans om te zwemmen Kai misschien zou aansporen terug te keren in zijn drakengedaante. Maar het lukte niet. Ze voelde zich een slechte drakenhoeder. De dag ervoor had ze zichzelf nog gefeliciteerd met haar bekwaamheden. Maar hoe leuk was het een goede plek te vinden om de winter door te brengen, als ze geen flauw idee had hoe ze Kai moest helpen als er iets mis was met hem? Praatte hij maar tegen haar met zijn geest, zoals Danzi altijd deed.

Ze deed geen oefeningen voor haar qi-concentratie. Ze maakte zich teveel zorgen.

'Wat heb ik eigenlijk aan mijn qi-kracht hier op de berg?' vroeg ze aan de rat. 'Misschien zou ik slakken en rupsen kunnen doden zonder op te staan!' Ze lachte.

Haar helderziendheid was heel nuttig geweest toen die haar had gewaarschuwd dat de drakenjager in de buurt was. Op die manier had de kracht haar nooit in de steek gelaten. Ze huiverde toen ze aan Diao dacht, de man die hen achterna had gezeten, die geprobeerd had Danzi te doden en de drakensteen mee te nemen.

'Daar heb ik mijn helderziendheid in elk geval niet meer voor nodig,' zei ze tegen Hua.

Ze had dat nog maar nauwelijks gezegd, toen ze weer een gevoel kreeg of ze een steen in haar maag had. Haar hart bonsde in haar keel. Ze stond op en keek om zich heen. Ze verwachtte dat Diao van achter een rots tevoorschijn zou springen.

'Dat kan niet,' mompelde ze. 'Diao is dood.'

Toen ze de drakenjager op een van de bergtoppen van de Tai Shan tegen het lijf was gelopen, had ze een bliksemflits van qi-kracht uitgezonden die hem tegen de grond had gegooid. Ze had de drakenjager over de rand in de diepte zien storten. Ze had zijn botten horen breken toen hij beneden neerkwam. Maar ze had zijn lijf niet gezien. Stel dat hij het overleefd had? Stel dat zijn botten weer geheeld waren? Het voorgevoel was zo griezelig dat ze zich ergens wilde verstoppen. Ze snoof de lucht op. Die was fris en schoon. Hij werd niet bedorven door de misselijkmakende stank van niet-behandelde dierenhuiden die altijd om de jager hing, maar de steen in haar maag was duidelijk aanwezig.

Er schoof een wolk voor de zon. Het was een kleine wolk, maar de zon ging er helemaal achter schuil. Het voorgevoel werd sterker. De haartjes in Pings hals begonnen te prikken. Haar bloed werd ijskoud. Ze draaide zich vliegensvlug om.

Er stond een man tussen twee rotsblokken. Hij had een donkere mantel aan met een kap. Die kap bedekte zijn hoofd. Hij stond daar roerloos, alsof hij al een hele tijd aanwezig was. Hij duwde de kap naar achteren. Ping staarde naar het gezicht en ze verloor op slag alle hoop. De man had een kaal hoofd en een korte baard van oranjekleurige stoppels. Voor één van zijn ogen was een lapje gebonden. Op zijn rechterwang zat een donkere tatoeage. Het was Diao niet. Het was de dodenbezweerder.

· Hoofdstuk 8 ·

Donkergroen

Zijn mond vertrok in een lelijke grimas waardoor gevlekte, brokkelige tanden zichtbaar werden. Ping besefte dat dit een glimlach moest voorstellen.

'Waar is die oude, bibberige draak?'

De stem van de dodenbezweerder was ruw en schor als de kling van een zwaard dat over een steen wordt geschraapt. Ping had al maanden verlangd naar een menseljke stem, maar deze stem had ze eigenlijk nooit meer willen horen. Ongelovig staarde ze de dodenbezweerder aan. Het was nooit bij haar opgekomen dat hij haar zou kunnen opsporen.

De grote vlek op zijn wang was een tatoeage van een monsterlijk dier met ontblote tanden. In de manen van het monster waren schedels vastgebonden. Om het middel van de dodenbezweerder hingen afgrijselijke wapens – een lang zwaard met een gebogen kling, een mes met zaagtanden, een bijl, een tweesnijdende dolk, waarvan de snijranden scherp waren en glansden.

'Het doet er niet toe hoe zwak hij is,' ging de dodenbezweerder verder, 'als hij nog maar ademt.'

Hij praatte alsof de oude draak geen bedreiging was, maar zijn ogen schoten van links naar rechts, op zoek naar Danzi.

'En waar is de kleine?'

Ping gluurde naar de kookpot op de rand van de plas. 'Ik weet niet wat u bedoelt.' Ze bad dat Kai dit moment niet koos om zich weer te veranderen in zijn eigen gedaante.

'Ik heb hem met mijn eigen ogen gezien, toen ik jou bespiedde op de Tai Shan. Die drakensteen heeft me veel gekost – aan moeite en in goud – en jij hebt hem van me gestolen. Wat er ook uit het ei is gekomen, het is van mij! Het zal niet zoveel geld opbrengen als het grote beest, maar de kleine is nog steeds iets waard. Zodra ik in Wucheng ben, ga ik hem slachten. Verse lichaamsdelen van een draak zijn een fortuin waard.'

Ping voelde de woede opborrelen in haar binnenste als water dat aan de kook komt.

Wucheng was de stad waar tovenaars en goochelaars benodigdheden kochten voor hun betoveringen en toverdrankjes. Het duurste lichaamsdeel was het hart van de draak.

Zowel Diao als de dodenbezweerder hadden de drakensteen in hun begerige handen gehad. Ping had hem van de dodenbezweerder gestolen toen hij sliep. Hij kwam achter haar aan, maar Hua en Ping hadden samen tegen hem gevochten en waren ontsnapt, terwijl hij achterbleef, strompelend langs de modderige oever van een rivier.

Zijn mond vertrok in een lelijke grimas, waarbij gevlekte en brokkelige tanden zichtbaar werden. Ping besefte dat dit een glimlach moest voorstellen.

'Je bent je zeker een ongeluk geschrokken toen je je geit dood vond, of niet?' kakelde hij. 'Ik vond het leuk je te zien rennen als een geschrokken konijn.'

Hij was in Wucheng vast het mikpunt van spot geweest, toen het gerucht rondging dat hij verslagen was door een jong meisje. Ping was blij dat ze hem voor gek had gezet.

De dodenbezweerder kwam zo dichtbij dat Ping zijn stinkende adem kon ruiken. De lelijke glimlach op het gezicht van de man veranderde in een afschuwelijke grijns.

'Ik heb die draak en zijn jong nodig. En ik kan niet langer wachten.'

Hij trok een groot zwaard uit zijn gordel en drukte de punt ervan in Pings wang. Ze voelde hoe de scherpe punt haar huid brak en het bloed in haar hals liep.

'Zeg waar de oude draak is, dan zal ik je niet doden.'

'Hij is ver weg, waar jij hem nooit zult bereiken. Hij is naar het Eiland van de Gezegenden gevlogen en heeft het jong meegenomen.'

Ze riep haar qi op. Hoewel ze lang niet geoefend had, kon ze zich gemakkelijk concentreren door de haat die ze voelde voor de dodenbezweerder. Ze stak haar linkerarm uit en het zwaard viel uit zijn hand.

'Verspil mijn tijd niet met je waardeloze trucs,' snauwde hij. 'Ze stellen niets voor vergeleken bij mijn krachten.'

Hij stak zijn hand op en Ping voelde dat ze door een onzichtbare kracht werd opgetild. Ze probeerde zich op haar geest te concentreren. Alleen het oproepen van die ene uitbarsting van qi had haar al uitgeput. De dodenbezweerder was geschrokken van die qi-klap, maar het had hem geen pijn gedaan. Hij voelde Pings zwakte. Hij liet haar in elkaar zakken op de grond, waarbij de lelijke glimlach terugkwam op zijn gezicht. Ping deed een paar stappen naar achteren en probeerde haar geest een plan te laten maken, hoe ze zich weer op haar qi kon concentreren.

De dodenbezweerder raapte zijn zwaard op. Pings haat veranderde in angst. Hij had gelijk. Haar krachten waren meelijwekkend. Hij zou haar gemakkelijk verslaan.

Hua verscheen op de top van een van de rotsen. Met zijn heldere, blauwe ogen keek hij de dodenbezweerder boos aan. De haren van zijn vacht stonden overeind en glansden blauwachtig in het licht van de zon. Hij zag er reusachtig en bijna bovenaards uit. Op dat moment stroomde het zelfvertrouwen weg uit het gezicht van de dodenbezweerder als water door een vergiet. Hij aarzelde echter maar één moment. Hij greep Pings jurk vast bij de hals en hief zijn zwaard om toe te slaan. Hua spuwde met een boog richting dodenbezweerder. Toen hij de man raakte klonk er een knal en was er een steekvlam te zien. De dodenbezweerder liet Ping los en sloeg de smeulende vlek op zijn mantel uit. Hua herhaalde zijn actie. De dodenbezweerder huilde van de pijn toen de rat hem op zijn hoofd trof. Ping rook het brandende vlees. Ze sprong naar achteren, buiten het bereik van de man. Pas toen besefte ze dat ze op de rand van de plas stond. Ze tuimelde achterover. Terwijl ze viel zag ze de dodenbezweerder met zijn zwaard uithalen naar Hua. De rat was sneller. Vonken spatten in het rond toen het zwaard tegen de rotswand sloeg.

Ping viel in het water. Ze ging kopje onder en strekte

haar benen en voeten om de bodem te zoeken. Ze vond hem niet. De plas was diep. Ze hoorde een gesmoorde kreet van pijn. Ze keek naar boven door het groenachtige water en zag de donkere gestalte van de dodenbezweerder en een paar steekvlammen. Ping maakte zwembewegingen met haar armen om niet verder te zinken. Ze moest terug naar de oppervlakte om Kai te redden. Haar armen waren zo zwaar als ijzeren buizen. Haar jurk bolde op rond haar hoofd.

Toen raakte iets de oppervlakte van het water en zonk naast haar neer in een wolk van luchtbellen. Toen de luchtbellen verdwenen waren, zag Ping dat het de kookpot was. Het ding schudde en vervormde zich. Kai kwam eindelijk terug in zijn drakengedaante. Zijn harde kleine lijf botste tegen haar aan. Ping kreeg het heel benauwd. De paniek gaf haar kracht en ze schopte met haar benen en sloeg met haar armen. En langzaam ging ze weer naar boven. Ze kwam boven water en had alleen maar de tijd om diep adem te halen voor ze voelde dat iets haar weer onder water trok. Ze keek om en zag de kleine draak met de zoom van haar lange jurk in zijn mond. Hij trok haar naar beneden. In het water was hij sterker dan zij. Ze vocht tegen hem, maar ze had al haar reserves aan energie opgebruikt. Hij bleef haar naar beneden trekken, dieper, steeds dieper. De put bleek veel dieper dan ze had gedacht. Kai trok haar zo ver naar beneden tot er niet genoeg licht meer was om hem nog te kunnen zien in het donkergroene water.

'Niet doen, Kai!' Ze schreeuwde de woorden in haar hoofd, hoewel hij ze onmogelijk kon horen. 'Ik kan niet zo lang onder water blijven als jij.' Haar stem in haar hoofd klonk zonder hoop. 'Kai, ik verdrink.'

Ping moest lucht krijgen. Onmiddellijk. Kai was nu boven haar en duwde haar met zijn stevige klauwen naar beneden. Ze verbruikte haar laatste shu aan kracht in een poging zich te verzetten. Haar zwakke inspanningen waren nutteloos. Ze gaf zich over aan het water. Ze deed haar mond open en zoog het donkere water op. Kai kon zich in elk geval verstoppen in de diepten. Zo werd hij misschien gered van de dodenbezweerder. De gedachte kalmeerde haar. Toen hoorde ze een zwakke stem in haar hoofd.

'Ping.'

Iemand riep haar naam.

'Ping.'

Het was een stem die ze nooit eerder gehoord had. Ze dacht dat het misschien haar voorouders waren die haar naar de Hemel riepen, maar de stem klonk hoog en opgewonden, als die van een kind. Kai duwde haar met zijn grote klauwen opzij. Ze bonkte met haar hoofd tegen een rotsachtige doorgang.

Toen hoestte ze water op en ademde weer lucht in.

Het was pikdonker. Ping begreep niet wat er gebeurd was. Haar lichaam dreef nog steeds in koud water, maar haar hoofd stak er bovenuit. Dankbaar zoog ze de lucht op. Die was klam en bedompt. Ze stak haar armen voor zich uit in het donker. Iets knabbelde haar haar vingers. Het was Kai. Ping tastte om zich heen. Hij zat op een richel in de rotswand. Ze hees zich ook op de richel. Ze had het gevoel dat ze een zak stenen moest tillen.

Een hoog geluid, zoals tonen die gespeeld werden op een zilveren fluit, werd door de rotswanden weerkaatst.

'Ping,' zei de stem in haar geest. 'Ping.'

Haar tastende handen vonden een kleine drakengestalte. Ze knuffelde het dier, hoewel de klauwen en de stekeltjes in haar huid drongen. Het kon haar niets schelen. Een paar minuten geleden was ze ervan overtuigd geweest dat ze zou sterven en dat Kai zou achterblijven en zichzelf moest zien te redden. Alleen het feit al dat ze weer bij elkaar waren en nog in leven waren, was een wonder. Kai knabbelde aan haar oor. Ze hoorde opnieuw de tinkelende geluiden van de fluit. Ze kwamen van de draak.

'Ping,' herhaalde de stem in haar geest.

Haar lijf was gevoelloos van de kou, maar haar hoofd begon weer te werken. Opeens drong iets tot haar door en het voelde als een grote schok. De stem in haar hoofd was die van Kai.

'Je hebt me gered, Kai,' zei ze.

'Ping.'

Ze tastte om zich heen. De grot onder water was niet breed. Ze kon met uitgestrekte armen de twee tegenover elkaar liggende wanden tegelijk aanraken, en hij was zo laag dat ze er niet rechtop in kon staan. Kai moest deze grot hebben gevonden toen hij voor het eerst in het water dook. Hij was in het water gesprongen om haar onder water te duwen naar de veiligheid van de grot. Hij had zijn eerste woord gezegd en het was haar naam. Zittend in de klamme duisternis werd alles haar duidelijk, zoals een spinnenweb vol dauwdruppels duidelijk zichtbaar wordt in de ochtendzon. Het was niet Kais schuld dat ze zijn stem niet had gehoord, maar haar schuld. Ze had nooit eerder met haar geest tegen hem gesproken. De afgelopen maanden had ze met haar mond zitten praten en mopperen.

Het was niet bij haar opgekomen om met haar geest tegen het draakje te praten. Niet, tot ze dacht dat ze verdronk en haar mond niet kon opendoen omdat ze onder water was. Pas toen ze ertoe gedwongen werd, had ze met haar geest tegen hem gesproken zoals ze dat ook altijd met Danzi had gedaan. Op de een of andere manier had ze verwacht dat Kai het gesprek tussen hen zou beginnen en besefte niet dat ze het hem moest leren. Wat was ze dom geweest! Baby's werden niet op een dag wakker en konden praten. Hun moeders praatten elke dag tegen hen en leerden hun de taal, woord voor woord. Ping schaamde zich. Zij was alleen maar bezig geweest met haar eenzaamheid, het gewicht van haar verantwoordelijkheden en de offers die ze had gebracht om te zorgen voor de draak. Pas toen ze dacht dat ze doodging en de kleine draak alleen zou achterlaten in de wereld was ze bezorgd genoeg geweest om met haar geest en hart tegen Kai te praten.

Ze had altijd gedacht dat in haar relatie met de babydraak alles van één kant moest komen. Zij moest alles voor hem doen, zonder ervoor beloond te worden. Kai leerde haar niet iets op de manier zoals Danzi het had gedaan. Ze was te traag geweest om de waarheid te beseffen. Zij was het belangrijkste op de wereld voor Kai. En omgekeerd was hij voor haar het belangrijkste op de wereld. Hij was haar reden van bestaan, haar levenswerk. Als hij doodging, had zij geen reden meer om door te leven. Waarom had ze dit nooit eerder beseft? Het zorgen voor hem was geen last. Het was een plezier, een voorrecht. En het was zeker geen éénrichtingsverkeer meer tussen hen. Kai was nog heel jong, maar hij had haar leven al een keer gered. Hij had haar van de dodenbezweerder gered. De kleine draak knabbelde aan haar vingers.

Hoewel het pikdonker was, deed ze haar ogen dicht. Het hielp haar concentreren. De dodenbezweerder zou aannemen dat ze verdronken was. Hij zou in de herdershut op zoek gaan naar Kai, maar als hij hem niet kon vinden zou hij weggaan.

'We zullen wachten,' zei ze tegen Kai zonder haar mond open te doen. 'We wachten hier tot hij weg is.'

'Ping,' zei het draakje. Hij nestelde zich naast haar en legde zijn kopje in haar schoot.

In het klamme duister had ze geen besef meer van de tijd. Ping wist niet of er minuten of uren waren verstreken, maar ze voelde zich sterker. Ze sloot oren en ogen en schakelde haar lichamelijke zintuigen één voor één uit tot haar helderziendheid het enige was dat haar nog verbond met de wereld. Het gevoel dat ze een steen in haar maag had was verdwenen. De dodenbezweerder was weg, dat wist ze zeker.

'Kom op, Kai,' zei ze met haar hoofd. 'We gaan naar boven, maar zonder jou lukt me dat niet. Jij moet de weg wijzen.'

Ping kon Kai niet zien, maar ze hoorde hem in het water plonzen. Het leek of ze eerder in een of andere barbaarse taal tegen hem had gepraat en nu pas tegen hem praatte in zijn moedertaal. Ze liet zich in het water zakken.

Ze voelde dat Kai zijn staart in haar handpalm legde. Ze greep zich eraan vast en haalde diep adem.

'Zwemmen, Kai,' zei ze, hoewel ze de woorden niet hardop uitsprak.

'Ping,' zei Kais stem in haar hoofd.

Ze voelde het water om zich heen bewegen. Ze hield haar

ogen dicht en concentreerde zich op het niet ademhalen, en op watertrappelen zo hard als ze kon. De tocht omhoog door de diepe plas duurde lang, veel langer dan de reis naar beneden. Ze had het gevoel dat haar longen uit elkaar zouden barsten. Ze deed haar ogen open. Het water strekte zich nog steeds boven haar uit. Het was echter niet meer zwart, maar donkergroen. Kai bewoog zich door het water als een gladde vis.

Eindelijk kwam Ping boven, zoog haar longen vol met door de zon verlichte lucht, maar het licht verblindde haar. Hijgend liep ze uit het water en wapende zich voor een aanval, waarvoor ze haar qi-kracht opriep. Haar ogen waren intussen gewend aan het licht. Het was laat in de middag. Nergens zag ze een teken van de dodenbezweerder, geen spoor van zijn vervuilde aanwezigheid. Kai klom uit de put en schudde met zijn lijf als een natte hond. Hua verscheen met druppels bloed om zijn mond.

Ping tilde de rat op en liep terug naar de hut. De dodenbezweerder was binnen geweest – de schapenvachten waren op de grond gegooid, in de kast met eten was gerommeld, alles lag door elkaar. Maar de rommel leek meer op een gefrustreerde uiting van woede dan op een zoekpartij. Toch moest Ping heel voorzichtig zijn – de dodenbezweerder kon van gedaante veranderen. Maar zij had een voordeel ten opzichte van hem: haar helderziendheid. Ze zou er veel meer aandacht aan moeten besteden.

Ping huiverde. 'Het zal gauw donker genoeg zijn om een vuurtje te maken en iets te eten,' zei ze.

Kai maakte het tinkelende geluid van een fluitje.

Terwijl Ping bij het vuur een warme maaltijd zat te eten, was ze dankbaar voor de behaaglijke warmte van het vuur en het eten dat haar goed smaakte. Ze nam zich voor het voortaan niet meer vanzelfsprekend te vinden als het lot haar gunstig gezind was. Er was iets dat ze nog moest doen voor het winter werd. Kai had dagelijks melk nodig. Ze moest op zoek gaan naar een nieuwe geit. Ze besloot de volgende dag de berg af te dalen en in het eerste het beste dorp een geit te kopen. Ze begon noten en bessen te verzamelen voor haar wintervoorraad. En ze zou haar qi-oefeningen elke dag doen, zonder een dag over te slaan. Ze praatte nu in haar geest met Kai, maar zodra het bedtijd was, vertelde ze hem verhaaltjes. Ze herhaalde belangrijke woorden hardop, zodat hij gesproken woorden langzamerhand beter ging verstaan. Het zou belangrijk voor hem zijn te weten wat er gezegd werd als ze onder de mensen waren. Hij hield van haar eenvoudige verhalen over herders en schapen, over een slimme rat en over een slavenmeisje die op een eenzame berg woonde.

Zodra Kai sliep zat Ping bij het vuur en dacht na over hoe ze de herder kon betalen voor het gebruik van zijn hut. Ze zou een houten kom voor hem snijden. Ze zou zijn zomerbroek en jak repareren die vol gaten en slijtplekken zaten. Ze zou zijn matten van schapenvacht wassen die roken alsof ze nog steeds aan de schapen vastzaten. Zodra ze in het voorjaar vertrokken zou ze de kleine hut brandschoon achterlaten.

Ze stond in de ochtenschemering op, klaar om de berg af te dalen. Voor ze op pad ging, deed ze haar qi-oefeningen op de grazige helling bij de hut. Ze ademde de qi in van de opgaande zon en voelde hoe die haar huid warmde. Kai bleef haar onderbreken.

'Ping, Ping.'

Hij was opgewonden over de tocht naar beneden.

'Stil Kai,' zei ze. 'We vertrekken zodadelijk.'

Ping deed haar ogen dicht om zich te concentreren en eventuele nieuwe onderbrekingen te negeren.

'Ping. Ping! PING!'

'Kai, hou je kalm en wacht.'

Ping deed haar ogen open. Het gouden zonlicht werd door een heleboel zwaarden en speren weerkaatst. Er waren ook roodleren kappen en jakken en houten schilden. Het duurde even voor ze begreep dat deze onbekende mannen een groep soldaten van de keizer waren. Ze waren met zijn tienen. Geruisloos waren ze de heuvel op geslopen. Kai had intussen de vorm van een steen aangenomen. De soldaten vormden een kring om Ping heen. Hun speren wezen allemaal in haar richting. Ping begreep niet waarom haar helderziendheid haar niet gewaarschuwd had.

'Het is een ernstige misdaad om de Gewijde Hellingen van de Tai Shan te betreden,' zei de commandant.

Een van de soldaten gluurde naar Ping. 'Ik weet wie ze is,' zei hij. 'Het is de tovenares van Huangling.'

'Is zij degene die ontsnapt is met de keizerlijke draak?' vroeg de commandant.

De soldaat knikte en keek zenuwachtig om zich heen, alsof hij verwachtte dat een draak tevoorschijn zou springen en hem aanvallen. De commandant rechtte zijn rug.

'In de naam van de Grote Keizer, Zoon van de Hemel, Commandant van de Legers, de Meest Wijze onder Ons, arresteer ik je voor de volgende misdaden: het verlaten van een keizerlijke post, het stelen van de laatste keizerlijke draak en het zich bevinden op de Gewijde Hellingen, op de Tai Shan,' zei hij. 'Ten overstaan van de Acht Onsterfelijken, tussen de vijf Heilige Bergen, onder de zon en de maan, arresteer ik je en neem je mee naar de Keizer, om voor Zijne Majesteit te buigen en je misdaden op te biechten.'

Een beest met een wazig, blauwachtige vacht greep zich vast aan de kleren van de man naast Ping. De soldaat schreeuwde toen Hua in zijn arm beet en bloed uit de wond sijpelde. Een andere soldaat deed een uitval naar Hua en sloeg hem met het gevest van zijn zwaard. Hua liet de arm los en viel op de grond.

'Nee,' schreeuwde Ping. 'Maak hem niet dood! Dit is een bijzondere rat, de rat van een tovenares. De Keizer zal hem willen onderzoeken.' Ze keek rond, zoekend naar Kai. De steen was verdwenen. Ze zag alleen maar een schop staan tegen de wand van de hut. Haar geest werkte niet zo snel als zij wilde. Ze dacht dat de schop aan de achterkant van de hut thuishoorde. Ze hoorde een korte, scherpe fluittoon steeds maar opnieuw. Het was Kai. Hij was bang.

'Ping,' zei een angstige stem in haar hoofd.

De schop veranderde in een soeplepel. De soldaten keken allemaal naar Ping, dus zagen ze de verandering niet. Twee van hen kwamen naar haar toe. Ze stompte met een arm in de lucht en zond een flits qi-kracht uit. De onzichtbare kracht gooide de dichtstbijzijnde soldaat op de grond. De andere soldaaten hieven hun schild. Ping zond een tweede flits qi-kracht uit, maar de soldaten lieten hem afschampen op hun schild. Twee soldaten grepen Ping bij haar armen.

Ze brachten Pings bezittingen naar buiten en bekeken

ze. De commandant keek met een verwarde frons naar de twee gelijke soeplepels. Hij wilde er een oppakken. Ping hield haar adem in en wachtte tot een kleine draak verscheen. De lucht rond de lepel verplaatste zich toen de commandant probeerde een lepel te pakken. Zijn hand verstijfde. De kleur trok weg uit zijn gezicht. Zijn ogen werden glazig. Hij deed zijn mond open om iets te zeggen. De woorden bleven onuitgesproken. Hij viel met een klap op de grond en bleef zo stijf als een speer liggen. De soldaten staarden naar het logge lichaam van hun commandant en wisten zich geen raad. Een van hen bukte zich en luisterde aan zijn borst.

'Hij ademt nog,' zei hij.

De soldaten draaiden zich allemaal angstig om naar Ping. Ze voelde speerpunten dreigend tegen haar huid, door haar jurk heen. Ze hoorde angstig 'Ping! Ping! Ping!' roepen in haar hoofd. Er waren zoveel ijzeren wapens en hoewel ze Kai niet raakten, deden ze hem wel pijn.

'Haal geen toverstreken meer uit of we steken je neer,' zei een van de soldaten.

Hij gebaarde met zijn speer naar haar spullen. 'Raap ze op.'

Ping pakte haar pannen en de andere soeplepel en stopte ze in haar tas. Ze draaide de soldaten haar rug toe, toen ze Kai – in de vorm van de lepel – wilde oppakken om hem tegen het ijzer te beschermen. Ze stak haar hand uit naar de lepel, maar voelde op dat moment dat ze het draakje vastpakte. Het vreemde gevoel van het ene zien en iets totaal anders voelen maakte haar verward en draaierig. Voor haar ogen zweefden vonken en haar oren suisden. Ze keek naar de bewusteloze commandant. Het had duidelijk een heftiger effect op andere mensen. Kai draaide zijn staart om haar arm. Voor de soldaten zag dat eruit alsof er een soeplepel aan haar arm bengelde.

'Braaf, Kai.'

Een paar van de soldaten doorzochten de hut.

'Er zit hier geen draak,' riep een van hen.

Ping voelde de speerpunten in haar huid. 'Laten we dan maar gaan.'

Ze gooide de tas over haar schouder. De soldaten duwden haar voorwaarts met hun speerpunten. Terwijl ze haar dwongen de glooiende wei af te lopen, draaide Ping zich om naar de herdershut. Hij zag er zo gezellig en knus uit dat het pijn deed om weg te gaan. Al haar gemoedsrust en veiligheid waren verdwenen als sneeuw voor de zon.

• Hoofdstuk 9 •

Een zware reis

'We hebben de drakentoverheks gevangen,'
schepte een van hen op.
'Ze probeerde ons te betoveren.
Heb je gehoord wat er met onze commandant is gebeurd?'

De kar liep langzamer. De leren huif was dichtgeregen, dus kon Ping niet zien wat er gebeurde. Ze hoorde wel het zachte mompelende gesprek tussen de soldaten. Het moet avond zijn, dacht ze. We stoppen in een dorp en overnachten daar. Dat was de drie avonden daarvoor ook steeds gebeurd.

Ze stelde zich de scène rond de kar voor. Het hele dorp zou uitlopen om een glimp op te vangen van de gevangene die begeleid werd door de soldaten van de keizer. Een teleurgesteld gemompel zou door de menigte gaan, zodra de mensen zagen dat het maar om een jong meisje ging. Een van de soldaten zou tegen iemand fluisteren: 'Toverheks,' en het woord zou sissend door de menigte gaan als water dat gemorst wordt op een warme kachel.

De keizerlijke soldaten hadden Ping naar de voet van de Tai Shan begeleid, waar een karretje op twee wielen stond te wachten. Een geduldige os was ervoor gespannen. Hij ging de wagen trekken. Het karretje was gemaakt om zakken graan en groenten te vervoeren, geen mensen. Het zag er dan ook niet zo stevig uit dat hij het gebonk en gehobbel over een rotsachtig bergpad zou overleven. De soldaten hadden Pings handen en voeten geboeid en haar in het karretje getild. Het dak was zo laag dat Ping er niet rechtop in kon zitten.

Ze hadden Kai niet ontdekt. Ping hoorde lange, lage tonen. Ze keek naar de kleine draak in haar schoot.

'Ping, Ping, Ping,' zei Kai.

Het klonk beschuldigend. Waarom waren ze weggegaan uit die knusse berghut? Waarom had ze zich met hem gevangen laten nemen? Wat waren die verschrikkelijke ijzeren dingen die hem zo'n slecht gevoel bezorgde? Er was niets dat ze kon zeggen om hem gerust te stellen. Met haar geboeide handen kon ze hem nauwelijks aaien. Ze zei niets toen hij aan haar vingers knabbelde.

De soldaten waren niet op zoek naar Ping. Daarom had haar helderziendheid haar natuurlijk niet gewaarschuwd dat ze in de buurt waren. Ze hadden haar geen kwaad willen doen. Ze wist niet wat ze op de Tai Shan gingen doen. Ze hadden allemaal gehoord van de 'toverheks', maar toen ze eenmaal geboeid was, waren ze niet zo bang meer voor haar. Hua was een ander verhaal. Ping had de soldaten horen mopperen over de ongewone kleur van zijn vacht in de zon, zijn bijzondere formaat en de vuurballen die hij spuwde. Ze zouden dit onnatuurlijke schepsel met een speer om zeep hebben gebracht, maar wisten dat Ping gelijk had. De keizer zou hem levend terug willen. Ze hadden de rat vastgebonden zodat hij niet kon ontsnappen en ze hadden hem gemuilkorfd met een leren riempje zodat hij geen vuurballen kon spuwen. Na wat er gebeurd was met hun commandant waren ze allemaal voorzichtig met de soeplepel, en niemand durfde hem haar af te pakken.

Kai was doodsbang geweest en ze had geprobeerd hem te aaien voor zover haar geboeide handen het toelieten. Ze wist dat haar pogingen de kleine draak te laten weten dat alles goed zou komen niet erg overtuigend waren. Een ding had ze kunnen doen, terwijl ze voorthobbelden in de kar en dat was hem verhaaltjes vertellen. Ze praatte altijd met haar geest tegen hem, niet met haar mond. Daardoor was zijn woordenschat niet groter geworden. Het enige woord dat hij zei was Ping.

De kleine draak jammerde.

'Ze hebben jou in elk geval niet gevonden,' zei ze.

Maar zo'n grote troost was dat niet.

Ping hoefde Kai niet te vertellen dat hij van vorm moest veranderen elke keer als de soldaten het leren overtrek van de kar openmaakten. Het was een instinct dat hij had als hij in gevaar was. Ze had Kai in de vorm van een soeplepel mee kunen nemen, zodra ze maar even uit de kar mocht. Dat was niet zo vaak en alleen maar met grote tussenpozen. De soldaten hadden haar dag en nacht in de afgesloten kar laten zitten en haar maar een paar minuten per dag laten uitstappen om haar benen te strekken.

Ze gaven haar redelijk goed te eten, maar hielden de

punten van hun speren tegen haar huid als ze at. Ze hoorde hen onder elkaar mopperen over de kleine porties die voor hen bestemd waren. Pings maaltijden op de Tai Shan waren klein en eenvoudig geweest en de brij van geitenvlees was een welkome afwisseling na de vis, maar Kai lustte het niet. Ze had gehoopt dat Hua haar had kunnen helpen, maar hij was vastgebonden aan een stok zoals een kip aan het spit wordt geregen als ze geroosterd wordt. Hua kon niet ontsnappen.

Ping wist dat Liu Che woedend zou zijn. Hij had haar benoemd tot Keizerlijke Drakenhoeder. Dat was een grote eer en die had ze afgeslagen. Hij had haar als een vriendin behandeld, en haar vertrouwd. Hij had haar toegestaan hem bij zijn voornaam te noemen. Niemand anders had dat voorrecht, op zijn naaste familie na. In ruil daarvoor had ze de laatste keizerlijke draak helpen ontsnappen. Dat was een misdaad waar de doodstraf op stond.

Ze had het klaargespeeld een paar wormen en een of twee slakken te verzamelen in de korte tijden dat ze uit de kar mocht. Kai had een paar rupsen gevonden in de rottende groenten die op de bodem van de kar lagen. Ping had een paar kevertjes uit haar brij van geitenvlees gevist, maar hij had nog steeds honger. En elke keer dat de soldaten dichterbij kwamen werd hij misselijk en zwak van de metalen kling van hun zwaard.

Ping probeerde na te denken, hoewel haar geest even moe was als haar lichaam. De keizer zou in deze tijd van het jaar in Chang'an zijn. De os zou wekenlang onderweg zijn naar de verre, verre hoofdstad. Zelfs als ze over het water zouden reizen, zou het een lange en langzame reis zijn, omdat de roeiers tegen de sterke stroom op moesten ploeteren. Ze moest snel een plan bedenken om te ontsnappen, anders zou Kai sterven van de honger.

Toen de kar stopte hoorde Ping voetstappen dichterbij komen.

'Kai,' zei ze. 'Je moet van vorm veranderen.'

Het draakje draaide zijn staart om haar arm en werd weer een soeplepel. De leren flap werd opengegooid. Ping knipperde met haar ogen en hield er beschermend een hand boven. Haar ogen wenden aan het licht en toen zag ze dat ze niet in een dorp waren, maar in een tuin die aan alle kanten hoog ommuurd was. Een hoog houten hek sloot zich achter hen. Het was versierd met schilderingen van rode vleermuizen en blauwe kraanvogels - de symbolen van geluk en een lang leven. De soldaten stonden te praten met de wachten bij het hoge toegangshek en wezen naar haar.

'We hebben de drakentoverheks gevangen,' schepte een van hen op. 'Ze probeerde ons te betoveren. Heb je gehoord wat er met onze commandant is gebeurd?'

De kar kwam weer in beweging. Deze keer werd de leren flap niet meer dichtgeregen. Ze reden door een poort. Op deze poort waren drie grote lettertekens geschilderd in goud.

Over een meer lag een lange brug met vele bogen. De kar reed eroverheen. Een eiland met steile rotsen rees op uit het water. Op het eiland bevond zich een buitenverblijf. Aan de overkant van het meer stonden wilgen die hun takken treurig in het water lieten hangen, terwijl vallende bladeren als tranen naar beneden zweefden.

Dit was niet de wilde schoonheid van de natuur zoals op de Tai Shan: elke boom, bloem en rotsblok was er met zorg geplant, gezaaid en neergelegd. Het was een reusachtige tuin. Aan de andere kant van het meer liep een smalle weg de bergen in. De tuin lag tegen de helling van een heuvel aan. De kar reed langs een bosje esdoorns. Hun bladeren begonnen net te verkleuren naar rood. Ping had deze bomen eerder gezien. De weg slingerde tussen bloembedden door naar een aantal mooie bouwwerken halverwege de heuvel. Ping wist waar ze was. Dit was Ming Yang Lodge, het keizerlijke jachtverblijf waar ze de keizer had ontmoet.

Het karretje bleef staan en een nerveuze bewaker maakte de touwen om Pings handen en voeten los. De anderen wezen met hun speerpunten naar haar, terwijl ze stijf uit de kar klom. Ze keek naar de gevel van het bouwwerk waar ze voor stonden. Het zag er anders uit. De daken waren niet zwart meer. Glanzende gele dakpannen hadden de sombere zwarte dakpannen vervangen. De keizer was van plan geweest de keizerlijke kleur te veranderen. Hij had dat plan blijkbaar doorgezet. Ping glimlachte – ook al prikten de speerpunten in haar rug. Zij had voorgesteld dat Liu Che de keizerlijke kleur van zwart naar geel zou veranderen.

Het huis leek heel rustig. De twee diensters haastten zich naar de kar, gluurden angstig naar Ping, maar er was geen drukte van bedienden en ministers zoals de laatste keer dat Ping hier was geweest. Uit de richting van de keukens kwamen de geuren van eten. Ze kon de knoflook, de gember en de pruimensaus ruiken. Haar maag knorde. Het waren de heerlijke geuren van een keizerlijk banket. Haar hart bonsde. Dat kon maar één ding betekenen. De keizer was op Ming Yang Lodge. Ze had gedacht dat ze weken de tijd zou hebben om na te denken over wat ze tegen Liu Che moest zeggen, hoe ze zou pleiten voor haar leven. Nu kreeg ze helemaal geen tijd om erover na te denken.

Ping voelde een rare mengeling van opwinding en angst bij de gedachte dat ze hem weer zou zien. In de korte tijd die ze eerder op Ming Yang Lodge had doorgebracht had ze genoten van zijn gezelschap. Behalve het feit dat hij de keizer was, was hij ook de enige die ze ooit gekend had die van haar leeftijd was. De enige jongen. Er waren jonge mannen geweest die van tijd tot tijd in het Huangling Paleis kwamen werken – ze keken allemaal even zuur, boze stalknechten en tuinmannen – maar ze hadden haar allemaal gemeden alsof ze een lelijke spin was. De knappe jonge keizer had tegen haar geglimlacht, ondanks het feit dat hij de keizer was en hij had haar met respect behandeld. Hij had geluisterd naar wat ze te zeggen had, hoewel ze maar een slavenmeisje was. Ze wilde dolgraag opnieuw vriendschap met hem sluiten, maar ze wist dat dat niet zou gebeuren. Ze had de uitdrukking op het gezicht van Liu Che gezien toen ze vluchtte met Danzi.

De soldaten brachten Ping niet naar de vertrekken van de keizer en ook niet naar die mooie kamer waar ze had geslapen toen ze de vorige keer Ming Yang Lodge had bezocht. In plaats daarvan brachten ze haar naar een nieuw gebouwtje, op enige afstand van het grote jachthuis waar de keizer zijn vertrekken had. Het gebouwtje was snel in elkaar gezet van bamboestokken, met een dak van slordige takkenbossen. Ping hoorde vreemde geluiden uit het gebouwtje komen. Dierlijke geluiden – gegrom en gekrijs. Binnen vond ze hokken van bamboe. In een hok zat een zwarte kat, zo groot als een tijger. In een ander zag Ping twee apen die treurig keken. De soldaten bleven weg bij de kooi, waar de zwarte kat in zat. Een van hen streek over een diepe schram op zijn arm en mopperde: 'Ik zal blij zijn als hij wordt losgelaten in het Tijgerwoud.'

Ping herinnerde zich dat Liu Che had besloten het Tijgerwoud dat achter de tuinen in zuidelijke richting lag, te veranderen in een reservaat voor wilde dieren uit het hele keizerrijk.

'Waar is mijn rat?' vroeg ze aan de soldaten.

Ze negeerden haar en brachten haar naar een lege kooi. De bewaker stak zijn hand uit om de soeplepel die aan haar arm hing weg te pakken.

'Raak hem niet aan!' schreeuwde Ping.

Maar hij luisterde niet. Toen hij de soeplepel vastpakte vloog er een vreemde uitdrukking over zijn gezicht, voor hij op de grond viel en daar bleef liggen als een houten plank. De andere bewakers openden de deur van de kooi en duwden Ping naar binnen. In de kooi lag een berg vuil stro en er stond een emmer. Meer niet. Ze deden de deur op slot en lieten haar achter bij de dieren. Alle hoop die Ping nog koesterde dat de keizer haar misschien zou vergeven, was verdwenen.

Ping deed haar ogen dicht, terwijl de soeplepel veranderde in een kleine draak.

'Honger,' zei de treurige stem in haar hoofd.

Een paar dagen daarvoor zou niets haar gelukkiger hebben gemaakt dan te horen dat Kai een nieuw woord zei. Maar nu had ze ernstiger zorgen. Ze moest Kai en zichzelf in leven houden.

Ping zakte in het stro. Het stonk naar paardenmest.

'Brave jongen, Kai,' zei ze geforceerd opgewekt, terwijl ze hem rond de bulten op zijn kopje aaide. 'Je hebt het vandaag goed gedaan.'

De kleine draak jammerde. Haar vrolijke woorden haalden niets uit. Hij liet zich niet voor de gek houden.

Haar eigen gevoelens waren nu onbelangrijk. Kai was haar grootste prioriteit. Hij was mager en zijn schubben waren dof. Hij lag in het stro en maakte zachte, lage geluiden die haar nog ongelukkiger maakten. Ze had liever gehad dat hij haar had gebeten.

Een poosje later kwam een bewaker en duwde zonder een woord te zeggen een schaal brij door de spijlen van haar kooi. Kai probeerde te eten, maar hij werd er ziek van. Hij kon nog geen vlees verteren. Ping at een beetje van de geitenbrij, maar ze kon er niet toe komen veel te eten nu de hongerige draak zo naar haar zat te kijken.

Ping was eerder gevangen gezet. Ze was in het nauw gedreven door sterke, gewapende vijanden. Ze had altijd een manier kunnen bedenken om te ontsnappen. Maar toen was Danzi bij haar. Nu was ze op zichzelf aangewezen. Ze had Hua niet eens om haar te helpen. Het leek of er geen enkele manier bestond om te kunnen ontsnappen.

Ze lag in het stro en trok de kleine draak geruststellend tegen zich aan.

Na lange tijd viel hij in slaap, maar Ping lag wakker. Ze kon maar één manier bedenken om Kai te voeren. Ze herinnerde zich de dag dat hij uit de drakensteen was gekropen. Toen had hij melk nodig gehad, en die was er niet. Danzi had zich in zijn borst gesneden en de baby zijn eigen bloed te drinken gegeven. Zij zou hetzelfde moeten doen. Ze lag de hele nacht wakker te piekeren hoe ze aan iets scherps kon komen om zich mee in haar borst te snijden.

Hoofdstuk 10

De raad voor een lang leven

Ping zag binnen vaag een figuur zitten.
Het was een vrouw.
Haar hoofd was gebogen. Ze huilde zachtjes.

Vroeg ochtendlicht viel binnen door de wanden van bamboe. Ping had gehoopt dat ze van Danzi zou dromen en dat hij haar zou vertellen wat ze moest doen. Maar ze had de hele nacht geen oog dichtgedaan. Ze herinnerde zich de zachte stem van de oude draak, de manier waarop zijn mond er soms uitzag, alsof hij glimlachte, hoe hij dingen van belang aanwees met een van zijn klauwen.

'Honger, honger, honger,' zei een zielige drakenstem in haar hoofd.

Ping aaide de kleine draak, en schaamde zich dat het tweede woord dat hij had geleerd alleen maar bewees hoezeer ze had gefaald in de uitvoering van haar taak als

Drakenhoeder.

Ze tastte om zich heen, op zoek naar iets scherps. Ze brak een lange splinter af van een van de bamboestokken en stak hem in haar arm, maar hij maakte alleen maar een schram. Wat ze moest hebben was een lemmet, of een scherf van gebroken aardewerk, of de doorn van een rozenstrtuik. Hadden de bewakers maar niet mijn tas en mijn mes afgepakt, dacht ze.

Toen besefte Ping opeens dat wat ze nodig had, heel dichtbij was. Het was hetzelfde gereedschap dat Danzi had gebruikt om een schram in zijn vlees te maken – de klauw van een draak. Ze zette Kai op haar schoot en hield zijn linkervoorpoot in haar hand. In tegenstelling tot katten trokken draken hun klauwen niet in als ze ze niet gebruikten. Ze waren er altijd zoals Ping maar al te goed wist. Kais klauwen waren nog klein, maar vlijmscherp. Hij had haar vaak tot bloedens toe geschramd, zonder het te weten.

Ping bekeek de binnenkant van haar arm nauwkeurig. Onder haar huid zag ze de blauwe lijnen van de aderen die het bloed door haar lichaam vervoerden. Ze koos de grootste, in haar elleboogholte en zette de klauw op de tere huid. Ze drukte de klauw diep in haar arm en beet hard op haar tanden, omdat ze niet harop wilde schreeuwen van pijn. Het bloed sijpelde uit de wond en ze ving het op in haar hand die ze tot een kommetje had gevormd.

'Hier Kai,' zei ze. 'Drink dit op.'

De kleine draak knipperde met zijn ogen, omdat ze zo onzeker klonk.

'Het is oké, het doet geen pijn,' loog ze. 'En het zal jou sterk maken.'

Hij likte het plasje bloed op, eerst voorzichtig, toen sneller. Hij dronk tot de wond begon te stollen.

Er was niets dat Ping kon gebruiken om de snee te verbinden. Ze voelde zich duizelig. Ze ging in het stro liggen en viel in slaap.

Ping werd wakker toen de buitendeur werd opengegooid. Het daglicht stroomde binnen. Ze kon Kai nog net onder haar jurk stoppen voor een soldaat voor haar kooi bleef staan. Haar ogen concentreerden zich op misvormde tenen die door de gaten puilden van een paar versleten slippers.

'Aha!' zei een vrolijke stem.

Ze keek op. Het was helemaal geen soldaat, maar een dikke man in een toga die de onderscheiding droeg van een keizerlijke minister. Hij was buiten adem.

'Zo!' zei hij. 'Dit is dus de angstaanjagende toverheks over wie ik zoveel heb gehoord.'

Ping probeerde op te staan, maar de kooi begon te draaien, dus koos ze ervoor op haar knieën te gaan zitten.

De man leek in de verste verte niet op de slanke, ernstig kijkende regeringsministers die ze eerder had gezien. Hij had een brede glimlach op zijn gezicht en heldere, twinkelende ogen onder wenkbrauwen die Ping deden denken aan Kais dikbehaarde lievelingsrupsen. Hij had de langste oren die ze ooit had gezien. Hij had een verwarde baard en een mond die het niet kon helpen dat hij moest glimlachen, zelfs als hij heel hard zijn best deed serieus te zijn.

'Ik ben Dong Fang Suo,' zei hij. 'De Tovenaar van de Keizer.'

'Tovenaar,' zei Ping.

Dong Fang Suo grinnikte alsof hij zich net iets heel grappigs herinnerde. 'Niet het soort tovenaar die mensen in padden verandert,' lachte hij. 'Ik ben een man van de wetenschap. We hebben elkaar eerder ontmoet.'

Ping keek naar de vrolijke oude man. Zijn ministeriële hoed stond schuin op zijn hoofd. Zijn toga was gekreukt, behalve waar hij strak over zijn dikke, ronde buik viel. De linten die zijn functie symboliseerden zaten in een heel rare knoop. Ze herkende ze absoluut niet.

'Ik was bij de wetenschappers die op die gedenkwaardige dag, waarop jij ontsnapte met de draak, door de keizer bij elkaar waren geroepen.' Dong Fang Suo moest weer lachen.

'Ik kan me u wel herinneren,' zei Ping.

'Mijn functie was toen een stuk nederiger. Zijne Keizerlijke Hoogheid heeft me geëerd met een hogere functie.' Hij zuchtte diep en probeerde zijn rug te rechten. 'Ik ben nu de Persoonlijke Raadsheer van Zijne Keizerlijke Hoogheid en Hoofd van de Raad voor een Lang Leven.'

Ping trok het gezicht van iemand die onder de indruk is, maar ze had geen idee was de Raad voor een Lang Leven was.

Dong Fang Suo keek Ping aan.

'Ik kan me jou wel herinneren,' giechelde hij. 'En je draak. Je moet me alles vertellen van je avonturen – zodra we tijd hebben.'

Hij gebaarde naar een van de bewakers om de deur van de kooi open te maken. Ping stond op. Ze was opgelucht toen ze een soeplepel in het stro zag liggen en niet een kleine, purperen draak.

'Waar is mijn rat?' vroeg Ping.

De glimlach van de Persoonlijke Raadsheer van Zijne

Keizerlijke Hoogheid vervaagde. 'Hij wordt vastgehouden ... ergens anders.'

'Jullie gaan hem toch geen pijn doen?'

Dong Fang Suo negeerde haar vraag. 'Je aanwezigheid wordt verwacht in de Zaal van Zich Verspreidende Wolken.'

Ping stond op en hield zich vast aan de tralies van de kooi.

'Héé, je ziet een beetje wit!' zei Dong Fang Suo vrolijk.

'Wij hebben drie dagen opgesloten gezeten in een kar en werden toen in de gevangenis gegooid,' antwoordde Ping.

'Wij?' vroeg de Keizerlijke Raadsheer.

'Ik bedoel ii-ik ,' stotterde Ping. 'Ik kan niet meer helder denken. Ik heb frisse lucht nodig.'

Het was niet de eerste keer dat Ping in de Zaal van Zich Verspreidende Wolken kwam. De zijden wandkleden, de draken die op de dakspanten geschilderd waren, de gegraveerde luiken waren even mooi als ze zich kon herinneren. Dong Fang Suo nam Ping mee naar het midden van de ruimte. Bewakers van de keizer hielden in de hele ruimte de wacht. Elke bewaker keek strak naar haar en hun speer puntte in haar richting.

De commandant van de bewakers deed een stap naar voren en drukte Ping op haar knieën. Hij was degene die was flauwgevallen op de Tai Shan. Ondanks het feit dat hij haar heel ruw had behandeld, was Ping blij dat ze zag dat hij genezen was.

Pings hart klopte sneller dan anders. Ze haalde een paar keer diep adem en wachtte tot de keizer zou verschijnen, maar dat gebeurde niet. In plaats daarvan kwamen vier ministers de kamer binnen. Ze gingen in een kring om haar heen staan en keken haar onderzoekend aan, zoals ze ook de zwarte kat of de apen onderzoekend zouden bekijken. Ze droegen de gevleugelde hoofdtooien van keizerlijke ministers, maar voor de rest zagen ze er niet uit als welke minister van de regering ook die ze ooit had gezien. Een minister had een baard, verdeeld in vijf vlechten waardoorheen dode bloemen waren gevlochten, een andere minister was heel klein. Hij kwam niet hoger dan Pings middel. Als ceintuur om zijn gewaad droeg de man de staart van een tijger. De derde was op zijn blote voeten en zijn haar hing in klitterige strengen tot over zijn schouders alsof hij het nog nooit had gekamd. De laatste droeg een gegraveerde houten staf en bleek blind te zijn. De ministers begonnen haar te ondervragen.

'Waar is de draak gebleven?' vroeg de kleine minister. 'Denk je dat hij terugkeert?'

'Hij is weggevlogen naar een plek waar mensen als u hem niet kunnen storen,' antwoordde Ping. 'En ik denk niet dat hij de kracht heeft om terug te keren.'

'Heb je iets van het drakenbloed bewaard, toen hij gewond raakte?' vroeg de blinde minister.

'Nee!'

'Wat geeft jou toverkracht?' vroeg de minister op blote voeten.

'Waarom werden de bewakers betoverd?' vroeg degene met de bloemen in zijn baard.

'Ik heb geen toverkrachten en ik ben geen heks,' zei Ping naar waarheid. 'En ik weet niet waarom de bewakers flauwvielen,' voegde ze er minder waarheidsgetrouw aan toe.

De vier fluisterden tegen elkaar en vertrokken weer.

'Wie zijn die mannen?' vroeg Ping aan Dong Fang Suo.

'Dat zijn de andere leden van de Raad voor een Lang Leven,' antwoordde de keizerlijke tovenaar. 'Zijne Keizerlijke Hoogheid gaf de Raad de taak te zoeken naar een manier om hem een uitzonderlijk lang leven te schenken, zodat het keizerrijk vele generaties lang van zijn regering kan profiteren.'

'De laatste keer dat ik me in de Kamer van de zich Verspreidende Wolken bevond, had de Keizer wetenschappers verzameld en alchemisten om een elixer te maken die hem voor altijd jong zou houden,' zei Ping. 'Hebben ze geen succes gehad?' Ze vond het een bevlieging was van een verwende jongen.

'Ze kwamen tot de conclusie dat zo'n elixer onmogelijk te maken is. De keizer heeft hen weggestuurd en de Raad van een Lang Leven benoemd.'

Dong Fang Suo vroeg de bewakers om haar terug te brengen naar haar gevangenis. Onderweg naar de dierenkooien, kwamen ze langs de schuren van de tuinmannen. Er lagen bergen natte bladeren en dode planten die over de bloembedden zouden worden uitgestrooid als het compost was geworden. Ping deed of ze over een riek struikelde en viel op haar knieën.

Ze woelde met haar handen door de berg bladeren. De bewakers porden haar met hun speren maar ze negeerde hen, terwijl ze vlug de wormen verzamelde die ze tussen de rottende bladeren vond.

'Sta op!' riep een van de bewakers.

Ping stopte de wormen in haar buideltje en krabbelde overeind.

De bewakers vroegen zich fluisterend af of ze de wormen

zou opeten of ze gebruiken voor een betovering. Ze liepen gehaast met haar terug naar haar kooi.

Tussen de geluiden van de tuin – de vogels, het zoemen van insecten, het ritselen van bladeren – hoorde Ping een ander geluid. Het klonk zwak. Ze bleef staan om te luisteren. Het klonk alsof er iemand huilde. De bewakers porden haar opnieuw met hun speren.

Ze wachtte tot de mannen de deur van de kooi op slot hadden gedaan en buiten weer hun plek hadden ingenomen. Toen haalde ze de wormen uit haar buideltje.

'Ik heb iets voor je, Kai,' zei ze.

De kleine draak at de wormen hongerig op. Ze haalde de snee in haar elleboogholte open en gaf hem weer wat bloed te drinken, terwijl ze zich afvroeg hoe vaak ze dat nog kon doen zonder haar leven te riskeren. Ze voelde dat ze wegdoezelde, toen twee bewakers met strenge gezichten voor de deur van haar kooi verschenen.

'Dong Fang Suo zegt dat je in de tuin mag,' zei een van hen. Hij had een kort baardje en hij loenste.

De andere bewaker was jonger en liet een snor staan, zonder al te veel succes. Hij keek boos naar Ping. Het was duidelijk dat hij vond dat de gevangene teveel vrijheid kreeg.

Er waren twee seizoenen verstreken sinds Ping in de tuinen van Ming Yang Lodge had rondgelopen. Toen was het lente geweest. Nu kleurde de herfst de bladeren aan de bomen. De waaiervormige bladeren van de ginkgobomen werden geel. Een paar afgevallen bladeren waaiden in een zachte bries om haar benen. Esdoorns, acers en andere bomen waar Ping de naam niet van wist, werden oranje en rood.

Kornoeljes en hulststruiken hadden rode bessen. De kleine witte bloemen van de zoete olijfbomen vulde de lucht met een heelijke geur. Een bosje cypressen stond een beetje apart van al de herfstkleuren, donker en groen als altijd.

Ping knielde neer om de verwelkende chrysanten beter te bekijken, hoewel ze eigenlijk meer belangstelling had voor de vruchten die van een wilde appelboom waren gevallen. Ze zocht tussen de gebutste appels en vond slakken met en zonder huis.

'Ik zou zo graag eens naar de Tuin van de Rustige Harmonie gaan,' zei ze tegen de bewakers, terwijl ze opstond.

Ze keken elkaar aan.

'Ik weet niet of dat kan,' zei de baardige bewaker.

'Zei Minister Dong dat ik daar niet heen mocht?'

Ze zag dat hij in zijn hoofd de bevelen naging die hij had gekregen.

'Niet precies.'

'Ik wil alleen het uitzicht bewonderen,' zei Ping.

De bewakers grepen allebei hun speer stevig beet.

'Wij houden je in de gaten, denk erom,' zei de bewaker met de miezerige snor.

Ping volgde het pad de heuvel op. Het slingerde tussen rotsen door die de raarste vormen hadden. Ze zagen er gekronkeld en verdraaid uit alsof ze pijn hadden. Ze wist dat elke rots met zorg uitgekozen was vanwege zijn gelijkenis met een leeuw of een draak en in de tuin geplaatst werden om bewonderd te worden als standbeelden.

De Tuin van de Rustige Harmonie lag op de top van de heuvel. Terwijl ze dichterbij kwam, wist Ping al van een afstand dat hij veranderd was. Vanaf de heuveltop rees een toren omhoog.

'Wat is dat?' vroeg Ping.

'Hij wordt de Hemelreikende Toren genoemd,' antwoordde een van de bewakers. 'De Keizer wilde dat hij zo gebouwd werd. Steenhouwers waren er tot een paar dagen geleden nog aan bezig.'

Ping begon harder te lopen. Ze hoorde vage muziek – heldere rinkelende tonen – die steeds luider klonken. Eindelijk kwam ze bij de grotere vlakte op de heuveltop en strekte de Tuin van de Rustige Harmonie zich voor haar uit. Ze herinnerde zich de ochtend dat ze met de keizer gewandeld had, waarbij ze over een brug waren gelopen en in de Rivier van de Kostbare Jade hadden getuurd, op zoek naar schildpadden. Ze gingen zitten in het 'De-Magnoliaknoppen gaan-open-paviljoen'. Ping herinnerde zich precies de plek waar de Keizer erop had aangedrongen dat ze hem bij zijn voornaam moest noemen. Een golf van treurigheid vaagde haar gelukkige herinneringen weg, zoals een golf van de zee voetafdrukken van het strand wegvaagt. Danzi was die dag bij hen geweest.

Nu waren er geen narcissen, geen magnolia's en geen kersenbloesems. Herfstbloemen bloeiden – anemonen, daglelies, asters. Maar zelfs als de narcissen en magnolia's hadden gebloeid, hadden ze haar aadacht niet vast kunnen houden.

De laatste keer dat ze in de Tuin van Rustige Harmonie was geweest, had er een klein paviljoen gestaan. Dat was verdwenen en op die plek stond nu de Hemelreikende Toren. In de keizerlijke hoofdstad Chang'an, waren de torens van de stadsmuren vier verdiepingen hoog. Deze toren was meer dan tweemaal die hoogte. Hij was gebouwd van grote blokken steen die afwisselend rood en wit waren geschilderd. Het deed denken aan een schaakbord. De hoekstenen waren beschilderd met wervelende wolkenpatronen. Op de toren was een houten paviljoen gebouwd met overhangende dakranden. Hoe iemand daar ooit kon komen? Ping had geen flauw idee. Een dak met gele pannen – als een miniversie van de daken van heel Ming Yang Lodge - voltooide het bouwwerk. Overal hingen klokken: van de balkonranden, van de dakranden en van de hoeken van het dak. Dat was de muziek die ze had gehoord. De lagere klokken waren groot en maakten een zwaar, dreunend geluid. De klokken onder de dakranden waren kleiner en klonken lichter. De klokken die van de hoeken van het dak hingen waren nog kleiner en hun geluid was een zacht gerinkel. Elk zuchtje wind creëerde een andere melodie – mooi, maar treurig. Op de torenspits stond een beeld van een Onsterfelijke Godheid te schitteren in het licht van de zon.

'Is dat echt goud?' vroeg Ping wijzend naar het beeld.

'Ja,' antwoordde de bewaker zachtjes. 'Massief goud.'

Ping hield een hand boven haar ogen, zodat ze de details in het zonlicht beter kon zien. Het beeld stond met geheven handen. In die handen rustte een groene schaal van jade.

'Waarom heeft de keizer deze toren laten bouwen?'

'Om de pure dauw uit de Hemel – die van de sterren druppelt - te vangen,' zei de bewaker met de baard, trots op zijn kennis.

De andere bewaker wilde ook zijn steentje bijdragen: 'De Raad voor een Lang Leven gelooft dat als de keizer elke dag sterrendauw drinkt, hij nog duizend jaar zal leven.'

'En jullie moeten die dauw opvangen?' vroeg Ping

De bewakers keken elkaar hevig geschrokken aan.

'Nee! Wij niet,' riep de bewaker met de mislukte snor. 'Als je maar een druppel laat vallen krijg je de doodstraf. Nee, het is de taak van een sjamaan.'

Ping keek op naar de toren. Ze vroeg zich af hoe de sjamaan daar tegenop kon klimmen om de dauw te verzamelen, zonder het gevaar te lopen neer te storten en de dood te vinden. Maar ze vroeg het niet aan de bewakers. Nu ze hen gesproken had, terwijl ze zich zo op hun gemak voelden, had ze een andere vraag die ze al sinds haar aankomst had willen stellen.

'Is de keizer in Ming Yang Lodge?'

'Nee,' antwoordden de twee mannen tegelijk.

'Zijne Keizerlijke Hoogheid is in Chang'an,' verduidelijkte de man met de baard.

Ping wist niet of ze teleurgesteld was of opgelucht.

Toen ze terugkwam uit de Tuin van de Rustige Harmonie, zag Ping een plant waarvan de bladeren – wist ze – haar arm zou helpen genezen. De plant stond langs een pad dat leidde naar een dichte kring van bamboeplanten. De bamboestelen waren wel drie keer zo lang als Ping en stonden zo dicht op elkaar dat je er onmogelijk tussendoor kon kruipen. Ze hoorde een zacht geluid van achter de bamboe. Iemand huilde en Ping had dat soort huilen al eerder gehoord.

Ping vond een plek waar de bamboestammetjes minder dicht op elkaar stonden. Ze deed alsof de genezende plant haar belangstelling had en gluurde tussen de hoge stelen door. Ze zag een klein vierkant gebouwtje van één vertrek dat aan drie kanten ommuurd was. Ping zag vaag een figuur zitten. Het was een vrouw. Haar hoofd was gebogen. Ze zat zachtjes te huilen. Het was het geluid van iemand die alle hoop op geluk had opgegeven. Het was het treurigste geluid dat Ping ooit had gehoord. De dichte kring van bamboestengels vormden een levende gevangenis. Het leek erop dat zij, Ping, niet de enige gevangene was op Ming Yang Lodge.

De handen van de vrouw rustten met de handpalmen naar boven op de bank waarop ze zat. Aan haar oren bengelden kleine versieringen die trilden door haar snikken. Ze liet de tranen van haar gezicht druppelen. Er waren zoveel tranen dat haar jurk van zachtblauwe zijde helemaal nat moest zijn. Aan haar mooie kleding te zien leek de vrouw iemand van aanzien en rijkdom. Hoe kon zo'n bevoorrecht iemand zo ongelukkig zijn?

De bewakers zagen opeens wat Ping deed.

'Je mag de prinses niet bespioneren!' siste een van hen, terwijl hij haar porde met zijn speer tot ze terugkwam naar het pad.

Terwijl ze Ping wegvoerden keek het meisje met grote nieuwsgierigheid naar de huilende vrouw.

Met hevig geschrokken gezichten bleven de bewakers opeens stokstijf staan.

'Waarom loopt de gevangene door de tuinen te wandelen?' vroeg een stem.

Beide bewakers vielen op hun knieën en bogen diep tot hun hoofd de grond raakte.

Zonder te hoeven omkijken wist Ping wie het was. Het was Liu Che – de keizer.

• Hoofdstuk 11 •

De prinses die niet kon lachen

'Op het stelen van een keizerlijke draak staat de doodstraf, uwe Keizerlijke Hoogheid,' zei hij. 'Is het uw wens dat de gevangene wordt terechtgesteld?'

Liu Che stond met zijn handen op zijn rug gevouwen. Hij had niet het officiële gele toga aan, waarin hij de laatste keer dat Ping hem had gezien, gehuld was geweest, maar een donkerblauw gewaad van satijn dat met gouddraad was geborduurd. Over het gewaad droeg hij een mouwloze jas van geschoren bont. Hij zag er moe uit. Drie ministers, een aantal bedienden en een heleboel keizerlijke bewakers haastten zich over het pad. Zoals altijd hadden ze grote moeite gehad hem bij te houden, maar ook deze keer was het niet gelukt.

De uitdrukking op het gezicht van de keizer was meedogenloos, net als de eerste keer dat Ping hem had ontmoet. Toch voelde ze een vlam van hoop in haar binnenste. Natuurlijk zou hij begrijpen dat ze alleen maar gedaan had, wat zij dacht dat goed was. Ze zonk op haar knieën en boog haar hoofd tot haar voorhoofd het stenen pad raakte.

'Heel goed u weer te zien, uwe Keizerlijke Hoogheid,' zei Ping.

'Spreek niet tegen Zijne Keizerlijke Hoogheid!' zei een van de bewakers, terwijl hij haar een schop gaf.

'Ik sta de gevangene toe mijn vragen te beantwoorden,' zei de Keizer.

Ping zag dat zijn schoenen zich in haar richting bewogen.

'Je hebt mijn draak laten ontsnappen,' zei hij koud. Het was geen vraag eigenlijk, maar Ping gaf toch antwoord.

'Ja, uwe Keizerlijke Hoogheid. Ik had het gevoel dat ik geen andere keuze had. Danzi was gewond. Hij had niet lang geleefd in gevangenschap.'

'Je bent niet op je keizerlijke post gebleven.'

'Nee.'

Ze tilde haar hoofd op, zodat ze hem kon zien.

De bewakers kwamen naar haar toe, maar de Keizer stak zijn hand op om hen tegen te houden. Liu Che was veranderd. Hij was geen jongen meer, maar een jonge man. Hij was een stuk gegroeid. Zijn haar zat in een strakke knot achter op zijn hoofd en hij droeg een platte, vierkante hoofdtooi met aan de hoeken zwarte kralen die neerhingen. Opeens drong het tot Ping door dat haar jurk vol kreukels zat, dat haar haar niet gekamd was – al heel lang niet – en dat haar nagels vuil waren. Zag ze er maar beter uit. De keizer beantwoordde haar blik niet. Hij zag een slak uit haar buideltje kruipen. Er verscheen een blik van boosheid en walging op zijn gezicht, maar Ping was zo blij dat ze hem zag dat ze moest glimlachen. Ze kon het niet meer tegenhouden. Haar gedachten vormden zich tot woorden en die ontsnapten uit haar mond. 'U ziet er ouder uit.'

Hij keek haar boos aan. 'Dat is geen compliment.'

Zijn gladde huid had de kleur van hazelnoten. Zijn mond, hoewel streng, was mooi van vorm. Het kleine litteken in zijn rechter wenkbrauw was het enige onvolmaakte in zijn gezicht. De keizer keek haar aan en Pings glimlach verdween. Zijn donkere ogen waren zo koud als stenen in de winter.

Ping had gehoopt dat Liu Che zich hun vrienschap zou herinneren op het moment dat hij haar zag en haar dan zou vergeven. Maar hij straalde geen enkele warmte uit, alleen maar woede.

'En waar is mijn draak? Ik wil het nu weten!' riep de keizer. Dong Fang Suo kwam hijgend aanlopen en bleef achter hem staan.

'Danzi is met Hua over de zee gevlogen naar het Eiland van de Gezegenden,' antwoordde Ping. 'Ik weet niet of hij de reis overleefd heeft.'

'Je rat is naar het Eiland van de Gezegenden gegaan?' vroeg de keizerlijke tovenaar.

De keizer stond op het punt om Dong Fang Suo te berispen, omdat hij in de rede viel, maar dat liet hij achterwege en wendde zich weer tot Ping.

'Is dat waar?'

'Ja, uwe Keizerlijke Hoogheid.'

'Is dit dezelfde rat die we nu hier hebben?' ging de keizerlijke tovenaar door. 'Die met de blauwe ogen?'

Ping knikte.

Iedereen wist van het Eiland van de Gezegenden, het betoverende eiland dat aan de andere kant van de zee lag. Er werden verhalen verteld over bomen waaraan de reusachtige perziken der Onsterfelijkheid groeiden en de paddenstoelen van het Eeuwige Leven. Er was ook een beek van jade water – het water van leven. Een paar mensen waren met gammele bootjes er op uit getrokken, op zoek naar het magische eiland. Niemand was er ooit van teruggekeerd. Dit was nu Pings enige hoop. Zolang de keizer dacht dat zij veel meer wist van het Eiland van de Gezegenden, zou hij haar misschien in leven laten.

'Ongelukkigerwijze is de rat ontsnapt, terwijl de Raad voor een Lang Leven bezig was hem te onderzoeken, uwe Keizerlijke Majesteit,' biechtte de keizerlijke tovenaar op.

Ping kreeg een gevoel van opluchting. Hua was vrij.

'Weet jij waar hij is?' vroeg de keizer aan Ping.

Ze kon in alle eerlijkeheid zeggen dat ze geen idee had waar Hua was.

'Ik wil dat de rat gezocht wordt,' was het bevel van de keizer.

Dong Fang Suo boog. 'De wil van uwe Keizerlijke Hoogheid is wet,' zei hij.

Een van de andere ministers deed een stap naar voren en knielde voor de keizer neer. 'Op het stelen van een keizerlijke draak staat de doodstraf, uwe Keizerlijke Hoogheid,' zei hij. 'Is het uw wens dat de gevangene wordt terechtgesteld?'

Het gezicht van de keizer werd weer strak en hij keek streng. 'Nog niet.'

Hij draaide zich om en liep weg.

De bewakers porden Ping met hun speren en brachten haar terug naar haar gevangenis.

Kai veranderde weer in zijn drakengestalte zodra de bewakers weg waren. Ze gaf hem de slakken - met en zonder huis - die ze voor hem verzameld had. Hij at ze op, maar bleef lage, treurige geluiden maken. Ze ging in het stro zitten en liet hem nog wat van haar bloed drinken.

Ping had een scherp stuk bot bewaard dat ze gevonden had in haar watergruwel. Ze bleef het grootste deel van de nacht op en probeerde met het stuk bot een van de bamboestelen van haar gevangenis door te zagen. Als ze maar één steel kon verwijderen, was er genoeg ruimte voor haar om erdoor te ontsnappen. Dan kon ze met Kai haar geluk gaan beproeven in het Tijgerwoud. De enige andere keuze die ze had was Kai aan de keizer laten zien. Als ze dat zou doen was er geen weg meer terug. Het draakje zou de rest van zijn leven in gevangenschap zitten. En dat was niet wat Danzi had gewild. Hoewel hij zelf jarenlang op het Huangling Paleis gevangen had gezeten, had hij ook vele honderden jaren in vrijheid geleefd.

De volgende morgen mocht Ping weer in de tuin wandelen, maar werd op de voet gevolgd door hetzelfde stel keizerlijke bewakers van de dag ervoor. Ze hielden hun speren klaar voor het geval ze iets zou willen betoveren. Ze wilde niet meer naar de Tuin van de Rustige Harmonie. De Hemelreikende Toren overschaduwde het ontwerp van de ommuurde tuin. Bovendien voelde ze zich ook te zwak om zo ver te lopen.

Dong Fang Suo dook plotseling op van achter een boom, net toen ze op een grote naaktslak trapte. Hij leek de enige te zijn die niet bang voor haar was. Voor hij een kans kreeg iets te zeggen, stelde Ping zelf een vraag: 'Wie is de vrouw die gevangen zit in het bamboebos?'

'Dat is de zus van de keizer. Prinses Yangxin,' antwoordde Dong Fang Suo. 'Maar ze zit niet gevangen.'

'Waarom is ze dan zo ongelukkig?'

De Keizerlijke Tovenaar keek om zich heen om te zien of de bewakers buiten gehoorafstand waren. 'Haar vader wilde haar uithuwelijken aan de Hertog van Yan. Politiek gezien was het een uitstekend huwelijk. In het verleden kostte geschillen met de staat Yan het leven van een groot aantal soldaten van de keizer. Geruchten gingen rond dat de Hertog zich zou aansluiten bij de barbaren aan de andere kant van de Grote Muur. Dat zou een grote bedreiging zijn voor het keizerrijk. Het huwelijk bracht vrede met Yan.'

De tovenaar van de keizer bleef glimlachen hoewel het verhaal heel ernstig was. 'Jammer genoeg was het huwelijk helemaal niet aantrekkelijk voor de prinses. Haar echtgenoot is een oude man, tamelijk grof in zijn eetgewoonten. Hij heeft al zes vrouwen. Hare Keizerlijke Hoogheid heeft een paar jaar in landen doorgebracht die op een steenworp afstand lagen van barbaarse indringers.'

'Ze moet erg eenzaam zijn geweest,' zei Ping. 'Maar nu is ze hier, dus heeft de Hertog het goedgevonden dat ze haar broer bezocht.'

De tovenaar draaide zich om in de richting waar het paviljoen lag.

'Al zes jaar lang heeft niemand een lach op haar gezicht gezien.'

Zijn eigen glimlach kromp ineen tot een kleine ronding

als een sinaasappelschil. Blijkbaar kon hij niet dichter bij een frons komen.

Hij stelde haar vragen over Danzi. Verwachtte ze dat hij terugkwam? Had hij het over andere draken gehad? Welke toverkrachten had hij? Een halfuur later was hij opeens verdwenen zonder zelfs maar zijn zin af te maken.

De rest van de dag sleepte zich voort. Ping luisterde naar het ellendige gekrijs van de apen en het bijna geruisloze rondsluipen van de zwarte kat. Toen verscheen Dong Fang Suo aan de andere kant van haar kooi en ging door met het gesprek waar hij het had afgebroken, alsof hij even een pauze had genomen om na te denken in plaats van een halve dag verdwijnen. Ping probeerde de vragen van de man te beantwoorden, maar had alle concentratie nodig om wakker te blijven.

De volgende dag voelde Ping duidelijk dat ze Kai geen bloed meer kon geven, zonder in te storten. De bewakers kwamen haar halen voor haar dagelijkse wandeling.

'Vandaag neem ik je mee de tuin in,' zei ze tegen Kai. Ze draaide de bewakers haar rug toe, terwijl Kai zijn staart om haar arm wond en de vorm van een soeplepel aannam.

'Waarom wil je die lepel meenemen?' vroeg de bewaker met de miezerige snor.

'Dan kan ik water drinken uit een beekje,' zei ze. 'Als ik dorst krijg.'

De bewakers waren nu niet zo bang meer voor hun bleke, stille gevangene. Ze keken elkaar aan en haalden hun schouders op.

Ze brachten haar naar een rustig stuk in een van de tuinen. Niemand scheen hier ooit te komen, zelfs de tuinmannen niet. Afgevallen bladeren hadden zich opgehoopt op alle mogelijke plekken. Eenmaal uit het zicht van hun baas, gingen de bewakers een spelletje met kiezelstenen doen op een van de stenen banken.

Een zacht briesje bracht het geluid mee van iemand die huilde. Ping wilde nog een keer een glimp opvangen van de huilende prinses, maar ze had niet de kracht om zo ver te lopen. Ze overwoog of ze de keizer niet beter zou vertellen over Kai, toen ze zag dat een van de bladerhopen verschoof. Ze dacht dat ze door haar bloedverlies dingen ging zien die er niet waren. De kop van een rat verscheen tussen de bladeren. Ping sloeg een hand voor haar mond om de schreeuw van verrassing te smoren. Ze gluurde naar de bewakers die nog steeds op de stenen bank zaten te spelen.

'Hua!' fluisterde ze. 'Ik ben zo ongerust over je geweest.'

Ze pakte de rat op en onderzocht hem. Een stuk van zijn vacht was netjes weggeschoren en hij miste een paar snorharen.

'Wat hebben ze met je gedaan?'

Dong Fang Suo kwam opeens tevoorschijn van achter een hoekige rots. Hua dook weg onder de hoop bladeren.

'En de draak kon praten?' vroeg de keizerlijke tovenaar.

Hij ging gewoon verder met het gesprek van de vorige dag alsof hij even zijn gedachten had geordend. Ping voelde zich zo zwak dat ze bang was dat ze flauwviel. Ze keek strak naar de misvormde slippers van de tovenaar.

'Was jij de enige die hem kon begrijpen?'

'Ik heb maar één ander iemand ontmoet die drakentaal kon verstaan,' antwoordde Ping. 'Dat was Wang Cao, de kruidengenezer. Jammer genoeg werd hij gedood door een drakenjager. Maar een echte drakenhoeder was hij niet, want hij was niet helderziend.'

'Kon jij Danzi meteen verstaan?' vroeg hij.

'Nee, het lijkt of je een draak pas kunt verstaan als je als drakenhoeder een poosje bij een draak hebt doorgebracht.'

Dong Fang Suo knikte. 'Hetzelfde als de helderziendheid,' zei hij.

'Ja.'

De tovenaar dacht hier lange tijd over na. Toen zei hij: 'Ga je mee, Ping? De Raad voor een Lang Leven wacht.'

De tovenaar liep naar de Zaal van Zich Verspreidende Wolken. Ping volgde hem langzamer. Aan de ene kant van de zaal stonden twee gebeeldhouwde, houten stoelen met kussens erin. De overige vier leden van de Raad voor een Lang Leven waren er verzameld. Een nerveus uitziende bewaker kwam binnen met een stoffen bundeltje. Hij legde het op een lage tafel en vouwde het voorzichtig open. In de bundel zaten al Pings bezittingen – haar gouden munten, haar hanger van jade, de scherf van de drakensteen, de drakenschub, het grote, dubbelgevouwen blad, haar kam en haar naald en draad. Daarnaast stonden haar kookspullen, plus haar houten met de hand gegraveerde emmer en een soeplepel die er hetzelfde uitzag als de lepel die over Pings arm hing. De enige dingen die ontbraken waren de spiegel van de Drakenhoeder, die ze in een geheime zak bewaarde die ze in haar jurk had genaaid, en de keizerlijke zegel in haar buideltje.

De zonderlinge mannen van de Raad onderzochten haar bezittingen. Ze gluurden naar haar simpele kookspullen alsof ze diep geheim waren. Maar ze raakten niets aan. Ze rommelden met stokjes tussen haar bezittingen – behalve de blinde minister die elk ding besnuffelde.

Plotseling vielen de mannen in de kamer op hun knieën en bogen hun hoofd naar de grond. De keizer kwam binnen in zijn officiële gele gewaad van satijn, waar vliegende draken in geweven waren. Ping voelde zich al zwak en was blij dat ze op haar knieën kon vallen. De keizer had een jonge vrouw bij zich. Haar hand rustte licht op zijn arm. Het was de huilende vrouw uit het paviljoen in het bamboebos, Prinses Yangxin. Ze was broodmager en nog heel jong. Ze nam zulke kleine stapjes dat het leek of ze gleed als een zwaan in een rustige vijver. Haar gewaad was gemaakt van lila zijden gaas dat zo licht was dat het om haar heen leek te zweven. Haar mouwen waren zo wijd dat ze bijna tot op de grond hingen.

De Keizer begeleidde de prinses naar een van de gebeeldhouwde stoelen. Hij pakte haar bij haar hand om haar te steunen toen ze zich elegant in de stoel neerliet. Een hofdame schikte het gewaad van de prinses om haar heen. De keizer glimlachte hartelijk naar de prinses. Ping voelde even steek van teleurstelling. Misschien zou hij weer tegen haar glimlachen als hij wist van Kais bestaan.

De keizer gaf met een knik iedereen toestemming om op te staan. Ping bleef op haar knieën zitten. Voor het eerst kon ze het gezicht van de prinses zien. Haar ogen glansden. Ze waren donker en vochtig alsof er tranen in stonden. Haar lippen waren rood gemaakt, maar haar mondhoeken hingen naar beneden. Haar gezicht was zo wit als het licht van de maan. Ze was de mooiste vrouw die Ping ooit had gezien. Maar ook de droevigste. Het was niet alleen haar treurige gezicht. Zoals haar prachtige gewaad om haar schouders hing, zo hing er een mantel van ellendige treurnis om haar heen.

De keizer ging niet zitten. Zonder in Pings richting te kijken liep hij naar de lage tafel en bekeek nauwkeurig de dingen die erop lagen uitgespreid. Ping voelde zich niet op haar gemak. Haar hele leven lag op die tafel, al haar hoop en al haar geheimen lagen er open en bloot uitgestald voor wie dan ook de moeite nam de betekenis van de dingen te verklaren. Hij pakte iets op.

'Ik raad u aan de dingen niet aan te raken, uwe Keizerlijke Hoogheid,' zei Dong Fang Suo.

'Waarom niet?' vroeg de keizer.

'De bezittingen van de heks zijn op de een of andere manier betoverd.' De glimlach van de tovenaar leek gevaarlijk dicht bij een algehele verdwijning. 'Twee bewakers die haar spullen aanraakten vielen onmiddellijk bewusteloos op de grond. Een van hen werd na een paar dagen wakker, de andere is nog steeds buiten bewustzijn. De dokters hebben hem niet kunnen bijbrengen. Laat iemand anders de spullen voor u opnemen, uwe Keizerlijke Hoogheid.'

De keizerlijke tovenaar wilde een voorwerp oppakken van de tafel, maar veranderde van gedachten en gebaarde naar een bediende om het in zijn plaats te doen. De doodsbange bediende stak zijn hand uit naar Pings kam. Zijn hand beefde, maar hij maakte een vuist voor zijn vingers de kam aanraakten.

De keizer slaakte een ongeduldige zucht. Hij pakte de kam en de hanger van jade op en legde ze weer terug. Hij keek naar alle dingen en pakte toen een van de scherven van de drakensteen op. Hij hield het tegen het licht.

'Is dit een stuk van de steen die de drakenjager je probeerde af te pakken op Tai Shan?'

Ping knikte. Liu Che had haar gevecht met Diao van een afstand gezien. Hij had gezien hoe ze de drakenjager versloeg en had toegekeken toen ze de drakensteen optilde en ontsnapte op de rug van de oude draak.

'Wat is ermee gebeurd?' vroeg hij.

'Ik heb hem laten vallen,' antwoordde Ping. 'Hij brak.'

De keizer legde de scherf terug.

'Jij mag de zegel van de Keizerlijke Drakenhoeder niet meer hebben,' zei de keizer boos.

'Ik heb hem nog,' zei Ping, terwijl ze de witte zegel van jade uit haar leren buideltje trok.

Liu Che gaf Dong Fang Suo een teken dat hij hem haar moest afpakken. De keizerlijke tovenaar veegde de ingewanden van de rupsen en insectenpoten die erop geplakt zaten weg en legde de zegel in de hand van de keizer. De keizer bekeek de zegel en wreef met zijn duim over het hoekje dat was afgebroken. Ping wenste dat ze er voorzichtiger mee was geweest. Hij legde de zegel op de tafel bij de andere dingen en pakte het gevouwen blad. Hij maakte het open. Pings wangen werden vuurrood. In het blad zat het platgedrukte magnolia bloemblad waarop de keizer haar had laten zien hoe ze de zegel van de Drakenhoeder moest gebruiken. Ping had het bewaard als herinnering aan die gelukkige tijd. Hij draaide het broze blaadje om. Het was een kwetsbaar ding en zou stuk gaan als je er niet voorzichtig mee was, maar hij legde het onbeschadigd terug in het gevouwen blad.

De Keizer draaide zich om naar Ping.

'Je hebt raadselachtige bezittingen,' zei hij.

Hij pakte de soeplepel die op de tafel lag en keek naar de steel met de drakenkop erop. Toen keek hij naar de lepel op Pings arm

'Mijn spionnen hebben me verteld dat je op de Tai Shan in een hut hebt gewoond.'

Hij kwam naar haar toe en bleef voor haar staan. 'Waarom heb je twee van die dure, bronzen soeplepels nodig?'

Nu de Keizer zo vlak voor haar stond, kon Ping geen antwoord bedenken. Hij stak zijn hand uit naar de soeplepel op haar arm.

'Raak hem niet aan, Liu Che!' riep Ping, terwijl ze opsprong en de hand van de keizer wegtrok.

Er klonk een geluid als een korte, scherpe wind, omdat iedereen verbaasd zijn adem inhield. Ping had de keizer durven aanraken... en hem bij zijn voornaam genoemd. De meeste mensen mochten de keizerlijke naam niet eens horen, laat staan hem uitspreken. Maar voor de bewakers de kans kregen haar weg te slepen, begon de soeplepel op Pings arm te flikkeren. Zijn kleur begon te veranderen van de doffe bronskleur naar purper. Niemand hield nu zijn adem meer in. Iedereen slaakte kreten van pure angst. Daar, voor de ogen van tweemaal-tien of meer getuigen veranderde de soeplepel in een kleine draak.

De hofdames gilden. Een bediende liet een kan wijn vallen. De ministers en bewakers sprongen verbaasd naar achteren. Met uitzondering van Dong Fang Suo na die stond te grinniken alsof hij net een raadsel had opgelost dat hem tot nu toe niet duidelijk was geweest. De bedienden staarden naar de babydraak. De prinses boog zich naar voren in haar stoel om het draakje beter te kunnen bekijken. De keizer stond daar met open mond en zag er eerder als een geschrokken jongen uit dan als een keizer.

Kai knipperde met zijn oogjes en maakte een hoog geluid, als één enkele schrille toon van een fluit die steeds weer herhaald wordt. Het beestje was als de dood. Hij had nog nooit zoveel mensen bij elkaar gezien die allemaal naar hem keken. Hij veranderde zich in een emmer, daarna in een potplant. Er klonk een gekreun van onbehagen van degenen die steeds waren blijven kijken. Een van de hofdames van de prinses moest overgeven.

Op dat moment hoorde Ping andere geluiden, heel hoog, maar heel welluidend. Het duurde even voor ze besefte dat dit geluid niet van de draak kwam, maar van prinses Yangxin. Kai veranderde zich weer in zijn eigen drakengestalte. Opnieuw klonk het hoge, melodieuze geluid. De prinses lachte. De bewakers en bedienden keken van de draak naar de prinses en wisten niet zeker wat ze het wonderbaarlijkst vonden. Niet alleen had een kleine draak zich een paar keer van gedaante veranderd, maar de prinses die in jaren zelfs niet meer geglimlacht had, zat te lachen. Dong Fang Suo lachte met haar mee. Het werkte aanstekelijk. De ministers en bedienden begonnen ook te lachen en Ping ook.

Kai zag het lachende gezicht van de keizer. Zijn geluid veranderde in gelukkige fluittonen.

'Hij heet Kai, Keizerlijke Majesteit. Long Kai Duan,' zei Ping. 'Ik wist het niet toen ik de vorige keer op Ming Yang Lodge was, maar de drakensteen bleek een ei te zijn. Toen we bij de zee kwamen kroop Kai eruit.'

Het draakje rende naar de keizer, terwijl het opgewonden geluiden maakte, zoals iemand die de hoogste tonen haalt uit een fluit. De keizer keek naar het purperen schepseltje aan zijn voeten. Hij schudde verbaasd zijn hoofd. 'Dag Kai,' zei de keizer. 'Mijn naam is Liu Che.'

'Lu... Lu,' zei de drakenstem in Pings hoofd, in een poging de onbekende naam uit te spreken. 'Lu-lu!'

Ping was dolblij dat niemand anders dit kon horen.

De keizer lachte toen Kai op zijn met gouddraad geborduurde schoenen ging zitten. 'Dit is een veelbelovende dag,' kondigde hij aan. 'De Hemel heeft besloten mij een geschenk te geven. Waar is de klerk? Laat hem noteren dat op de negende dag van de negende maand van het eerste jaar van mijn regering, een nieuwe keizerlijke draak verscheen in Ming Yang Lodge.'

• Hoofdstuk 12 •

De mus die veel goeds voorspelde

'Je vertrouwde er niet op dat ik voor de draak zou zorgen, Ping?'
Het was de keizer die deze keer praatte.
Ping voelde haar wangen branden.

Ping en Kai werden verhuisd van de dierenkooi naar een kamer in Ming Yang Lodge. Hij was even mooi als de kamer, waarin Ping de vorige keer dat ze op Ming Yang Lodge was, had gelogeerd. Deze keer was het echter Kai die in het heerlijke bed sliep. Van Ping werd verwacht dat ze op een stromatras op de grond sliep.

Een kok kwam vragen wat de draak at. Ping gaf hem een lange lijst van insecten. Stomverbaasd verdween de man weer. Nooit eerder was hem gevraagd insecten te serveren. Niet lang daarna kwam een bediende die Kai een bord met wormen, slakken en rupsen gaf, kunstzinnig geschikt en versierd met vlindervleugeltjes. De bediende had ook een grote kom melk bij zich. Dit was drie keer zoveel als de maaltijden die Kai op de Tai Shan had gekregen, maar hij at alles op, de versieringen incluis. Ping dacht dat Kai voor het eerst in zijn korte bestaan genoeg gegeten had. Toen de draak klaar was met eten, bracht de bediende een kleine kom haverbrij voor Ping.

Ze mochten in de tuinen wandelen wanneer ze maar wilden, maar sommige dingen waren niet veranderd. De keizerlijke bewakers volgden hen nog steeds op een afstand. Ping wilde Kai niet uit het oog verliezen, maar ze kon hem maar moeilijk bijhouden. De draak genoot van zijn vrijheid. Op de Tai Shan had Ping hem nooit ver weg laten gaan. Ze was bang dat hij misschien over zijn grote voeten zou struikelen en van een rots zou storten. Hij mocht van haar alleen maar spelen in de beperkte ruimte rond het meer. Nu kon hij gaan en staan waar hij maar wilde.

Ping liep langzaam de heuvel van Ming Yang Lodge op. Het zou even duren voor ze al haar energie en kracht weer terug had. Ze kon Kai niet bijhouden. Ze had hem voor het laatst gezien toen hij naar de Tuin van de Rustige Harmonie ging. Toen ze bij het 'De magnoliaknoppen-gaan-open' paviljoen kwam, ging ze zitten. Ze moest uitrusten. Ze hoorde voetstappen en de hoge lieflijke tonen van een fluit. De keizer was op weg naar het paviljoen met een gelukkige draak aan zijn voeten.

'Ping,' zei Kais stem in haar hoofd. 'Geen honger, Ping.'

Het meisje knielde neer en boog voor de keizer.

'Lu-lu,' zei het draakje opgewonden. Hij had zich aangepast aan het keizerlijke leven alsof hij hier geboren was.

De keizer zei niets. Ping bleef geknield zitten en vroeg zich af wat hij zou vinden van de naam die Kai voor hem had bedacht. Een paar versleten slippers verschenen naast de geborduurde schoenen van de keizer. Er waren gaten in geknipt vanwege de knobbels op de voeten die erin staken. Ping hoorde de hijgende ademhaling van de keizerlijke tovenaar.

'Het schijnt dat er nog een misdaad moet worden toegevoegd aan de lijst van dingen waarvan je beschuldigd wordt,' zei de keizer. 'De diefstal van een keizerlijk drakenei.'

Ping hoorde aan Liu Che's toon dat hij niet meer boos op haar was. Ze glimlachte met haar hoofd naar beneden en ging toen op haar hurken zitten.

'Ja, uwe Keizerlijke Hoogheid.' Uit haar ooghoeken zag ze Kai een bloembed in wandelen, waarbij hij gele herfstcrocussen vertrapte, voor hij zijn achterpoot optilde en in een plantenpot plaste.

'Plassen,' zei het draakje trots. Dat was een nieuw woord.

'Waarom heb je deze misdaad begaan?' vroeg de keizerlijke tovenaar.

De vieze stank van drakenurine hing in een groot deel van de tuin.

'Pong,' zei Kai. Weer een nieuw woord.

'Danzi vroeg me dat te doen,' antwoordde Ping. 'Hij wilde niet dat zijn zoon in gevangenschap leefde.'

'Plassen pong,' zei de draak. 'Pong, Ping.'

Dong Fang Suo's verwarde linten die aangaven wat zijn taken waren, waaiden op in de wind. Ze trokken de aandacht van het draakje. Hij rende naar de tovenaar en probeerde de linten met zijn mond te pakken.

'Dus jij koos ervoor de jonge draak te verstoppen voor

zijne Keizerlijke Hoogheid?' vroeg de tovenaar van de keizer.

Ping knikte.

Kais tanden sloten zich om een van de linten. Hij trok er grommend aan.

'Hou op, Kai,' zei Ping. 'Je mag Dong Fang Suo niet lastig vallen.'

'Dikzak,' zei Kai.

'Je vertrouwde er niet op dat ik voor de draak zou zorgen, Ping?' Het was de keizer die deze keer praatte. Ping voelde haar wangen branden.

'Het was Danzi's wens.'

'Verwacht je dat Danzi terugkomt?' vroeg de keizer, terwijl hij het geharrewar tussen zijn draak en zijn tovenaar negeerde.

De keizerlijke tovenaar trok aan het andere eind van het lint. Het scheurde. Een stuk bengelde uit de bek van Kai. Dong Fang Suo wankelde naar achteren, zijn buik schudde.

'Dikzak, dikzak, dikzak,' zei Kai.

Ping boog zich tot bijna op het pad, zodat de keizer haar lach niet kon zien.

'Heb je mijn vraag gehoord, Ping?' vroeg de keizer.

'Ja. H-het spijt me, uwe K-keizerlijke Majesteit,' stamelde Ping, 'maar Kai leidt me steeds af.'

'Begrijp jij zijn geluiden zoals je ook de geluiden van de oude draak begreep?'

'Ja,' zei Ping.

'Wat zegt hij nu?'

'Pi-pi-pong,' zei Kai.

'Niets dat ik kan begrijpen, uwe Keizerlijke Majesteit,' antwoordde Ping. 'Het is het gebrabbel van een baby.'

'Sta op, Ping,' beval de keizer. 'Ik hoor niet wat je zegt als je voorover blijft hangen en tegen het pad praat.'

Ping stond op.

'Ik heb de Raad voor een Lang Leven gesproken,' zei hij. 'De heren vinden het heel gunstig dat de jonge draak is aangekomen. Ze vinden het een unieke gelegenheid om meer over draken te leren.'

'Omdat draken honderden, misschien wel duizenden jaren leven,' zei Dong Fang Suo, 'gelooft de Raad dat draken belangrijk zouden kunnen zijn bij de zoektocht van zijne Keizerlijke Hoogheid naar een heel lang leven. We zien ernaar uit om de draak te bestuderen en te ontdekken wat hem zo'n lang leven geeft.'

Ping wilde net vragen hoe de Raad Kai zou gaan bestuderen, toen Dong Fang Suo verrast zijn adem inhield.

'Kijk, uwe Keizerlijke Majesteit,' zei hij. 'Een groene mus! De meest veelbelovende vogel.'

Hij wees naar een boom. Ping en de keizer staarden er allebei naar, maar zagen geen vogel. De bladeren ritselden.

'Ik zie hem!' riep Liu Che.

Ping tuuurde naar de boom, maar zag nog steeds geen vogel.

'Daar op die lage tak.'

Eindelijk zag Ping het vogeltje. Hij zag eruit als een gewone mus, maar hij was groen. Niet felgroen, maar een tamelijk vale kleur, met bruine vlekjes. De kleur vermengde zich bijna onzichtbaar met de bladeren die langs de randen bruin begonnen te worden. De keizer en de tovenaar waren tamelijk opgewonden over de doffe, kleine vogel.

'Ik heb nooit eerder zo'n vogel gezien!' zei de keizer.

'Ik leef al vier maal zo lang als uwe Keizerlijke Hoogheid

en dit is pas de tweede keer dat ik er een zie,' zei de keizerlijke tovenaar. 'Dit is waarlijk een teken dat de Hemel glimlacht naar uw regering.'

Ping vond de vogel nogal sjofel en onopvallend vergeleken bij de rode feniks die ze op Tai Shan had gezien, maar dat zei ze niet.

De keizer glimlachte. Ping was blij hem gelukkig te zien.

'Dat is goed,' zei hij. 'Ik hoopte al steeds op een veelbelovend teken.'

De vogel vloog naar een andere boom en verdween tussen de bladeren. Ping vroeg zich af waarom er niet meer vogels waren met felgroene veren. Zo waren ze voor de mensen nauwelijks zichtbaar.

De keizer keek Ping aan. Zijn glimlach vervaagde niet. 'Ik heb besloten je niet te laten onthoofden.'

'Uwe Keizerlijke Hoogheid is heel vriendelijk.'

'Ik had geen keuze,' zei hij nogal bot. 'De kennis van draken aan het hof is erg afgenomen dankzij de verwaarlozing van mijn familie. Jij weet meer over draken dan wie ook.'

Hij ging op een stenen bank zitten. 'Maar ik ben nog steeds boos op je dat je mijn andere draak hebt laten ontsnappen.'

'Het spijt me, uwe Keizerlijke Hoogheid.'

'Maar je hebt wel mijn zusje aan het lachen gemaakt. Daar ben ik je dankbaar voor.' Zijn stem klonk zachter toen hij over zijn zus praatte.

'Dank u, uwe Keizerlijke Hoogheid. Maar ze moest lachen om Kai, niet om mij.'

'Je moet me niet tegenspreken, Ping, anders zou ik nog van gedachten kunnen veranderen. Jij hebt hem hierheen gebracht. Ik heb graag een draak in de buurt.'

'Hij mag u graag, uwe Keizerlijke Hoogheid,' antwoordde Ping. 'Hij was gereserveerd tegenover de anderen, maar hij ging regelrecht op u af.'

De keizer gebaarde dat Ping naast hem op de bank moest komen zitten. Kai probeerde op de zoom van zijn gewaad te gaan zitten. 'Je mag mij weer Liu Che noemen, Ping,' zei de keizer.

'Lu-lu,' stemde Kai in.

'Dank je,' zei Ping. 'Maar ik had Kai niet voor je verborgen moeten houden. Dat was alleen maar gevaarlijk.'

'Je moet me het vertrouwen schenken dat ik goed zal zorgen voor Kai.'

'Ik vertrouw je, Liu Che.'

Kai rende achter een paar vliegende herfstbladeren aan. Ze zwegen een poosje. Het was de gemakkelijke stilte tussen vrienden.

'Ik heb onze gesprekken gemist, Ping,' zei Liu Che. 'Ik wil graag dat we opnieuw vriendschap sluiten.'

'Ik ook,' fluisterde Ping.

'Weet je nog toen we elkaar voor het eerst ontmoetten? Je noemde mij een vervelende jongen.'

Ping kreeg een kleur bij de herinnering. Toen Liu Che haar aankeek waren zijn ogen vol warmte en genegenheid. Ping had zich lange tijd niet zo gelukkig gevoeld. Eigenlijk heb ik me nog nooit zo gelukkig gevoeld, dacht ze.

'Ik geef je opnieuw de functie van Keizerlijke Drakenhoeder,' zei de keizer.

Ping kon even geen woord uitbrengen.

'Als lid van de staf van de keizer zul je eten in de Zaal van de Zoetgeurende Koelte, met de ministers en met mij'

'Dank je, Liu Che,' fluisterde ze.

'Je hebt ook een nieuwe jurk nodig.'

Ping keek naar beneden, naar haar vuile jurk.

'Vertel eens over je rat, Ping,' zei hij. 'Hoe is het hem vergaan sinds hij terug is van het Eiland van de Gezegenden?'

Ping wilde geen geheimen meer voor de keizer hebben. Ze vertelde hem alles over Hua's nieuwe vaardigheden. De keizer was zeer geïnteresseerd. Maar ze vertelde hem niet dat de rat haar elke nacht opzocht.

'Ik heb zes mannen naar zee gestuurd. Ze zeilen naar het oosten tot ze het Eiland van de Gezegenden hebben gevonden,' zei de keizer enthousiast. 'Ik wil wat levenswater hebben. Als dat water een rat op zo'n manier kan veranderen, stel je dan maar even voor hoe het een keizer zal veranderen!'

'Liu Che, er is iets wat ik je moet vertellen,' zei Ping. 'Toen ik op de Tai Shan was, werd ik aangevallen door een dodenbezweerder. Hij heeft mijn geit gedood. Hij was op zoek naar Danzi.'

De keizer keek haar vragend aan. 'Een dodenbezweerder?'

'Hij heeft Danzi gevangen genomen en was van plan hem te doden en zijn lichaamsdelen te verkopen in Wucheng. Hij kreeg de drakensteen te pakken, maar ik heb de steen bij hem kunnen weghalen toen hij sliep. Nu wil hij wraak nemen.'

De keizer fronste zijn wenkbrauwen. 'Weet jij hier iets van, Dong Fang Suo?'

De tovenaar van de keizer schudde zijn hoofd. 'Ik heb gehoord van mensen die de doden weer tot leven wekken en zich bemoeien met zwarte magie,' antwoordde hij.

De keizer keek Dong Fang Suo aan met gefronste wenkbrauwen. 'Waarom heb je me nooit eerder verteld dat zulke mannen bestaan?'

'Uwe Keizerlijke Hoogheid, ik...'

'We moeten die dodenbezweerder zien op te sporen,' viel Liu Che hem in de rede. Hij keek de tovenaar boos aan. 'Laat de commandant van de bewaking komen. Onmiddellijk!'

Ping was blij dat de keizer haar ongerustheid zo serieus nam.

Dong Fang Suo deed zijn mond open, wilde een of ander bezwaar maken, maar op dat moment klonk er een hoog, schril getjilp van achter een chrysantenstruik. Iedereen draaide zich om en wilde zien waar het lawaai vandaan kwam, maar het hield even plotseling weer op. Kai kwam tevoorschijn met een uiterst voldaan gezicht. Ping schudde geschrokken haar hoofd. Zijn wangenstonden bol en groene veren staken uit zijn bek.

'Kai!' schreeuwde Ping. Ze sprong op van de bank en rende naar het draakje toe.

Ze gaf hem een tik op zijn rug. Kai slikte. Het was te laat. Zijn lange, rode tong likte langs zijn lippen. Hij had de veelbelovende groene mus opgegeten.

'Stoute draak!' schold Ping.

Kai liet een harde boer. En hij keek er niet berouwvol bij.

Ping keek weer naar Liu Che. Het was vast een slecht voorteken als de veelbelovende groene mus werd opgegeten. Maar de keizer, noch zijn tovenaar schenen dat te denken. Ze lachten allebei.

'Hij heeft vast honger gehad,' zei de keizer. 'We moeten hem meer te eten geven.'

De hele verdere dag hield Ping Kai goed in het oog. Ze herinnerde zich wat er gebeurd was toen hij de waterkevers had gegeten. Ze was bezorgd dat hij nog te jong was om vogels te eten. Maar het draakje scheen er geen last van te hebben.

'Ik geloof dat je vanaf nu wel vogels kunt eten,' zei Ping terwijl ze de keuteltjes van de draak onderzocht. Kai had er een gewoonte van gemaakt die keuteltjes over heel Ming Yang Lodge neer te leggen.

'Vogeltje lekker,' zei Kai.

• Hoofdstuk 13 •

Leesles

'Hoe durf je onaangekondigd bij de keizer binnen te stormen!' zei hij.

Ping wist dat de grootvader van Liu Che zo'n hekel had gehad aan draken dat hij ze naar het Huangling Paleis had laten brengen, zodat hij kon vergeten dat ze bestonden. Liu Che's vader was van plan de keizerlijke draken aan een drakenjager te verkopen. Ze was blij dat Liu Che's mening over draken precies het tegenovergestelde is. Hij wilde Kai elke dag zien. Het leek erop dat hij besloten had de nalatigheid van zijn voorouders goed te maken. Hij benoemde vijf leden van zijn staf om heel goed voor de drakenbaby te zorgen en gaf hen speciale titels. De Bewaker van de draak moest Kai overal volgen, zijn plasjes opvegen en zijn keutels verzamelen. Hij moest

Kai op een geborduurd kussen dragen als het draakje geen zin had om te lopen. De Kok van de draak maakte zes drakenmaaltijden per dag klaar. Dan was er de Grote Vogeljager wiens taak het was zwaluwen te vangen. De Schapenmeester zorgde voor een kleine kudde schapen die melk leverden voor de draak (Kai had besloten dat hij geen geitenmelk meer lustte). De Officier van Eenden zorgde voor een troep eenden waarvan de eieren allemaal voor Kai waren.

De keizer was zo gelukkig met zijn nieuwe draak dat hij besloot de tuin rond Ming Yang Lodge naar hem te noemen.

'Van nu af aan zullen we de tuinen rond ons oude jachthuis noemen: De Tuinen van de Purperen Draak,' kondigde hij aan toen ze een keer aan het avondeten zaten.

De tovenaar van de keizer en de leden van de Raad voor een Lang Leven klapten goedkeurend. Maar de ministers van de regering zagen er minder enthousiast uit.

Liu Che beval dat alle ijzeren potten en pannen en wapens vervangen moesten worden door bronzen potten en pannen en ook de wapens moesten van brons zijn. Hij liet alle gebruiksvoorwerpen van ijzer weghalen. Toen Ping hem vertelde welke andere dingen gevaarlijk waren voor draken luidde het bevel van de keizer aan de tuinmannen: 'Alle bomen met Chinese bessen op Ming Yang Lodge moeten worden omgehakt.' Hij vroeg bedienden ook te zoeken naar kleding en wandkleden gemaakt van vijfkleurige draad. Ze moesten van Ming Yang Lodge verwijderd worden.

Kai had nu drie verschillende kamers – een om in te slapen, een om in te eten en eentje die geen speciaal doel scheen te hebben. De drie kamers werden het Drakenverblijf genoemd. Ping had een kamer apart, maar die was heel klein vergeleken bij de vertrekken van Kai.

Kai mocht gaan en staan waar hij wilde in de tuinen en hij vertrapte struiken, at bloemen en haalde de modder naar boven in de vijvers. Hij volgde de jonge keizer waar hij ook heen ging. Hij probeerde op zijn knie te klimmen als Liu Che op zijn keizerlijke troon zat, zijn ministers ontving en belangrijke beslissingen nam. Als hij niet bij de keizer was, sprong Kai te voorschijn vanachter allerlei bomen om de bedienden te laten schrikken. Hij liet modderige voetafdrukken achter in de gangen en veroorzaakte chaos in de keukens.

Voor het eerst in haar leven kon Ping uitrusten. Ze hoefde alleen maar de drakentaal te vertalen. Hoewel Ping Kai overdag niet vaak zag, kwam hij 's avonds altijd bij haar slapen. Hij had zelf een grote slaapkamer, maar toch kroop hij graag naast Ping op haar stromatras. Zijn woordenschat groeide, omdat hij Ping elke avond probeerde te vertellen wat hij die dag allemaal had meegemaakt. Zijn schubben glansden diep purper. Ze hadden de kleur van seringenbloesem.

Ping hield zich niet meer bezig met het bedenken van een ontsnappingsplan. Kai was zo gelukkig en gezond. Ze besloot dat het feit dat ze gearresteerd was een van de beste dingen was die haar ooit was overkomen.

Wie weet waarom rampen uiteindelijk geluk blijken te brengen? Danzi had dat meer dan eens tegen haar gezegd. Hij zou het feit dat Kai in dit soort gevangenschap leefde toch hebben goedgekeurd?

De bedienden verdroegen Kais stoute gedrag zonder

mopperen – zelfs als hij hen beet. Maar hoewel Hua een schone rat was en niemand beet, maakten de meiden en knechten altijd een heleboel drukte als ze de rat ergens zagen. Ze hadden het over vallen zetten en kooien timmeren.

'Je moet je een beetje verborgen houden, Hua,' zei Ping toen ze op een avond alleen waren.

Ze aaide de warme vacht van de rat. Het was onbegrijpelijk voor Ping dat mensen Hua niet mochten. Ze bracht hem restjes van haar eten (Pings bord werd door een bediende altijd zo overvloedig opgeschept dat ze simpelweg niet alles op kon eten. En de rat maakte er een gewoonte van overdag te slapen en 's nachts op pad te gaan.

Ping had een lange wandeling gemaakt naar de uiterste westkant van de tuin waar hij eindigde op de oevers van de Gele Rivier. Ze had de hele middag zitten kijken naar de bootjes en de vogels op het water. Toen liep ze terug naar Ming Yang Lodge, en vroeg zich af wat ze die avond zouden eten. Haar gedachten werden onderbroken bij de villa voor de Late Lente.

'Pardon, mevrouw.'

De bewaker van de draak stond voor Ping en probeerde te besluiten of hij voor haar zou buigen of niet. De naam van de man was Xiao Zheng, maar Kai was hem Flodderbroek gaan noemen. De broek van de man was te groot en te wijd en hij stond hem altijd op te hijsen. Zijn ogen glinsterden van de tranen. 'Ik kan de kleine draak niet vinden,' zei hij handenwringend.

'Heb je weer geprobeerd zijn oren te poetsen?'

De bewaker van de draak knikte somber. Hij was

een lange man van viermaal-tien jaar oud. Hij had een hangend gezicht dat er meestal treurig uitzag. Hij hinkte ook een beetje. En dat kwam omdat hij aan één voet geen schoen droeg.

'Hij heeft mijn schoen gepikt.'

Ping beet op haar lip om haar lach te verbergen.

'Ik help je zoeken,' zei ze.

De bewaker van de draak had al gezocht op de plekken waar Kai zich meestal verstopte (in de vijvers, in de kelder waar de groenten werden opgeslagen, achter de mesthoop die gebruikt werd om de tuinen vruchtbaar te houden), maar had hem nergens kunnen vinden.

'Wedden dat ik weet waar hij is?' zei Ping.

Ze liep met grote stappen de Zaal van Zich Verspreidende Wolken binnen. 'Ik weet dat je hier ergens moet zitten,' zei ze.

In plaats van het draakje vond ze de keizer en zijn tovenaar in de kamer. Ze zaten allebei gebogen over boeken van bamboe. Een zijden wandkleed aan de overkant van de kamer viel terug tegen de muur alsof iemand er net hard langs was gelopen. Er viel een korte stilte. Dong Fang Suo bond een boek bij elkaar dat los was geraakt. De keizer keek op. Hij was blijkbaar geïrriteerd door haar binnenkomst, maar het was Dong Fang Suo die de stilte verbrak: 'Hoe durf je onaangekondigd bij de keizer binnen te komen!' zei hij. Hij rolde het boek, waarin hij had zitten kijken, op en stopte iets weg in zijn lange mantel. Ping had de tovenaar van de keizer nog nooit zo boos horen praten. Ze knielde neer en boog voor de keizer, blij dat ze haar vuurrode gezicht kon verbergen.

'Neem me niet kwalijk, uwe Keizerlijke Hoogheid,' zei ze. 'Ik wist niet dat u hier was. Ik zocht Kai. Soms verstopt hij zich hier.'

'Zijne Keizerlijke Hoogheid wil niet gestoord worden,' ging Dong Fang Suo verder. Het zweet parelde op zijn gezicht door deze uitbarsting. Hij veegde zijn voorhoofd met zijn mouw af.

'Het is goed, Dong,' zei Liu Che. 'Ping kon niet weten dat ik hier was.'

Hij rolde zijn boek op en legde het terug in een kist die propvol zat met boeken. 'Kai is niet hier. Ik heb hem vandaag nog niet gezien.'

Ping vroeg niets over de boeken, maar de keizer legde het haar wel uit. 'Deze bamboeboeken komen uit de hoofdstad Chang'an,' zei de keizer. 'Dit zijn alle boeken die over draken gaan. Ze komen uit de keizerlijke bibliotheek. Ik heb boodschappers erheen gestuurd om ze te halen.'

'Dan moet hun reis heel vlug zijn gegaan,' zei Ping. Ze herinnerde zich hoe lang zij met Danzi erover gedaan had om van Chang'an naar Ming Yang Lodge te komen, al hadden ze dan het grootste deel van de afstand over de snelle Gele Rivier afgelegd. Het was pas een week geleden dat ze met Kai plotseling op Ming Yang Lodge was verschenen.

'De boodschappers hebben dag en nacht doorgerend en waren in minder dan vier dagen daar. Een snelle boot heeft de boeken van Chang'an hierheen vervoerd.'

Ze keek naar een boek dat open op de grond lag. Het was gemaakt van dunne stroken bamboe die naast elkaar samengebonden waren. Op elke reep was een kolom Chinese karakters geschreven. Voor haar hadden de karakters geen betekenis.

Ping zuchtte. 'Ik wou dat ik ze kon lezen.'

De keizer pakte het boek en volgde met zijn vinger een kolom van de Chinese karakters naar beneden.

'Hier staat dat de keizers al duizenden jaren draken houden,' zei hij, 'ze brengen geluk.'

'Danzi zei dat als de keizerlijke draken gelukkig zijn, dat een goed voorteken is voor de keizer,' zei Ping tegen hem. 'Als ze in de put zitten, is dat het teken dat hij het keizerrijk niet goed bestuurt.'

Op dat moment kwam Kai de kamer binnenrennen. Hij had iets in zijn bek.

'Wat heb je daar, Kai?'

'Niets,' antwoordde hij.

De kleine draak stak zijn kop onder een lage tafel in een poging zich te verstoppen.

'Ik kan je nog zien,' zei Ping.

Ze trok het draakje aan zijn staart onder de tafel vandaan.

Ping probeerde datgene wat hij in zijn bek had, eruit te trekken. Kai liet het niet los. Ze trok eraan tot het in tweeën scheurde. Ze hield haar helft omhoog. Het was een stuk gekauwd leer, vol spuug van de draak. Het duurde even voor ze begreep wat het was – of liever gezegd was geweest.

'Kai!' riep Ping geschrokken. 'Je mag niet kauwen op de schoen van Flodderbroek. Dat is heel stout!'

De keizer lachte. 'Wie is Flodderbroek?'

'Zo noemt Kai zijn verzorger,' antwoordde Ping.

Kai vond zijn zijden bal in een hoek van de zaal. Hij legde hem in de schoot van de keizer.

'Lu-lu spelen,' zei hij.

'Wat wil hij, Ping?'

'Hij wil dat u met hem speelt, Keizerlijke Hoogheid.'

De keizer pakte de bal en draaide hem om en om in zijn hand alsof hij nog nooit in zijn leven zo'n ding had gezien. Hij legde hem voor de voeten van de draak neer. De stekeltjes op Kais rug stonden niet meer rechtop, maar hingen. Liu Che trok een nadenkend gezicht. Ping kreeg de indruk dat hij niet veel kans had gehad met een bal te spelen.

Ping gooide de bal weg en Kai rende er achteraan, glijdend over de geboende houten vloer.

De keizer glimlachte. 'Ik denk dat we veilig kunnen zeggen dat de draak van dc keizer gelukkig is,' zei hij terwijl hij opstond. 'Laat studenten deze boeken goed lezen, Dong. Ik wil alles te weten komen over draken. Van alle schepselen in het keizerrijk leven zij het langst. We moeten ontdekken wat hun zo'n lang leven geeft.'

'Als ik kon leren lezen, zou ik je het probleem kunnen besparen om mensen met die taak te belasten,' zei Ping.

'Jammer genoeg is er op dit ogenblik niemand die tijd heeft om jou te leren lezen,' zei Liu Che.

'Ik kan Ping leren lezen,' zei een zachte stem in de deuropening.

Het was prinses Yangxin. Ze was net binnengekomen. Het was de eerste keer dat Ping haar hoorde praten.

Ping dacht dat ze heel even een geïrriteerde blik zag van de keizer

'Dat hoeft niet,' zei Liu Che. 'Ik weet zeker dat we iemand hiervoor zullen vinden.'

'Ik zou het graag doen,' drong de prinses aan. 'De dagen

zouden vlugger voorbijgaan.'

De mond van de keizer werd zachter. Hij nam de hand van zijn zusje in de zijne en glimlachte tegen haar. 'Goed idee,' zei hij.

Ping dacht dat ze die uitdrukking op het gezicht van de keizer verkeerd begrepen moest hebben. Liu Che zou zich nooit ergeren aan zijn zusje.

De volgende morgen kwam de hofdame van prinses Yangxin Ping halen voor haar eerste leesles. Ping had Lady An eerder gezien. Ze was altijd in de buurt van de prinses – op de achtergrond, liep een paar stappen achter haar, altijd alert of de prinses wellicht iets nodig had. Lady An was een vrouw van ongeveer driemaal-tien jaar oud die zich met dezelfde stille sierlijkheid voortbewoog als de prinses. Ze zei nauwelijks een woord tegen Ping, maar haar zachte gezicht was vriendelijk en bemoedigend. Ze bracht Ping naar het Paviljoen van de Ruisende Bamboe waar Ping de prinses had gezien toen ze zat te huilen.

Ping bleef staan bij de bamboe-stelen die het paviljoen omringden. Lady An liet haar het geheim zien hoe ze door het gordijn van bamboe kon komen. De stelen waren helemaal niet in een cirkel geplant. Dat leek maar zo. Ze waren in een spiraal geplant en een smal pad leidde langs de stelen en vond uiteindelijk zijn weg naar het paviljoen. Ping wachtte tot Lady An achter haar aankwam, maar de vrouw schudde haar hoofd.

'Kom binnen, Ping,' zei de prinses.

Ping boog voor de prinses. 'Ik vind het heel aardig van u dat u tijd vrijmaakt om mij te leren lezen, uwe Keizerlijke Hoogheid.'

Het was de eerste keer dat Ping prinses Yangxin van

dichtbij zag. Haar haar golfde prachtig en werd door zilveren kammen op zijn plaats gehouden. Op elke kam zat een vogeltje van jade bevestigd. De vogels hadden tere vleugels, gemaakt van zilver dat zo dun was als zijde en trilde wanneer de prinses haar hoofd bewoog. Ze had een lichtblauwe lange jurk aan, waarop kleine kralen en zilveren schijfjes waren genaaid in bloemenpatronen. De versierselen in haar oren waren gouden lotusbloemen. De ogen van de prinses keken nog steeds bedroefd, maar haar mondhoeken wezen omhoog in een kleine glimlach. Ze was ouder dan haar broer. Ping giste dat ze ongeveer tweemaal-tien jaar oud moest zijn.

Ping voelde zich erg duf en onhandig in gezelschap van deze mooie, jonge vrouw, van wie elke beweging even sierlijk was. Zelfs toen ze een vlieg wegjoeg leek het een deel van een elegante dans. Ping had een nieuwe jurk aan en had haar haar geborsteld en het netjes gevlochten maar toen ze naast de prinses zat voelde ze zich nog steeds een smoezelige slaaf.

Toen Danzi Ping had leren tellen, hoefde ze maar tien cijfers te leren. En alle andere duizenden en duizenden cijfers of getallen konden gevormd worden door alleen die tien cijfers. Ze had verwacht dat leren lezen even gemakkelijk was als ze eenmaal het systeem begreep.

‘Woorden zijn niet zo simpel als cijfers en getallen,’ legde de prinses uit, terwijl ze een bamboe boek uitrolde. ‘Voor elk woord bestaat er een karakter. Om te leren lezen moet je duizenden Chinese karakters leren.’

Ping had het gevoel dat de moed in haar schoenen zonk. Ze keek naar het boek dat open lag op de schoot van de prinses. Elk karakter bestond uit een combinatie van streken, lijnen, krommingen en punten. Het leek onmogelijk het ene karakter van het andere te onderscheiden. De prinses legde uit dat sommige karakters maar bestonden uit drie of vier streken, terwijl andere er wel tweemaal-tien hadden

Ping wilde het eerst het karakter voor draak leren, maar dat was veel te ingewikkeld. Ze begon in plaats daarvan met Kai. Dat karakter bestond uit maar vier pennestreken. Haar eigen naam was moeilijker. Die bestond uit tien-en-een streek, maar ze wilde hem kunnen schrijven. De prinses had inkt, penselen en een stuk ongeverfde zijde voor Ping zodat ze haar karakters kon oefenen.

'Wat lijkt dit verschrikkelijk zonde van de zijde,' zei Ping, terwijl ze zich voorstelde hoeveel lappen zijde ze nodig zou hebben om de karakters te leren schrijven.

'We hebben zijde genoeg,' antwoordde de prinses. 'Maar als je dat liever doet kun je ook kalfsleer gebruiken. Je kunt de inkt eraf wassen, en zo kun je het stuk leer steeds opnieuw gebruiken.'

Ping pakte het penseel en doopte het in de inkt. Haar hand beefde toen ze probeerde de vier streken na te tekenen die de prinses op het kalfsleer had gezet. De karakters van de prinses waren licht en vloeiend net als haar bewegingen. Die van Ping waren dik en vlekkerig.

'Misschien schrijf je beter als je je rechterhand gebruikte,' zei de prinses.

'Nee,' antwoordde Ping. 'Dan wordt het nog slordiger.'

Ze probeerde opieuw.

'Ik zal heel lang en vaak moeten oefenen om ze goed te kunnen schrijven,' zei ze. 'Ik kan de gedachte niet verdragen dat ik al die inkt verspil. Kan ik de karakters niet eerst met een stok in het zand proberen te schrijven tot ik de volgorde en lengte van de streek goed weet? Dan kan ik inkt gebruiken.'

Ze liepen de tuin in en vonden een bloembed dat omgespit was en niet meer beplant zou worden tot het voorjaar. Ping zocht een rechte stok en tekende de twee karakters in de aarde. Ze gaf de voorkeur aan deze methode, waarbij ze haar lelijke pogingen om de mooie karakters van de prinses te kopiëren vlug kon uitwissen.

Prinses Yangxin probeerde haar moed in te spreken.

'Je moet minstens tweeduizend karakters kunnen herkennen om een boek te kunnen lezen,' zei ze luchtig, alsof leren lezen niet moeilijker was dan een geit leren melken of een ossenstal schoonvegen. 'Als je twee karakters per dag leert, ben je er al gauw.'

Ping was niet goed in karakters, maar met cijfers en getallen wist ze aardig raad. Ze maakte een berekening in haar hoofd. Als ze twee karakters per dag zou leren zou het bijna vijf jaar duren voor ze een boek kon lezen. Ze was nog maar pas gewend geraakt aan het feit dat ze iets als een toekomst had, nu Liu Che had besloten haar niet te laten doden. Ze had nog niet veel nagedacht over de jaren die voor haar lagen, maar het leek of de prinses in elk geval van haar verwachtte dat ze in de Tuinen van de Purperen Draak zou blijven.

'Maar u zult algauw terugkeren naar Yan, of niet?' vroeg Ping.

De glimlach van de prinses verdween.

'Nee,' zei ze zachtjes. 'Ik ga niet terug naar Yan.'

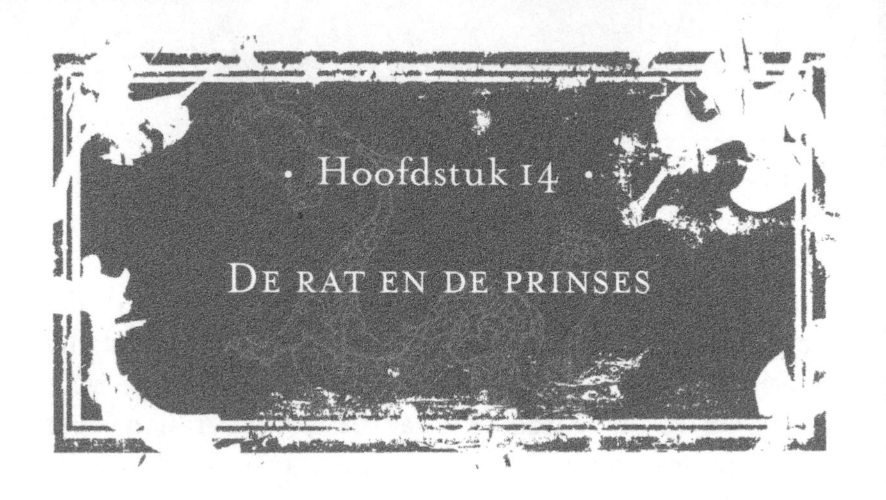

· Hoofdstuk 14 ·

De rat en de prinses

'Het zou leuk zijn om eens aan de andere kant
van de muren een kijkje te kunnen nemen,'
zei een stem achter haar.
Ping draaide zich om. Het was de prinses.

Kai klaagde niet meer over honger. Het leek of hij elke dag groter en dikker werd. Elke avond aten hij en Ping met de keizer, de prinses en de ministers in de Zaal van de Zoetgeurende Koelte. De maaltijden duurden lang en waren overvloedig. Ze bestonden uit zes gangen. Kai was niet de enige die dikker werd.

Ping keek op van haar kom vol varkensvlees in bouillon van jakhals, gebakken kraanvogel gevuld met linzen en scherpe kruiden, naar de kom van de keizer die alleen maar een ei bevatte en wat zaden.

'Heb je geen trek, Liu Che?' vroeg Ping.

In tegenstelling tot Ping en Kai leek de keizer slanker.

'De Raad voor een Lang Leven heeft een speciaal dieet voor me samengesteld. Ze zeggen dat ik langer zal leven als ik me daaraan houd.' Hij pakte met zijn eetstokjes een zonnebloemzaadje op en at het alsof het een kostelijke delicatesse was. 'Ik moet kleine maaltijden eten die bestaan uit kraanvogeleieren, prei, zonnebloemzaden en perziken. In plaats van wijn moet ik een medicijndrank drinken die dauwdruppels bevat en goudpoeder.'

Ping kon zich de reusachtige maaltijden herinneren die Liu Che had gegeten tijdens haar eerste bezoek aan Ming Yang Lodge. Toen vond hij een banket van vijf gangen een lichte maaltijd.

Elke dag ging Ping naar Paviljoen van de Ruisende Bamboe en prinses Yangxin leerde haar geduldig twee nieuwe Chinese karakters. De lessen duurden niet lang. Na de les maakte Ping een wandeling door de Tuinen van de Purperen Draak, keek naar de bloemen en de herfstbladeren – alleen maar om hun schoonheid, niet omdat ze misschien rupsen erin kon vinden. Als ze libellen boven de vijvers zag vliegen, leerde ze zichzelf te genieten van het mooie gezicht en niet op te springen om ze te vangen.

Het leek vreemd dat ze niet voor Kai hoefde te zorgen, maar zodra ze hem maar zag spelen in de tuin kon ze niet ontkennen dat hij gelukkiger en gezonder leek dan hij ooit was geweest. Nu er door anderen voor zijn eten werd gezorgd, kon ze zich concentreren op het lezen, zodat ze de boeken zou kunnen bestuderen en even goed op de hoogte zou zijn als de drakenhoeders uit vroeger tijden. Het zou lang duren. Ze stelde zich voor hoe de tuin eruit zou zien in andere seizoenen en keek vooral uit naar het voorjaar.

Ping hoefde zich geen zorgen te maken over Kai nu hij door de keizer beschermd werd. Kai wist algauw zo goed de weg in Ming Yang Lodge en in de Tuinen van de Purperen Draak, dat het leek of hij er zijn hele leven gewoond had. Hij joeg achter de fazanten aan, zwom in de mooie vijvers en verstopte zich voor de ongelukkige Flodderbroek. Kai wist dat het de taak van de drakenverzorger was om voor hem te zorgen, maar hij wilde hem het leven zo moeilijk mogelijk maken.

Ping had eindelijk de veiligheid en het gezelschap dat ze zo lang gewenst had. Ze was weer bevriend met Liu Che. Hua kwam meestal 's nachts naar haar toe, maar Ping had van binnen nog niet de rust gevonden. Ze begreep niet waarom, maar ze hield in haar binnenste een vervelend, onrustig gevoel, alsof ze jeuk had of een splinter in haar voet. Ze wist niet wat het was tot ze op een middag in een rustige kamer zat te praten met Dong Fang Suo – althans, de keizerlijke tovenaar stelde haar vragen.

'Maar als je helderziend bent over draken,' vroeg de tovenaar, 'waarom wist je dan niet dat de drakensteen eigenlijk een ei was?'

Het was een koude, druilerige middag en ze zaten in de Villa voor de Late Lente op de westelijke helling van Ming Yang heuvel. Aan drie kanten zaten getraliede venters in de vorm van bloemen met vier blaadjes. De ramen stonden open, ondanks het kille weer. Dong Fang Suo had Ping zitten uithoren over haar vaardigheden als drakenhoeder. Ze luisterde naar het zachte koeren van duiven die onder de dakrand zaten en ze hoorde maar half de vragen van de tovenaar.

'Ik heb niet gezegd dat ik een goede drakenhoeder was,' antwoordde Ping. 'Ik weet nog steeds maar heel weinig over draken. Danzi wilde me er niets over vertellen.' Ze kreeg het bekende gevoel van frustratie ten opzichte van de oude draak. 'Hij vond niet dat ik er klaar voor was.'

Dong Fang Suo knikte met een wijs gezicht en onderdrukte toen een geeuw.

Ping zag de regendruppels van de hoek van het dak druppelen. Er schoot een gedachte door haar hoofd die niet meer bij haar was opgekomen sinds ze op de Tai Shan woonde.

'Dong Fang Suo, ik zou u graag over iets spreken,' zei Ping.

De tovenaar hield op met knikken en trok een rupsachtige wenkbrauw op.

'Zelfs al word ik verschrikkelijk oud, dan nog zal ik sterven, terwijl Kai nog een heel jonge draak is,' zei Ping. 'Als er goed voor hem gezorgd moet worden, heeft hij andere drakenhoeders nodig als ik gestorven ben.'

Ping keek naar Kai die zijn eigen spiegelbeeld had ontdekt in een bronzen spiegel.

'Ik neem aan dat jij een heel lang leven zult hebben,' antwoordde Dong Fang Suo. 'We hoeven jaren en jaren niet te denken aan andere drakenhoeders.'

Kai stond stokstijf te staren naar de andere draak die voor hem opdoemde.

'Ja, maar er kan van alles gebeuren. Stel dat ik ziek word? Stel dat de dodenbezweerder me nog steeds wil doden?'

Bij het woord dodenbezweerder werd de tovenaar pas goed wakker.

Kai schrok toen de andere draak ging zitten en aan zijn

oor krabbelde op precies hetzelfde moment dat hij het deed. Hij verstopte zich achter een beschilderd kamerscherm.

'Jij staat nu onder de bescherming van de keizer, Ping,' ging Dong Fang Suo verder. 'Niemand zal je kwaad doen. Zou je ziek worden, dan zul je de beste dokters van het keizerrijk krijgen om je te genezen.'

De kleine draak kroop stilletjes weer naar de spiegel.

'Ik weet dat er hier heel goed voor ons gezorgd wordt,' zei Ping, 'maar...'

'Als de Raad voor een Lang Leven de keizer in staat kan stellen duizenden jaren oud te worden, zoals hij dat wenst,' viel Dong Fang Suo haar in de rede, 'zal zijne Keizerlijke Hoogheid zijn hele leven bevriend zijn met de draak.'

Ping had gedacht dat Liu Che's pogingen om een lang leven te leven niet meer dan een gril was, maar het begon een obsessie te worden. Hij was erg veranderd in het halfjaar dat ze hem niet had gezien. Ze vroeg zich af hoe anders hij zou zijn over duizend jaar.

Kai slaakte een luide schreeuw om het vreemde schepsel weg te jagen dat hem aanstaarde. Toen hij zag dat de andere draak zijn mond opendeed, raakte hij in paniek. Hij rende weg en stak zijn kop onder een kussen.

'Hij heeft nog steeds een hoeder nodig,' zei Ping.

De tovenaar gaapte weer. Hij was toe aan zijn middagdutje.

'Niemand behalve de keizer, weet beter hoe belangrijk de draak is.'

'Ik weet dat de keizer voor Kai zal zorgen, wat er ook gebeurt, maar ik ben de enige die zijn stem kan horen, ik ben degene die kan verstaan wat hij zegt. Zonder mij is hij niet meer dan een gewoon dier – een huisdier.'

Kai ging op zijn hurken zitten en sprong toen tegen

de spiegel op, waarbij hij zijn kop pijnlijk stootte. Hij gaf opnieuw een schreeuw. De bewaker van de draak had buiten een beetje rondgehangen. Hij rende naar binnen en maakte veel drukte.

'Hij is alleen maar klein en een beetje gek op het ogenblik,' ging Ping door, 'maar als hij opgroeit, zal hij even wijs worden als Danzi. De keizer zou hem misschien om raad willen vragen. Zonder drakenhoeder zal hij op geen enkele manier met Kai kunnen communiceren.'

'De keizer ziet uit naar een lange vriendschap met Kai, aangemoedigd door de kennis van de draak en diens geluk.'

Kais gejammer hield op zodra Flodderbroek hem verwende met slakkenmoes en kippenpootjes.

Dong Fang Suo knikte toen hij dacht aan wat Ping had gezegd. Hij bleef knikken. Ping wachtte tot hij iets ging zeggen, maar dat deed hij niet. Zijn hoofd zakte op zijn borst. Hij was in slaap gevallen.

Ping nam afscheid van de keizerlijke tovenaar en liep de tuin in. Ze keek naar het uitzicht. Ze kon het Tijgerwoud zien, akkers, een bocht van de Gele Rivier. Van die afstand leken de muren die de Tuinen van de Purperen Draak omgaven laag genoeg om overheen te springen.

'Het zou leuk zijn om eens aan de andere kant van die muren een kijkje te kunnen nemen,' zei een stem achter haar.

Ping draaide zich om.

Het was de prinses. 'Maar we worden allebei tegengehouden.'

Ping keek om naar de wereld achter de muren. Ze had zo genoten van het leven op Ming Yang Lodge, dat het niet bij haar was opgekomen dat ze niet weg kon als ze dat wilde. Maar prinses Yangxin had gelijk. Het leek erop dat de prinses evenmin weg kon. Ping draaide zich weer om, maar de prinses was verdwenen.

Op een morgen stond Ping te kijken naar de Hemelreikende Toren. Het onsterfelijke bouwwerk stond daar net zo geduldig als altijd, en ving de sterrendauw op die mensen langer deed leven. Ze had wakker gelegen al sinds een hele tijd voor het licht werd, terwijl ze dacht aan wat er met Kai zou gebeuren als zij doodging. Het zou niet alleen maar zaak zijn een drakenhoeder te zoeken om haar te vervangen. Zelfs als ze inderdaad iemand vond die geschikt was, zou die persoon ook een keer sterven en er zou weer een nieuwe drakenhoeder gevonden moeten worden. En weer een. Kai kon wel tweemaal-duizend jaar worden of meer. Er zouden heel veel goede drakenhoeders gevonden moeten worden. En ze zou niet bij hun benoeming zijn. En stel nu dat ze iets van de sterrendauw te drinken kon krijgen? Dan zou ze zich niet druk hoeven maken over het vinden van andere drakenhoeders. Dan leefde ze net zo lang als een draak.

Pings gedachten werden onderbroken door het geluid van iemand die aan kwam lopen. Een sjamaan kwam de heuvel op en liep naar de toren. Ze wilde zien hoe hij de hoge toren beklom om bij de sterrendauw te kunnen. Ze ging achter een boom staan en keek toe, terwijl hij de deur aan de voet van de toren open maakte. De Hemelreikende Toren zag er van buiten uit of hij helemaal massief was gebouwd van grote stenen, maar eigenlijk was hij van binnen hol. Pring kroop wat dichterbij zodat ze kon zien wat de sjamaan deed.

Ze verwachtte een ladder te zien of trappen die in de

toren naar boven leidden, maar ze zag ladder noch trap. Een pijp van bamboe verdween langs een kant van de toren omhoog. Onder de pijp stond een bronzen kruik. Ping glimlachte. Ze was heel dom geweest om te denken dat de sjamaan elke dag de toren moest beklimmen en het standbeeld op moest klauteren om de schaal van het gouden godenbeeld leeg te maken. De bamboe pijp moest helemaal naar de top van de toren leiden, dan door het standbeeld naar een gat in de bodem van de schaal. De dauw van de sterren verzamelde zich in de schaal van jade en druppelde dan door de bamboe pijp in de kruik beneden. De sjamaan hoefde alleen maar elke morgen de kruik te pakken en er een lege voor in de plaats te zetten. Ze keek toe, terwijl de sjamaan voorzichtig de heuvel weer afliep met de kruik, gevuld met kostbare sterrendauw. De bouwers van de toren waren veel knapper dan zij.

Ping was zo lang in de Tuin van de Rustige Harmonie gebleven dat ze te laat kwam voor haar dagelijkse lessen van prinses Yangxin. Ze haastte zich naar het Paviljoen van de Ruisende Bamboe en bedacht een paar verontschuldigingen onderweg.

De prinses begroette Ping met een glimlach. Nadat Ping de twee nieuwe karakters had geoefend die de prinses voor haar had geschreven, waagde ze een vraag te stellen die al een paar dagen in haar hoofd zat.

'Uwe Keizerlijke Hoogheid, mag ik een verzoek doen?'

De prinses boog gracieus haar hoofd.

'Ik wil zo snel mogelijk leren lezen,' zei Ping. 'En ik leer graag meer karakters, misschien zes per dag in plaats van twee.'

Voor de prinses een antwoord kon geven, ging Ping

verder: 'Ik weet dat dit voor u betekent dat u meer tijd per dag aan me kwijt bent, maar het proces zal zo ook minder lang duren.'

'Als jij denkt dat je zes karakters per dag kunt leren,' antwoordde prinses Yangxin, 'zal ik ze je graag uitleggen. Ik ben blij dat ik iets te doen heb.'

Het begon te regenen. Ping dacht dat de prinses de les zou beëindigen, maar in plaats daarvan stuurde ze Lady An om een dikke gewatteerde jas te halen en een paraplu, gemaakt van gelakte zijde. De les ging door. De regen hield op en daarna sloot de prinses de les af. Ping bleef bij haar zitten. Samen keken ze naar een schitterede regenboog. 'De keizer ziet er mager uit,' durfde Ping te zeggen. 'Ik zou willen dat hij even goed voor zichzelf zou zorgen als hij voor u zorgt. Ik mag geen kritiek hebben op de keizer, maar soms vraag ik me af: als je zo hard bezig bent om een heel lang leven te krijgen, is dat niet een beetje...' Ping probeerde het juiste woord te zoeken.

'Ongezond?'

'Ja.'

'De verantwoordelijkheden van mijn broer zijn een zware last voor een jongen van zestien jaar. Hij wil niets liever dan het keizerrijk goed besturen. Op latere leeftijd was onze vader veel te druk bezig met zijn persoonlijke gemak en rijkdom. Hij liet het besturen van het keizerrijk over aan zijn ministers. Sommigen profiteerden van die macht. Liu Che denkt dat een lange regeringsperiode door dezelfde keizer gezond zal zijn voor het keizerrijk.'

Lady An kwam terug met een blad waarop een pot thee en kopjes stonden.

'Ik wilde geen kritiek hebben op zijne Keizerlijke

Hoogheid,' zei Ping, terwijl Lady An de thee inschonk.

De prinses glimlachte. 'Ik weet dat jij alleen maar alles wilt doen in zijn belang, Ping. Ik ben blij dat je hier bent. Hij houdt van je gezelschap.'

Ping kreeg een kleur en wachtte tot Lady An weer wegging. 'Heeft hij dat tegen u gezegd?'

De prinses nam een slokje thee.

'Zelfs voor ik trouwde werd hij er al op voorbereid keizer te worden. We hadden niet veel gelegenheid om samen te zijn. Toen ik naar Yan ging, was hij altijd eenzaam. Hij schreef me over jullie vriendschap en ik was blij dat hij iemand anders had gevonden bij wie hij zich op zijn gemak voelde.'

'Het moet moeilijk voor u zijn geweest om zo ver weg te wonen.'

Prinses Yangxins mooie glimlach verwelkte als een bloem in de vorst.

'Ik was nog maar een kind toen ik trouwde met de Hertog van Yan – niet veel ouder dan jij nu bent, Ping. Maar ik had geen ervaring in de wereld, zoals jij. Ik was zo eenzaam dat ik dacht dat ik er dood aan zou gaan.'

Ping wist niet wat ze moest zeggen. Had ze de prinses maar niet herinnerd aan zulke ellendige tijden.

'De Hertog wees me af. Hij stuurde me terug. Het is een schande voor de familie, maar het kan mij niets schelen.' Ze glimlachte. 'Dat betekent dat ik hier bij mijn broer kan wonen.'

Toen de keizer die avond de Zaal van de Zoetgeurende Koelte binnenkwam, ging hij zitten en duwde zijn magere maaltje weg.

'Je moet niet buiten in die vochtige kou zitten, Yangxin,' zei hij tegen zijn zus.

Ping gluurde naar de prinses. Niets ontsnapte aan de aandacht van de keizer.

'Ik wil dat je ophoudt met Ping les te geven,' zei hij.

De moed zonk Ping in de schoenen. Hoe kwam ze de lange winteragen door zonder haar leeslessen?

'Ik denk niet dat ik stop met de lessen,' zei de prinses. 'Kan ik tot het voorjaar niet lesgeven in mijn vertrekken?'

De keizer leek niet erg gelukkig met deze oplossing, maar prinses Yangxin legde haar hand op de zijne. 'Toe.'

'Goed, de lessen kunnen doorgaan – voorlopig.'

Ping glimlachte haar dank tegen de prinses, maar de keizer bleef geïrriteerd, de hele maaltijd door.

Nadat iedereen vertrokken was bleef Ping om Flodderbroek te helpen Kais rommel op te ruimen.

'Ben jij al lang in dienst bij de keizer?' vroeg ze.

'Mijn hele leven, mevrouw,' antwoordde de bewaker van de draak.

'Hoe lang is de prinses al op Ming Yang Lodge?'

'Een paar maanden.'

'Heeft de Hertog haar echt teruggestuurd?' Ping kon niet geloven dat hij zo'n mooie echtgenote zou afwijzen.

Flodderbroek keek om zich heen om er zeker van te zijn dat niemand meeluisterde. 'De prinses was heel eenzaam toen ze in Yan was, dus vond de Hertog het goed dat haar moeder, de keizerin, haar tweemaal per jaar bezocht. Maar bij een van deze bezoeken bleek dat de prinses...,' - de bewaker ging nog zachter praten – 'erg gehecht was geraakt aan een van de hoofdbewakers die bij haar man in dienst was. De Hertog kwam het te weten en hij was woedend.

Hij liet de hoofdbewaker onmiddellijk onthoofden. En hij stuurde de prinses terug... als... als een rol zijde van slechte kwaliteit. Ze is hier komen wonen, op Ming Yang Lodge.'

Bedienden kwamen om de schalen van het banket weg te halen en Flodderbroek maakte dat hij wegkwam, alsof hij er spijt van had dat hij zoveel had verteld.

De volgende dag kwam Ping voor het eerst in de privévertrekken van de prinses. Ze lagen op de noordkant van Ming Yang heuvel en keken uit op de slingerende Gele Rivier. Ze zaten in een zaal waarvan elke muur was behangen met schilderijen op zijde en met geborduurde wandkleden. Elke centimeter op de vloer was bedekt met bamboematten en geweven kleden. Overal lagen geborduurde kussens. Het leek of Liu Che dacht dat zijn zusje zo teer was dat ze zich zou verwonden als haar huid maar in aanraking kwam met een hard oppervlak. Het was er ook heel warm. In het midden van het ruime vertrek stond een bronzen schaal op pootjes, volgeladen met gloeiende kooltjes. De luiken voor alle ramen waren dicht. Lampen die gevuld waren met olie die naar orchideeën rook verspreidden een zacht licht. De prinses droeg een omslagdoek van diepblauwe stof, bezaaid met parels. Iedereen praatte altijd bijna op fluistertoon in de vertrekken van de prinses. Ping had dit soort rust nooit gevoeld, maar het was overweldigend, als een verstikkende omhelzing.

'Mijn broer denkt dat ik zo teer ben als cameliabloesem,' zei de prinses met een glimlach.

'Zijne Keizerlijke Hoogheid houdt van u,' zei Ping. 'Hij is bezorgd om uw gezondheid.'

De glimlach van de prinses vervaagde. 'Hij vergeet dat ik

jaren in de schaduw van de Grote Muur heb gewoond waar zelfs in de zomer de nachten koud kunnen zijn en je in de winter drie maanden lang niet naar buiten kunt, omdat er bergen sneeuw voor alle deuren liggen.'

Ze was even stil, maar schreef toen een karakter op een stuk zijde. 'Koud,' zei ze. 'Zeven streken.'

Nu de lessen niet meer buiten gegeven konden worden, moest Ping haar karakters oefenen op stukken kalfsleer. Haar schrijven ging beter. Ze doopte haar penseel in de inkt en had precies de juiste hoeveelheid. Ze hield haar penseel op de juiste manier vast. Ze schreef met een snelle polsbeweging. Haar karakters hadden er tot nu toe uitgezien of ze door een klein kind waren getekend, maar intussen waren ze veel verbeterd. Ze vond ze niet meer zo moeilijk als in het begin.

Ping had een paar ingewikkelder karakters geleerd, zoals blauw, eetstokjes en schrijven. Ze had ook het karakter voor draak geleerd en vond het niet moeilijk het te onthouden, hoewel het bestond uit tien-en-zes streken.

Ze had alle karakters die ze had geleerd op een ander stuk kalfsleer gekopieerd. Naast elk karakter maakte ze een tekeningetje om haar te helpen het te onthouden. Ze was van plan het stuk kalfsleer mee te nemen zodat ze de karakters kon repeteren wanneer ze maar wilde.

De prinses vroeg Ping na de les nog even te blijven voor de thee.

'Ik wil zo graag proberen een boek te lezen,' zei Ping toen ze theedronken en honingkoekjes aten.

'Achtendertig karakters zijn nauwelijks genoeg om een boek te lezen, Ping,' antwoordde de prinses zachtjes

'Ik wil het proberen.'

'Het zal je tegenvallen.'

Prinses Yangxin stuurde Lady An naar de bibliotheek voor een boek. Zodra de hofdame terug kwam, maakte de prinses de touwtjes los en rolde het boek op een tafel uit. Ping hoopte dat het een van de boeken zou zijn die over drakenhoeders gingen. Ze keek naar de karakters in de eerste kolom en zag er maar één dat ze kon lezen. Hetzelfde gold voor de andere kolommen. Er waren maar twee karakters in al die kolommen die Ping begreep. De prinses las voor. Het ging over de betekenis van cijfers. Het had met draken niets te maken.

'Het cijfer één staat voor het heelal, heel en ondeelbaar. De twee staat voor de krachten bekend als yin en yang – gelijk, maar ook elkaars tegenpolen, houden zij het heelal bij elkaar. De drie is voor de drie wijze keizers uit vroeger tijden die goed en wijs regeerden. De vijf is voor de vijf elementen – aarde, water, vuur, metaal en hout. Alle tienduizenden dingen onder de Hemel zijn gemaakt van deze elementen. Aarde overwint water, water overwint vuur, vuur overwint metaal, metaal overwint hout, hout overwint aarde. Op deze manier is het heelal altijd aan het veranderen.'

Het was al geweldig dat Ping in staat was een aantal afzonderlijke woorden te lezen. Maar begrijpen wat ze betekenden als ze aan elkaar werden geregen tot zinnen, was wel even heel iets anders.

Ping vond de betekenis van deze passage maar moeilijk te begrijpen. Opeens kwam Hua te voorschijn kwam van achter een stoel. Hij dribbelde door de kamer. Ping glimlachte, en vroeg zich af waarom hij haar nu kwam opzoeken. Maar Hua haastte zich niet naar haar toe.

Ping besefte dat hij naar de prinses rende met een reep bamboe in zijn bek. Hij ging zitten aan de voeten van de prinses en legde de reep op haar satijnen slippers. Omdat elk geluidje werd gedempt door de vele kussens, gordijnen en wandkleden in de grote kamer, heerste er een weldadige stilte, die opeens werd verbroken door een heleboel geschreeuw. De bedienden wezen allemaal naar Hua en gilden van schrik. Prinses Yangxin sprong op van haar stoel en klom op de tafel. Ping had nooit kunnen vermoeden dat de vrouw zich zo snel kon bewegen. Een van de bedienden ging een bezem halen en probeerde Hua daarmee te slaan.

'Stop!' schreeuwde Ping. 'Laat hem met rust.' Ze kroop over de kussens en pakte de rat op. Ze voelde hoe de bezemsteel met een klap op haar rug terecht kwam.

Een vaas werd omgestoten, en de theepot werd omver gegooid en mensen renden heen en weer.

'Uwe Keizerlijke Hoogheid,' zei Ping, 'Hua doet niemand kwaad. Hij gedraagt zich netjes.'

De prinses keek met een blik van walging naar de rat.

'Het zijn vieze beesten!' schreeuwde een van de bedienden.

Het was de eerste keer dat er geschreeuwd werd. Het praten van de bedienden was nooit meer dan een fluistering.

'Nee, hij is schoon, heel schoon, want hij hoeft nooit in de rommel rond te scharrelen voor zijn eten,' zei Ping.

Lady An was de enige die haar zelfbeheersing bewaarde. Ze probeerde de hysterische bedienden te kalmeren. Hua worstelde zich uit Pings armen, veroorzaakte een nieuwe golf van paniek en dribbelde toen de kamer uit. De prinses zat nog steeds gehurkt op de tafel. Haar diensters hadden zich om haar heen verzameld. Lady An praatte op geruststellende toon tegen de prinses, hielp haar van de tafel af en bracht haar trillend naar haar slaapvertrek.

Ping volgde hen naar de deuropening. 'Hua wilde u niet van streek maken,' legde ze uit. 'Hij zou nooit iemand kwaad doen.'

Lady An kwam terug naar de deuropening. 'De prinses heeft een bijzondere angst voor ratten.'

'Waarom?'

Zonder antwoord te geven trok Lady An het gordijn voor de deuropening dicht.

De keizer zei die avond niet veel tijdens het eten. De plaats van de prinses aan zijn linkerkant was leeg. Ping zat naast Kai die een speciaal plekje had op een kussen rechts van de keizer. Dit maakte een gesprek met Liu Che moeilijk omdat Kai voortdurend tussen hen heen en weer rende en commentaar had dat alleen Ping maar kon verstaan.

De drakenkok bracht Kai een verscheidenheid aan geroosterde en gestoofde vogels.

'Vogeltjes!' riep Kai blij.

Hij at ze allemaal op en begon toen aan een verzameling insecten, daarna at hij nog zes fazanteneieren. Kais tafelmanieren waren verschrikkelijk. Hij pakte zijn eten niet voorzichtig op met zijn klauwen, zoals Danzi altijd had gedaan, maar schrokte het naar binnen als een hongerige hond. Hij zette zijn poot in Pings schaal met stoofpot van patrijs. Hij spuwde alles uit wat hem niet smaakte. Ping was boos op hem vanwege zijn slechte manieren, maar de drakenbewaker veegde geduldig het uitgespuwde eten op, raapte de weggegooide botten op en veegde Kais poten af.

Kai lette niet op Ping.

Eindelijk had Kai genoeg gegeten en verdween voor wat after-dinner amusement. Meestal was Kais amusement zo dat hij de ministers en de bedienden ermee ergerde. Een van zijn lievelingsspelletjes was op tafels of in plantenbakken te klimmen en er vanaf te duiken in een stapel kussens.

Nu de lawaaierige draak even verderop bezig was, vroeg Ping Liu Che naar de afwezige prinses.

'Ze is nogal van streek,' antwoordde de keizer. 'En dat vind ik heel erg. Mijn bewakers hebben je rat gevangen. Hij moet opgesloten blijven.'

Ping had maar weinig trek in de soep van berenklauwen die opgediend was. Liu Che at een schijf perzik.

'Waarom vindt Prinses Yangxin ratten zo afschuwelijk?' vroeg Ping.

'Dat gaat jou niets aan!' De keizer snauwde opeens.

Ze schoven allebei het niet opgegeten eten rond in hun kommen.

'Het spijt me, uwe Keizerlijke Hoogheid,' zei Ping terwijl ze haar hoofd boog.

Het strenge gezicht van de keizer werd iets zachter. 'Mijn zus heeft een ongelukkig leven gehad. Ik neem aan dat je de roddel wel gehoord hebt,' zei hij, 'dat ze verliefd werd op een hoofdbewaker?'

Ping keek op en knikte. 'De Hertog van Yan heeft hem laten doden.'

'En daarmee was het afgelopen,' legde Liu Che uit. 'Maar als een extra straf werd zijn lichaam opgehangen aan de stadsmuur. De hertog dwong haar toe te kijken terwijl ratten langzaam het lichaam opaten.'

Pings eetlust was volkomen verdwenen. 'Dat wist ik niet.'

'Ik had Hua liever laten opruimen, hoewel de Raad voor een Lang Leven hem misschien beter wil bestuderen. Maar als hij weer ontsnapt zal ik de bedienden opdragen vergif te strooien.'

Ping knikte vlug. 'Zoals u wilt, Keizerlijke Hoogheid.'

Ping wist dat Hua te slim was om vergif te eten, maar ze vond het vervelend dat hij de prinses zo van streek had gemaakt.

Een bedroefde schreeuw van de overkant van de zaal verbrak de stilte. Ping wist onmiddellijk wie daarvoor verantwoordelijk zou zijn. Kai haalde kattenkwaad uit. Ze liep erheen om de zaak te onderzoeken.

De drakenbewaker en een paar andere bedienden zaten rond een beschilderde aardenwerken vaas die bijna even groot was als Ping. Zijn bochtige vorm dijde uit in het midden en liep taps toe naar de hals. Het was een prachtige vaas, beschilderd met patronen van wolken en vreemde dieren. Ze hoorde een gedempt maar bekend gekreun. Het kwam uit de vaas. Kai had geprobeerd vanaf een vensterbank óver de vaas te springen. Maar in plaats daarvan was hij er per ongeluk ín beland. De bedienden praatten allemaal tegelijk en vertelden haar dat de vaas wel honderd jaar oud was, en beschilderd was door een beroemd kunstenaar die gouden verf gebruikte en het bloed van een vorige keizer. De vaas was vele duizenden jin waard.

'Kai vast!' kreunde Kai.

'Ja, dat weet ik,' zei Ping ongeduldig. 'Je bent een dwaze draak.'

Ping gaf de bedienden het bevel de vaas voorzichtig op zijn kant te leggen.

‘Xiao Zheng, steek je hand erin en trek de draak eruit.’

De drakenbewaker deed wat Ping had gezegd.

Kai ging tekeer, alsof zijn klauwen een voor een werden uitgetrokken.

‘Au, au,’ jammerde hij. ‘Flodderbroek doet Kai pijn.’

De drakenknecht trok zo hard hij kon, maar hoewel Kais kop uit de vaas kwam, raakten zijn schouders in de hals van de vaas bekneld.

‘Je bent erin gedoken,’ zei Ping. ‘Dan moet je er ook weer uit kunnen!’

Ze stuurde de drakenbewaker naar de keuken voor olie.

‘Draai je om, Kai,’ riep Ping. ‘Mischien kunnen we je achterstevoren eruit trekken.’

‘Geen getrek aan mijn staart,’ zei een ongelukkige stem in de vaas.

De anderen hoorden alleen maar een schril gefluit, alsof iemand probeert de hoogste toon uit een blikken fluitje te halen.

‘Nou, blijf dan maar zitten!’ riep Ping boos. Na een moment stilte hoorde ze hoe de draak zich luid kreunend in alle bochten kronkelde in de vaas.

De drakenbewaker keerde met een kan olie terug uit de keukens.

‘Schenk die in de vaas,’ zei Ping. ‘Dan wordt hij wat gladder.’

‘Hou op, Flodderbroek!’ zei Kai, terwijl de drakenbewaker de olie in de vaas begon te schenken.

Ping kreeg Kais staart te pakken en trok zo hard ze maar kon, maar de draak bleef vastzitten.

Opeens vielen alle bedienden op hun knieën. De keizer kwam kijken wat er aan de hand was.

'Breek de vaas,' zei hij.

'Maar Keizerlijke Hoogheid...,' begon Ping.

Liu Che stak zijn hand op om haar tot zwijgen te brengen.

'Doe wat ik zeg,' beval hij.

Een van de bewakers haalde een bijl en gaf een harde klap op de vaas. Hij viel in duizend scherven uit elkaar terwijl een olieachtige draak tevoorschijn kwam die een grote scherf op zijn kop balanceerde.

'Kapot,' zei Kai.

De volgende dag toen Ping naar de prinses ging voor haar leesles, mocht ze van de kamermeisjes niet binnen.

'De prinses voelt zich niet goed,' zeiden ze.

Ping ging naar Dong Fang Suo en verzocht de tovenaar aan de keizer te vragen of ze haar lessen mocht blijven volgen.

Hij had succes. Keizerlijke ministers namen de taak over om Ping te leren lezen en schrijven. Zonder de prinses was het minder gezellig. Zij was heel geduldig geweest en had elk karakter steeds weer geoefend, en ezelsbruggetjes verzonnen om ze beter te kunnen onthouden. Bovendien hadden Ping en de prinses ook vaak over andere dingen gepraat dan over karakters en boeken. Prinses Yangxin praatte over haar kindertijd, en over de band die ze al vanaf zijn geboorte met haar broer had gehad. Ping had het leuk gevonden te luisteren naar verhalen over de jonge Liu Che en zijn toewijding voor zijn zusje. Terwijl ze theedronken had Lady An haar geleerd hoe ze haar haar in een mooie knot kon opsteken. De lessen hadden hele middagen geduurd.

Nu kwam elke morgen een minister en schreef nieuwe

karakters voor Ping op haar stuk kalfsleer. Elke ochtend een andere minister. Ze vertelden haar wat elk karakter betekende. Ping zei de karakters met hun betekenis voor hem op en dan ging hij weg. Ping oefende de karakters helemaal alleen, in de tuin als het niet regende of in haar kamer als het slecht weer was. 's Middag kwam een van de ministers dan terug om haar te overhoren. Als haar karakters niet mooi waren geschreven, moest ze ze opnieuw schrijven, steeds maar weer opnieuw tot ze het goed deed.

Nu ze de verschillende samenstellende delen begreep, deed Ping er niet erg lang over om zes karakters per dag te leren. Zelfs toen ze de ministers ervan wist te overtuigen de dagelijkse hoeveelheid nieuwe karakters te verhogen tot tien-en-twee, en ze elk ander karakter dat ze kende repeteerde, duurde dat niet meer dan een paar uur. Ze hield Kai in het oog als hij in de vijvers zwom. Ze probeerde hem te leren de bloemen niet te vertrappen. Zijn bewaker zorgde ervoor dat het grootste deel van zijn verlangens vervuld werd. Hoewel de keizer het altijd te druk had met de Raad voor een Lang Leven om tijd door te brengen met Ping, vond hij altijd nog wel tijd om bij Kai te zijn.

Ping miste het gezelschap van de prinses. Ze liep over elk pad in de tuinen tot ze elke boom en elke rots kende. Ze zag de eenden in hun V-formatie voor de winter wegvliegen naar warmere landen. Ze voelde zich weer net zo eenzaam als toen ze op het Huangling Paleis woonde.

Ping ging Hua opzoeken. Ze had het voor elkaar gekregen dat zijn kooi alleen maar een veerslot had, zodat Hua zijn bedreven klauwen kon gebruiken om zich elke avond te bevrijden. Ping vond het heel vervelend dat hij zoveel tijd opgesloten in de kooi moest blijven. Hij was beter af geweest als hij op het Eiland van de Gezegenden was gebleven.

'Het is niet eerlijk, Hua,' zei ze tegen de rat. 'Kai haalt van alles uit en krijgt daar geen straf voor. En als jij alleen maar ademhaalt heb je al een probleem.'

Ping wilde niet graag terug naar de kooien. Ze wilde niet herinnerd worden aan de tijd dat ze gevangen had gezeten. De apen en de zwarte kat waren er niet meer. Ze waren vrijgelaten om door het Tijgerwoud te zwerven. Ze hoopte dat ze op een dag de kans zou krijgen het wilde Tijgerwoud te verkennen.

• Hoofdstuk 15 •

De woede van de hemel

'Kai!' riep ze doodsbang.
'Waar zit je?'

Ping kon niet slapen. Hagelstenen teisterden de daken. Het klonk alsof de Onsterfelijken de Ming Yang Lodge met stenen bekogelden. Een felle wind deed de luiken rammelen en blies de pannen van het dak boven haar kamer. Kai lag knus naast haar. Zijn bed bestond uit een groot veren matras op een stenen verhoging die van onderen verwarmd werd door gloeiende kooltjes. De meeste avonden bleef de verhoging leeg, omdat Ping en Kai tegen elkaar aangedrukt op Pings stromatras lagen. Ze had voorgesteld dat ze misschien in het grote bed kon slapen, waar meer ruimte was, maar Flodderbroek wilde er niet van horen. Het bed was alleen maar voor de keizerlijke draak. Ping zou de zaak hebben willen bespreken met de keizer, maar die had het zo druk dat ze hem niet wilde lastigvallen voor zo'n kleinigheid.

Het geluid van de wind die soms door de dakspanten floot, soms fluisterde, maakte de kleine draak bang. Jammerend had hij al een uur lang zitten woelen en draaien. Ping had hem verhaaltjes verteld tot hij zich eindelijk oprolde en in slaap viel. Hij nam meer dan driekwart van het bed in beslag en lag nu zachtjes te snurken. Een bliksemflits verlichtte de kamer kort. Een halve minuut later werd hij gevolgd door een harde donderslag. Toen was de nacht weer zo zwart als de vleugel van een kraai. Ze hoorde een ritselend geluid. Het was Hua die iets van het stro uit de matras verschoof voor zijn eigen rattengemak.

Onweer hadden Ping nooit eerder wakker gehouden. Ze dacht aan de boeken over draken en hun hoeders.

'Die boeken mogen alleen worden gelezen door leden van de Raad voor een Lang Leven,' had Dong Fang Suo gezegd toen Ping gevraagd had of ze ze mocht bekijken. Hoewel ze nog steeds niet genoeg karakters kende om de boeken te kunnen lezen, ergerde ze zich aan zijn koppigheid. Er waren dus boeken over draken en hoe ze verzorgd behoorden te worden. Waarom mocht de keizerlijke drakenhoeder ze dan niet lezen?

Ping lag eerst op haar ene zij, toen op de andere, daarna op haar rug, maar ze lag steeds niet lekker. Ze stond op en spreidde de deken opnieuw uit over de matras. Hij lag helemaal aan Kais kant van het bed. Ze ging met haar hoofd op het voeteneinde liggen en haar voeten bij Kais neus. Ze lag al uren in bed, maar voelde nog steeds geen slaap. Haar maag knorde. Ze had aan het avondmaal niet zo'n trek gehad en had haar lievelingseten (groene gans met gembersaus) niet aangeraakt.

'Maar nu heb ik honger,' fluisterde ze tegen Hua. 'Laten we kijken of we iets te eten kunnen vinden in de keukens.'

Het was zo donker dat Ping op de tast naar de deur moest gaan. Ze hoorde dat Kai nog steeds lag te snurken. Met Hua sloop ze de gang op. Kleine rieten manden met olielampen erin stonden om de zoveel meter op de grond in de gang. Het was zeker een uur of twee na middernacht. Veel lampen hadden hun olie al opgebrand of de vlammen waren door windvlagen uitgeblazen. Er brandden er nog maar een paar.

De gangen en hallen waren spookachtig leeg. Ze gluurde tussen de luiken door en zag een of twee bewakers die wat armoedig in de regen stonden onder de overhangende dakrand. De regen druppelde van hun petten, maar binnen was niemand wakker. Hua genoot van deze vrijheid. Hij rende rond, keek wat er achter de wandtapijten zat en onder de gaten in de vloerplanken. Het deed Ping denken aan de tijden dat ze 's nachts samen op verkenning gingen in het Huangling Paleis. Ze glimlachte bij de herinnering en dat was eigenlijk raar, omdat ze in die tijd een hongerige, slecht behandelde slaaf was geweest.

Hoewel ze van plan was naar de keukens te gaan, brachten haar voeten haar niet daarheen. Ming Yang Lodge was niet één symmetrisch gebouw zoals het Huangling Paleis. Ming Yang Lodge bestond uit een aantal gebouwen die moesten passen in het silhouet van de omringende heuvels. De gangen veranderden onverwacht van richting en werden opeens trappen, soms naar boven, soms naar beneden. Een paar kamers waren volkomen afgescheiden, verbonden met het hoofdgebouw door afgezette paden die de heuvel op en af zigzagden.

Ping bevond zich in de gang die leidde naar de Zaal van de Vredige Afzondering, waar de Raad voor een Lang Leven werkte aan hun toverdrankjes en andere wondermiddelen. Ze zag de zonderlinge leden van de Raad af en toe bij het avondeten. De rest van de dag (en voor zover zij wist ook de nacht) studeerden ze en deden allerlei proeven. Ze was nooit naar de Zaal van de Vredige Afzondering geweest. Bewakers hadden haar de weg versperd, zodra ze de deur maar probeerde te naderen.

Overdag gaf de gang een mooi uitzicht op verborgen tuinen en vijvers vol grote goudvissen. Nu waren de luiken allemaal dicht. Er brandden maar twee lampen in de gang. Ping bukte zich om een lamp van zijn rieten mandje te tillen. Ze hield beschermend een hand ervoor, want de vlam flikkerde in een plotselinge zucht wind. Een luik was met een klap opengevlogen. Haar hart bonkte in haar keel. Door het open raam zag ze de natte tuin verlicht door een bliksemflits. Het zag er onnatuurlijk en angstaanjagend uit. Zilverachtige contouren van rotsblokken bogen zich naar elkaar toe als spoken. De takken van een treurende kersenboom werden naar beneden gedrukt door de felle wind.

Toen was het weer donker.

Ping voelde dat de houten vloer onder haar voeten afliep. De wind hield even op met razen en op dat moment hoorde ze het zachte geluid van Hua's voetjes over de geboende vloer van de gang. Toen hoorde ze nog een geluid – zware voetstappen. Het klonk alsof twee of drie bewakers een beetje lomp achter haar aan sjokten door de gang. Ze hoorde iets heel hard kraken. Ping draaide zich om. De eerste rieten mand was omvergegooid. De olie sijpelde eruit. De vlam van de lont likte begering langs het oliespoor. De rieten mand begon te branden.

'Brand!' riep een stem in Pings hoofd.

Bij het licht van de vlammen zag Ping dat de boosdoeners geen lompe bewakers waren, maar een kleine draak.

Ping rende terug en trapte het vuur uit.

'Kai, je had heel Ming Yang Lodge in brand kunnen zetten,' snauwde Ping. 'Wat doe je hier? Je hoort te slapen.'

'Eenzaam,' zei Kai. 'Bang.'

De groene ogen van de draak glansden in het licht van de lamp. Op elk ander moment van de dag was ze misschien blij geweest met de verbetering van zijn praten, dat de afgelopen week alleen maar bestaan had uit lelijke woorden die hij had geleerd van de keizerlijke bewakers.

'Als je met me mee wilt moet je heel, heel stil zijn, snap je dat?'

Kai knikte. 'Stil.'

Bij de deur van de Zaal van de Vredige Afzondering stond geen bewaker. Ping duwde de deur op een kier open. Ze verwachtte half dat de zonderlinge leden van de Raad voor een Lang Leven nog aan het werk zouden zijn, maar ze zag geen licht door de kier. Ze liep de ruimte binnen. Haar lamp verspreidde maar een kleine kring licht. Ze zag kannen en schalen staan. Op een bank stond een vijzel met een stamper. Het rook vies, scherp en zuur, als een mengsel van azijn en urine. Het was een bekende lucht, maar Ping kon hem niet thuisbrengen. Het knorren van haar maag was intussen veranderd in maagpijn. Hua sprong op de bank en snuffelde aan de schalen.

Kai maakte een raar hoog geluid.

'Ssst, Kai, weet je nog wat ik gezegd heb?'

'Stil.'

Ping hield haar lamp omhoog. Op een plank boven de bank stond een rij bamboe boeken. Ze waren netjes opgerold en dichtgebonden met dun lint. Aan elk lint hing een kaartje. Een boek lag open op een bank. Ping hield de lamp dichtbij. Ze herkende de karakters voor lang en leven. Ze keek naar de kaartjes aan de andere boeken. Ze vond er twee met het karakter voor draak erop geschreven. Ze opende een van die boeken. Ze zag veel karakters die ze begreep – hart, oog, bloed. Ze begreep de betekenis van de zinnen niet, maar ze had het onprettige gevoel dat het een lijst was voor het gebruik van lichaamsdelen van draken. Ze trok het andere drakenboek van de plank. De keurige rij boeken viel met een klap om.

'Ssst,' zei Kai streng. 'Stil.'

Ping ging met haar vinger langs de kolommen karakters. Het karakter voor draak werd heel vaak herhaald. Ze zuchtte verward. Hoewel ze veel van de karakters kende, begreep ze er nog steeds niets van.

Ze schrok van een geluid. Ze hield haar lamp omhoog. Een deuropening met een gordijn ervoor gaf toegang tot een binnenkamer. De wind was gaan liggen. Het hagelde niet meer en ze hoorde alleen maar het tikken van de regen. Ze hoorde het geluid opnieuw. Er was iemand aan de andere kant van het gordijn. Pings maag kromp ineen, nu niet van de honger. Het was een gevoel van angst dat ze altijd kreeg als er vijanden in de buurt waren.

Ping kneep de lont van de lamp uit tussen haar vinger en duim. De kamer was een grote pikzwarte ruimte.

Ze hurkte neer in een hoek, terwijl ze Kai tegen zich aandrukte, en haar hand om zijn bek hield voor het geval hij een geluidje zou maken. Ze hoorde hoe het gordijn werd opengeschoven en het geluid van slippers over de vloer. Er hing een lucht van zweet en verschaalde wijn en ze hoorde het geluid van vingernagels die over een droge huid krabden. Vingers wriemelden met een haak en een luik ging open. Een bliksemflits verlichtte de kamer een seconde. In het korte, zilverachtige licht zag Ping de achterkant van een mannenhoofd. De man stond voor het raam. Een donderslag verbrak de stilte, rollend, dreunend. Weer een bliksemflits. De man spuwde uit het raam en draaide zich toen om naar Ping. Ze hapte naar lucht, maar het geluid werd overstemd door een nieuwe donderslag. Ze zag alleen maar zijn gezicht, heel even, maar het beeld stond in haar geest gebrand. De man had een donker litteken aan een kant van zijn gezicht en een lapje voor zijn rechteroog. Ze had dat gezicht overal herkend. Het was de dodenbezweerder.

Ping sloeg een hand voor haar mond, anders was ze gaan gillen. De donderslag stierf weg. Op dat moment klonk het schrille geluid van een blikken fluitje. Kai had zich losgerukt.

'Slechte man!' schreeuwde Kai.

Ping voelde dat de dodenbezweerder zich in het donker naar haar toe draaide. Ze was zo bang dat ze door haar knieën zakte. Haar angst kwam tot een hoogtepunt toen de dodenbezweerder haar bijna in haar gezicht ademde.

Weer bliksemde het. Ping probeerde weg te sluipen, maar ze kon het niet.

'Je dacht dat je mij nooit meer zou zien, hè?' Hij grijnsde.

'Ik geloofde dat je verdronken was, maar toen hoorde ik de dorpelingen praten over een tovenares die was opgepakt. En geruchten over een duivelse rat. Ik wist dat jij het was.' Hij strekte zijn handen uit naar Kai. 'Die kleine draak is van mij.' De toppen van zijn lange, zwarte vingernagels schraapten over de schubben van de kleine draak.

Hua sprong op hem af. Toen was het weer donker. De dodenbezweerder schreeuwde van de pijn. Pings benen deden eindelijk wat zij wilde. Ze vloog de deur uit, Kai tegen haar borst gedrukt, voor de dodenbezweerder opnieuw kon ademhalen. Ze rende de gang op. Er waren geen lampen, maar dat deed er niet toe. Haar voeten brachten haar zonder aarzeling door de gang alsof hij verlicht was door tien-en-twee toortsen.

'Bewaking!' schreeuwde Ping.

Aan het einde van de gang stormde Ping de deur uit, naar buiten waar het nat was en pikdonker. Er stonden geen bewakers bij de deur. Terwijl ze haar mond opendeed om om hulp te schreeuwen, werd de hemel opnieuw verlicht alsof het dag was. Een hartenklop later klonk er een donderslag.

'Bewaking!' schreeuwde Ping. 'Vlug, er is een insluiper.'

Er kwamen geen bewakers. Kai was vreemd stil in Pings armen. Hij was doodsbang. Ping stond in de stromende regen en vroeg zich af wat ze moest doen. Ze moest Kai in veiligheid brengen, maar Ming Yang Lodge leek niet veilig meer. Kai kwam opeens tot leven. Hij strekte zijn sterke klauwen naar voren. Ping kon hem niet houden. Hij sprong op de grond en rende weg, de duisternis in. De bliksemflitsen kwamen nu zo vlak achter elkaar dat de tuin vaker helemaal verlicht was dan dat het er donker was.

De donder dreunde voortdurend. De Zaal van de Vredige Afzondering doemde zwart achter haar op, gehurkt tegen de heuvel als een dier dat klaar was om aan te vallen. De tuin leek veiliger. Deze keer werkte haar helderziendheid wel. Hoewel ze Kai niet kon zien, wist Ping dat hij de heuvel op rende naar de Tuin van Gesloten Harmonie. Ze haastte zich achter hem aan.

Ping hoorde de klokken in de Hemelreikende Toren hevig klingelen in de sterke wind. Kai bleef uiteindelijk staan aan de voet van de toren. Een flits helder licht zigzagde door de lucht en raakte de vinger van het gouden standbeeld. Een regen van vonken was het gevolg. Precies op dat moment klonk er een oorverdovende klap alsof de Hemel zelf in tweeën scheurde. Het bovenste deel van de toren stond in brand. Het gouden beeld van de Onsterfelijke gloeide in het licht van het vuur, helde naar één kant en tuimelde naar beneden. Ping was halverwege de brug die naar de toren leidde. Ze voelde de trilling toen het beeld de brug even raakte. Een van de grote hoekstenen was losgeraakt uit de toren, kwam donderend naar beneden en plonsde in het water.

'Kai!' riep ze doodsbang. 'Waar zit je?'

De bliksem joeg weer langs de hemel, steeds weer opnieuw. De donder was een voortdurende dreun. De regen stortte als een waterval naar beneden. Weer viel een stenen blok uit de toren, toen nog een. Ze kwamen met enorme klappen vlak na elkaar op de brug terecht, vlak voor Ping. Ze was verlamd van schrik, kon niets beslissen. Ze kon zich niet omdraaien en een veilig heenkomen zoeken, als ze Kai niet vond. Ze probeerde zich op haar helderziendheid te concentreren om de onzichtbare draad te vinden die naar het draakje leidde. Ze voelde de windvlaag toen een andere steen naast haar neerkwam. Scherpe klauwen groeven zich in haar huid toen de kleine draak in haar armen sprong. Ping drukte hem tegen zich aan en rende.

De wind droeg het geluid aan van angstige, bange stemmen. Druipende toortsen werden zichtbaar op de heuvel. Het licht van de vlammen onthulde speren, schilden en roodleren jakken. De bliksem had de bewakers tenslotte gewekt. Aanvoerders schreeuwden bevelen. Hun woorden klonken scherp en hard, maar zonder trillingen van angst of verwarring.

Liu Che verscheen aan de rand van het meer. Zijn haar hing in natte strengen, een gevoerde jas hing slordig om zijn schouders. Hij liep nog in zijn nachthemd. Bedienden probeerden hem tegen de regen te beschermen met een zijden paraplu, maar de wind scheurde de kwetsbare stof aan flarden. Ping probeerde naar de keizer toe te lopen, maar bewakers duwden haar terug. Dong Fang Suo liep hijgend achter Liu Che aan. Het was de eerste keer dat Ping hem zag zonder zijn ministershoed. Hij had een ronde kale plek op zijn hoofd.

Er kwamen geen rotsblokken meer naar beneden. Het bliksemde minder vaak. De donderslagen bleven langer uit. Tenslotte hield het bliksemen op en het boze dreunen van de donder werd een irritant gerommel.

De Hemelreikende Toren reikte niet meer naar de Hemel. Waar de indrukwekkende toren had gestaan, lag nu alleen nog maar een stapel stenen en smeulende dakspanten. Het gouden beeld van de Onsterfelijke lag met het gezicht naar beneden in het puin. De schaal van groene jade lag in duizend stukken.

Een bleek licht onder de zware wolken gaf zwakjes de oostelijke horizon aan. Het werd licht.

• Hoofdstuk 16 •

De boeken van bamboe

'Je geniet een uitzonderlijke vrijheid hier op Ming Yang Lodge, Ping. Maar het lijkt erop dat je mijn geduld op de proef wilt stellen door een paar kamers binnen te sluipen die voor jou verboden terrein zijn.'

Ping wachtte bij de deur naar de Zaal van Zich Verspreidende Wolken. Eindelijk had de Keizer haar bij zich laten roepen en kon ze hem vertellen over de dodenbezweerder. Aan weerskanten van de deur stonden bewakers, kaarsrecht en met een streng gezicht. In de zaal had de Keizer een bespreking met zijn sjamaan en helderzienden. Ze zaten daar al uren. Voorzover Ping het begreep had Liu Che geen helderzienden nodig om de val van de toren te verklaren. Er was maar één uitleg mogelijk: De Hemel was niet tevreden over de keizer. Hij had een toren gebouwd die naar de verblijfplaats van de Onsterfelijken moest reiken en zij hadden hun hemelse macht gebruikt om de toren te laten instorten. Dit kon toch alleen maar een slecht voorteken zijn?

Om alles nog ingewikkelder te maken was Kai ziek. Ping dacht dat dit kwam doordat hij tien-en-vier geroosterde zwaluwen had gegeten tijdens het banket de vorige avond, maar ze vertrouwde niet meer op haar helderziendheid. Die had haar in de steek gelaten. Misschien was de gave verzwakt door het onweer. Ze wist het niet zeker. Feit bleef dat Kai voor het eerst niets meer had gegeten sinds zijn ontbijt en dat hij niet uit bed wilde komen. Een zieke draak was nog een slecht voorteken voor de keizer.

Eindelijk kwamen de sjamaan en de helderzienden in een rij de kamer uit. Ze keken allemaal even onverbiddelijk. De bewakers lieten Ping binnen. Liu Che zat daar met een boos gezicht. Hij had zijn armen over elkaar geslagen. Zijn haar was bij elkaar gebonden in een keurige knot en hij had een geel gewaad aan waarop langs de zoom en de mouwomslagen een patroon van zwarte spiralen was geborduurd. Hij glimlachte niet toen Ping voor hem knielde.

'Hoe is het met Kai?' vroeg hij.

'Zijn maag is van streek.' Ping probeerde haar stem zelfverzekerd te laten klinken. 'Het is niets om bezorgd over te zijn.'

Haar geruststelling veegde de rimpels niet van het keizerlijke voorhoofd.

'Ik zal een dokter laten komen uit Chang'an,' zei hij. 'Misschien heeft hij een idee hoe Kai behandeld moet worden.'

'Ik geloof niet dat dat nodig is,' zei Ping. 'Ik maak me meer zorgen om zijn veiligheid dan om zijn gezondheid.'

'Wat bedoel je? Kai is veilig hier op Ming Yang Lodge.'

'Dat dacht ik ook.' Ze zweeg even voor ze vervolgde: 'Gisteravond heb ik de dodenbezweerder gezien.'

De keizer keek verbaasd. Ping wist niet zeker of hij begreep waar ze het over had.

'De man die geprobeerd heeft me te doden op de Tai Shan. Hij probeerde me Kai af te pakken.'

'H-heb je h-hem gezien?' stotterde de keizer. 'Waar?'

Ping gaf niet meteen antwoord. Niemand had haar de vorige avond zien ronsluipen. Ze had gemakkelijk kunnen liegen en zeggen dat ze hem in een ander deel van Ming Yang Lodge had gezien. Maar ze vond het niet verstandig de Hemel nog meer te beledigen door te liegen.

'Hij was in de Zaal van de Vredige Afzondering.'

Liu Che keek haar boos aan.

'Wanneer was dat?'

Ping kon hem niet aankijken.

'Misschien drie uur na middernacht.'

De mond van de keizer was niet meer dan een dunne streep. 'Je geniet een uitzonderlijke vrijheid hier op Ming Yang Lodge, Ping. Maar het lijkt erop dat je mijn geduld op de proef wilt stellen door kamers binnen te sluipen die voor jou verboden terrein zijn.'

'Het spijt me.' Ping boog haar hoofd diep. 'Ik wilde uwe Keizerlijke Hoogheid niet ongehoorzaam zijn.'

'Dus je viel zomaar toevallig de Zaal van de Vredige Afzondering binnen, middenin de nacht?'

'Nee, ik was niet van plan daarheen te gaan. Mijn voeten brachten me erheen. Ik besefte het niet op dat moment, maar mijn helderziendheid trok me daarheen.'

De keizer stond op. Ping voelde hoe hij boven haar uit torende.

'Ik weet dat ik straf verdien, maar de dodenbezweerder was er. Hij probeerde Kai mee te nemen. Hij moet ons bespionneerd hebben. Het zou gemakkelijk voor hem zijn geweest, hij kan van gedaante veranderen.'

Ze verwachtte dat de keizer het hoofd van de bewakers zou laten roepen. Maar dat deed hij niet.

'Waarom waren jullie gisteravond bij de toren, Ping?' vroeg hij met kalme, koude stem.

'Ik... ik weet het niet. Ik wilde zo ver mogelijk weg zijn van de dodenbezweerder. Kai rende naar de Tuin van de Gesloten Harmonie. Ik ging natuurlijk achter hem aan.' De keizer scheen de urgentie van de zaak niet te beseffen. 'De dodenbezweerder denkt dat Kai bij hem hoort,' drong Ping aan. 'Hij moet opgepakt worden.'

Ping zag dat de gedachten van Liu Che in een andere richting gingen.

'Jij was er toen de toren instortte?'

'Ja. Ik zag de bliksem inslaan in de toren, zo duidelijk, alsof hij er speciaal op gericht was.'

De keizer zweeg.

'Het is heel erg van de toren,' zei Ping, 'maar u moet aan Kai denken, Keizerlijke Hoogheid. Hij moet beschermd worden. De dodenbezweerder zou nog ergens in de tuinen kunnen zijn.'

De keizer knikte langzaam. Ping zag hem geen teken geven, maar de commandant van de bewakers stapte niettemin naar voren.

Ping verwachtte dat Liu Che de man zou opdragen bewakers neer te zetten buiten het Drakenhuis, of de tuinen te laten doorzoeken. Maar dat deed hij evenmin.

'Breng me de bewaker hier die gisteravond bij de Zaal

van de Vredige Afzondering op wacht heeft gestaan,' zei hij.

De commandant haastte zich weg.

'Wat deed jij in de kamer van de Raad voor een Lang Leven, Ping?'

'Ik heb de boeken over draken bekeken,' zei Ping terwijl ze nerveus aan haar purperen lint wriemelde.

'Ik neem aan dat je er per toeval je handen op legde.'

'Ik wil zoveel mogelijk te weten komen over hoe je draken moet verzorgen,' antwoordde Ping. 'Zodat ik de taak die u me hebt opgedragen, goed kan uitvoeren.'

'Boeken worden door studenten gelezen, niet door iedereen.'

Ping ging op haar hurken zitten en keek de keizer aan. 'Ik ben niet iedereen. Ik ben de Keizerlijke Drakenhoeder.'

Ping zag een boze flits in zijn ogen, maar zijn mond bleef een strakke streep.

'Ik probeer je niet de inhoud van de boeken te onthouden, Ping.' Zijn toon veranderde. Hij probeerde vriendelijker te zijn, maar zijn woede was er nog, als soep die staat te pruttelen in een pan met een deksel. 'Je hebt nog niet genoeg karakters geleerd om een boek te kunnen lezen.'

'Ik dacht dat ik er misschien een beetje wijzer van zou worden.'

'Een béétje wijzer worden is gevaarlijk,' zei de keizer. 'Ik was van plan ze aan je te geven zodra je ze kunt lezen. Ik dacht dat prinses Yangxin de boeken met je zou doornemen. Maar je hebt mijn zus beledigd.'

'Dat was ik helemaal niet van plan.'

'Je bent een heleboel niet van plan geweest, Ping, maar op de een of andere manier doe je toch allerlei rare dingen.'

'Het spijt me werkelijk dat ik u last heb bezorgd, maar ik was ongerust over Kai. Ik wilde meer weten over het opvoeden van een jonge draak.'

De jonge keizer zweeg een poosje. Toen knikte hij. 'Ik zal de boeken naar het Drakenhuis sturen, Ping, en ik zal Dong Fang Suo vragen of er iemand is die tijd heeft jou te helpen met het lezen van de boeken.'

'Dat is heel aardig, uwe Keizerlijke Hoogheid.'

'Ik heb dringender zorgen dan een ongehoorzame drakenhoeder,' zei hij. 'Ik weet zeker dat ik je niet hoef uit te leggen hoe de helderzienden het instorten van de toren verklaarden. De harmonie van het heelal is verstoord. Ik moet met mijn ministers praten om te weten te komen wat de Hemel zo beledigd heeft.'

Ping keerde terug naar hun verblijf. Kai sliep. Het ging nog steeds niet goed met hem. Zijn schubben waren dof, en de stekels op zijn rug stonden niet rechtop maar hingen naar beneden. Drie bedienden stonden rond het bed.

'Jullie kunnen gaan,' zei ze. 'Ik zorg zelf voor hem.'

De drie gingen graag weg. Ze wilden niet betrokken zijn bij een zieke draak. Als het slechter met hem ging, zouden zij de schuld krijgen. Kai zag er klein en hulpeloos uit in het grote bed. Ping hoopte dat ze gelijk had en hij alleen maar zo ziek was van teveel eten.

Rond een uur of twaalf 's middags werd hij wakker, maar hoewel de drakenkok een aanlokkelijke schotel geroosterde krekels, gestoofde wormen en een kom zwaluwsoep had klaargemaakt, at de draak maar weinig. Hij lag op zijn rug met zijn voeten in de lucht, zodat Ping over zijn buik kon wrijven.

Er werd op de deur geklopt en een bediende liet een van

de jongere keizerlijke ministers binnen die om beurten Ping hadden geholpen bij het leren van karakters. Hij had de doos met bamboe boeken bij zich.

'De ministers zijn er klaar mee,' zei hij. 'Ze zeggen dat jij ze nu mag lezen.'

De jonge minister begon de drakenboeken voor te lezen aan Ping. Ze probeerde de karakters te volgen, maar zijn vinger vloog langs de kolommen en ze kon hem niet bijhouden.

Het eerste boek bevatte een lijst van alle drakenhoeders in de afgelopen driehonderd jaar. Er stonden tweemaal-tien-en-drie namen. De minister las ze allemaal voor aan Ping. Het waren zonder uitzondering mannen. Pings naam stond niet op de lijst. Die van meester Lan evenmin. De laatste naam luidde Lao Lan. Dat was de vader geweest van meester Lan.

'Sommige drakenhoeders zijn maar kort in dienst geweest,' zei Ping. 'Wat is er met hen gebeurd?'

'Sommige waren al oud toen ze drakenhoeder werden,' legde de minister uit. 'Eentje stierf toen hij van de rug van een vliegende draak viel. Eentje kreeg de doodstraf omdat hij een draak een prins had laten bijten. En eentje stierf bij een of ander ongeluk.'

Ping raakte ervan overtuigd dat het vak drakenhoeder een zeer onveilig beroep was.

'Er waren toen twaalf draken,' zei de minister. Maar het was veel gevaarlijker om draak te zijn. Er waren zoveel draken gestorven. De tranen sprongen in Pings ogen.

De volgende dag zag Ping Liu Che niet. Hij at in zijn vertrekken en was achter gesloten deuren druk in gesprek met zijn ministers. 's Middags kwam de jonge minister en ging door met het voorlezen uit de boeken van bamboe. Hij las over gebeurtenissen die waren genoteerd tijdens de regering van elke keizer.

'Toen keizer Shen Jing stierf liet de rode draak een parel uit zijn bek vallen. Hij werd beschenen door de zon en aan de hemel dreven groene wolken.'

Ping begreep de betekenis van 'groene wolken' niet. De jonge minister evenmin.

'Nadat keizer Nan negentien jaar had geregeerd waren er overstromingen. Buiten de stad werden wilde draken gezien.'

Ping wilde weten wat er met de parel en de wilde draken was gebeurd, maar er volgden geen bijzonderheden. Elke nieuwe aantekening was heel kort.

'In het eerste jaar van de regering van keizer Gao, floreerden de draken en waren gelukkig.'

'In de lente van het vijfde jaar van de regering van keizer Zhen Ding vochten de draken in de vijver bij Wei.'

De aantekeningen hielden op toen de grootvader van Liu Che de troon besteeg. De jonge minister wriemelde aan de gerafelde uiteinden van het touwtje dat de repen samenbond.

'De laatste reep ontbreekt. Die moet er in al die jaren een keer afgevallen zijn.'

'Wordt er iets verteld over hoe drakenhoeders werden gekozen?' vroeg Ping.

De minister keek nog een boek door.

'Hier staat dat drakenhoeders altijd uit dezelfde families worden gekozen – de familie Huan of de familie Yu.'

'Ik vraag me af hoe de vader van meester Lan

drakenhoeder is geworden.'

De minister las door. 'Hier staat dat hij maar tijdelijk te werk werd gesteld als de man die de draken voerde, tot er een nieuwe drakenhoeder werd benoemd.'

'En was er een nieuwe benoeming?'

'Weten we niet. Dit is de laatste aantekening.'

'Staat er ergens waar die drakenhoedersfamilies woonden?'

'De drakenhoeder voor Lao Lan was Yu Cheng Gong. Hier staat dat hij uit het dorp Lu-lin kwam, bij de stad Mang. De familie Huan zijn niet generaties lang drakenhoeders geweest. De laatste drakenhoeder van die familie woonde ten oosten van de bergen en ten westen van de rivier Hong in het dorp Xiu-xin.'

De minister keek op van het boek.

'Jouw naam moet ook aan de lijst worden toegevoegd. Wat is je achternaam?'

'Ik weet het niet,' antwoordde Ping.

'Het moet Yu zijn of Huan.'

Danzi had haar ook verteld dat drakenhoeders altijd uit dezelfde twee families kwamen, maar het was nooit bij haar opgekomen dat zij tot een van die families moest behoren. Was de laatste Yu op de lijst een van haar voorouders? De gedachte echode in haar hoofd. Het duurde even voor ze zich weer kon concentreren op wat de minister zei.

Ping leerde niet veel van de bamboe boeken. Ze had gehoopt dat ze al de gaten zouden vullen in haar kennis van draken. In plaats daarvan zat ze nu alleen maar met nog meer vragen. Er waren geen geneesmiddelen voor zieke draken. Tenslotte herinnerde ze zich dat Danzi een slok arsenicum heel goed had gevonden voor zijn gezondheid. Ze ging naar de keizerlijke kruidenman en vroeg of hij arsenicum had. Hij gaf haar drie kleine staalgrijze kristallen. Die loste ze op in water, waarbij ze heel voorzichtig was dat ze niets van het mengsel op haar handen zou krijgen. Arsenicum was giftig voor mensen, maar Kai slurpte het drankje met plezier op.

Ping zat in de stralen van de late middagzon, die binnenvielen door de getraliede ramen van het Drakenhuis. Ping dacht dat ze waarschijnlijk nu alles wist wat nodig was om Kai gezond en blij te houden. Misschien bevatte haar hoofd zelfs meer informatie over draken dan welk ander drakenboek ook in het keizerrijk.

Het lezen van de bamboe boeken had maar twee vragen opgeworpen waarop ze het antwoord wilde weten. Was Yu of Huan haar achternaam? En waar was haar familie nu?

• Hoofdstuk 17 •

Plannen en teleurstellingen

'De dodenbezweerder,' fluisterde ze.
'Hij is in de buurt. Ik voel het.'
'Weet ik,' zei de keizer met een glimlach.

Een week na het instorten van de toren bevond Ping zich in de grootste en meest weelderig ingerichte zaal die ze ooit had gezien. De keizer had haar laten roepen, maar de bewaker bracht haar niet naar de Zaal van Zich Verspreidende Wolken. In plaats daarvan begeleidde hij haar naar de vertrekken van de keizer. Het was de eerste keer dat Ping in Liu Che's privévertrekken kwam. Eén wand bestond helemaal uit getraliede luiken. De zon scheen erdoorheen en maakte een helder patroon van lotusbloemen op de bamboe mat. Door een open deur zag Ping een breed balkon waar Liu Che lag te rusten op een bank. Ze liep naar de deuropening, waar ze aarzelend bleef staan. Dong Fang Suo praatte tegen de keizer, waarbij hij hard zat te zwaaien met de linten, die zijn functie aangaven.

'Maar ik denk dat het niet verstandig is nog een boot weg te sturen om te zoeken naar het Eiland van de Gezegenden,' zei de keizerlijke tovenaar. 'Het wrak van de eerste boot spoelde verleden week aan. Goede mannen zijn omgekomen.'

'Bouw een grotere boot,' zei de keizer. 'Ik heb ook gehoord van de 'paddenstoel van het eeuwige leven', die te vinden is in de bergen voorbij de westelijke grens van het keizerrijk. Organiseer een expeditie, Dong.'

De keizerlijke tovenaar keek ongelukkig, maar opperde geen bezwaren. 'De wil van uwe Keizerlijke Hoogheid is wet.'

De keizer zag Ping in de deurpening staan. 'Hoe is het met Kai?' riep hij vrolijk. 'Ik heb hem in de tuinen nog nergens gezien.'

Ping boog voor de keizer.

'Hij is helemaal beter,' antwoordde ze. 'Ik heb hem nog twee dagen binnengehouden. Morgen mag hij weer naar buiten.'

'Goed om te horen,' zei Liu Che. 'Kom hierheen dan hoef ik niet zo te schreeuwen.'

Het balkon was zo breed en lang als drie huizen naast elkaar. Het stak uit naar voren en het leek of het in de lucht hing hoog boven de tuinen. Ping wilde het balkon niet op gaan. Het was niet de hoogte waar ze bang voor was. Ze had al veel tijd in haar leven op bergtoppen doorgebracht. Nee, het hele bouwwerk leek haar tamelijk bouwvallig. Ze was bang dat het balkon zou afbreken, en langs de heuvel naar beneden storten. Liu Che lachte om haar aarzeling.

'Het is volkomen veilig,' zei hij, terwijl hij opstond en naar de roodgeverfde balustrade liep. In Pings ogen leek die balustrade van niets anders dan dunne stokjes gemaakt, die in een geometrisch patroon gerangschikt waren.

'Het balkon wordt gesteund door sterke balken die rusten op posten, gemaakt van boomstammen, zo dik, dat ik mijn armen er niet omheen kon slaan,' zei de keizer. 'Het balkon zou een hele kudde ossen kunnen houden.'

Ping voelde opeens een pijn in haar buik, maar dat kwam niet van haar angst voor het balkon.

'De dodenbezweerder,' fluisterde ze. 'Hij moet in de buurt zijn. Ik voel het.'

'Weet ik,' zei de keizer glimlachend.

Ping staarde hem aan.

'De keizerlijke bewakers hebben hem opgepakt,' zei hij.

Ping zei geen woord.

'Daarom heb ik je laten roepen,' zei Liu Che. 'Ik dacht dat je dolblij zou zijn.'

'Ik ben ook b-blij, héél blij,' stotterde Ping. 'Het verbaast me alleen dat hij zo gemakkelijk gepakt kon worden.'

'Waarom? Je hebt geen erg hoge dunk van mijn bewakers als je denkt dat zij geen man gevangen kunnen nemen die beweert toverkrachten te hebben.'

Pings ervaring met de dodenbezweerder had haar ervan overtuigd dat zijn krachten echt bestonden.

'Waar is hij? Kan ik naar hem toe?'

'Ja,' antwoordde Liu Che. 'Maar dan moet je snel zijn. Hij wordt zodadelijk weggevoerd naar Chang'an.'

De keizer lachte om haar verwarring en wees over de balustrade naar beneden. Ping stapte op het balkon alsof het van eierschalen was gemaakt. Ze greep zich vast aan de rode balustrade en keek naar beneden. Naast het balkon tinkelde een watervalletje vrolijk naar beneden, op weg naar een vijver. Maar Ping hield zich niet met het uitzicht bezig. In de tuin naast de vijver werd een man in een mantel, geboeid in kettingen door bewakers vanuit de stallen ruw naar een wagen gesleurd. De bewakers waren dezelfde mannen die haar naar Ming Yang Lodge had gebracht. De man draaide hij zich om en keek naar boven. Ping zag het getatoeëerde gezicht van de dodenbezweerder. Ze legde haar handen op haar maag. De bewakers bonden het leren dek boven de dodenbezweerder dicht. De commandant riep een bevel en de koetsier gaf de os een klap met de zweep. De kar reed ratelend weg, begeleid door tien keizerlijke bewakers. Het beeld deed Ping minder plezier als ze had gedacht.

Toen Ping de Zaal van de Zoetgeurende Koelte binnenkwam voor het middagmaal, keek de keizer heel tevreden.

'De helderzienden weten wat ik moet doen om me met de Hemel te verzoenen,' zei hij opgewonden, terwijl Ping boog en op haar plaats ging zitten. 'Ik moet een bijzonder feest geven. Sjamanen zullen een wal opwerpen, gemaakt van vijf kleuren aarde. Vijf kampvuren van doornige takken en varenstengels worden op de top geplaatst. Waterbuffels, geiten en varkens zullen geofferd worden. Ik zal voor de Hemel knielen op een mat die is gevlochten van heilige planten. Witte fazanten zullen worden losgelaten. Daarna zal er een feestmaal zijn met muziek en lofliederen. Ik zal de landeigenaars en keizerlijke bestuurders uit de buurt uitnodigen. Alle dorpen die in een dag lopen bereikbaar zijn zullen vlees en wijn krijgen, zodat mijn onderdanen kunnen meedoen aan de feestelijkheden en de Hemel laten zien dat ze blij zijn met mijn regering. Zo is het toch, Dong?'

Hij keek de tovenaar aan. Hij zat naast hem.

'Zo is het, uwe Keizerlijke Hoogheid,' antwoordde Dong Fang Suo. 'Wierook zal onze gebeden naar de Hemel dragen. Kai moet ook meedoen, zodat de Hemel kan zien hoe gelukkig de draak is.'

Liu Che knikte enthousiast. 'Mijn draak is weer beter, de dodenbezweerder zit gevangen en na het feest zal alles in orde komen!'

'Ik weet zeker dat de Hemel zal beseffen dat je een goed en wijs bestuurder bent, Liu Che,' antwoordde Ping.

De bedienden brachten de maaltijd binnen. Meestal had Ping geen eetlust meer als ze een voorgevoel had gehad. Maar het goede humeur van de keizer werkte aanstekelijk. En de lekkere geuren van gekookte kwartel en gebakken vis met zure saus brachten het water in haar mond. Ze vond het goed dat de bediende haar beker vulde. Omdat Liu Che in een goed humeur was, voelde Ping zich dapper genoeg om Liu Che te vertellen van een plan dat ze zelf had gemaakt.

'We hebben gelezen over de oude families die de draken hoedden,' zei ze.

De bediende van de keizer bracht hem alleen maar een kraanvogelei. Liu Che draaide het om met zijn eetstokjes.

'Ik zou zo graag willen onderzoeken of die families nog steeds bestaan,' ging Ping verder. 'Stel dat mij iets overkomt, dan zul je willen weten waar je een nieuwe drakenhoeder kunt vinden.'

'Ik weet zeker dat de Hemel je een lang leven schenkt,'

antwoordde Liu Che.

'Al zou dat zo zijn, zul je toch op een dag een nieuwe drakenhoeder moeten zoeken. Kai zal heel veel drakenhoeders verslijten in zijn lange leven. Ik denk dat we moeten zoeken naar de oude families. We moeten weten of er nog mensen van in leven zijn, of dat ze uitgestorven zijn. Als ik naar de dorpen Lu-lin en Xiu-xin kon gaan...'

De keizer scheen niet zo geïnteresseerd in het onderwerp. Zijn ei lag onaangeroerd op zijn bord.

'Ping, je moet zijne Keizerlijke Majesteit niet lastigvallen als hij eet,' zei Dong Fang Suo.

De bedienden brachten de volgende gang. Rijpe dadelpruimen en thee van de zoete olijvenbloesem werden voor Ping neergezet. De keizer kreeg drie schijven perzik en een beker troebel water.

'Het is belangrijk dat u langzaam eet, uwe Keizerlijke Majesteit,' ging Dong Fang Suo verder. 'Alleen dan profiteert u ten volle van het dieet dat de Raad voor een Lang Leven voor u heeft bedacht.'

Liu Che at een schijf perzik. Ping zag dat zijn goede humeur was verdwenen. Het dieet van de Raad voor een Lang Leven was zo mager dat het geen wonder was dat het de keizer ergerde. Ze zou geduld moeten hebben en wachten tot de keizer meer openstond voor haar idee.

Een minister kwam naar de keizer toe. Hij was recht en mager en had een ernstige kleine mond. Zijn gewaad viel neer in nette plooien alsof ze allemaal door iemand voorzichtig waren gedrapeerd. Hoewel het al laat in de middag was, was er nog geen plukje haar ontsnapt van onder zijn ministershoed. Hij knielde met een sierlijke beweging neer en boog voor de keizer.

'Ik heb nog een brief gekregen van de Grote Raadsman, uwe Keizerlijke Majesteit,' zei de minister. 'Hij verzoekt u dringend onmiddellijk terug te keren naar Chang'an, naar de regering van het keizerrijk.'

De keizer wuifde de minister geïrriteerd weg. 'Het keizerrijk kan wachten tot na mijn feest.'

De minister bewoog zich niet. Liu Che draaide zich naar Ping. Er blonk een sluwe schittering in zijn ogen. 'Misschien heb je gelijk, Ping,' zei hij hard genoeg zodat de minister het kon horen. 'Het is wijs om op alles voorbereid te zijn. Er zal ooit een dag komen waarop ik een nieuwe drakenhoeder nodig heb.'

Ping was dolblij

Liu Che keek naar de minister die nog steeds voor hem geknield zat. 'Minister Ji, u mag het onderzoek leiden. Ping wil graag weten of de oude drakenhoedersfamilies nog bestaan. Waar zei je ook weer dat ze wellicht gevonden kunnen worden?'

Pings glimlach verdween. 'Lu-lin en Xi-xin, Keizerlijke Majesteit.'

'Maar ik hoef er niet zelf heen te gaan, Keizerlijke Majesteit,' zei minister Ji. 'Ik kan naar het sub-hoofd van het departement schrijven. Een boodschapper kan een brief in minder tijd afleveren dan dat ik erheen reis in een koets.'

'Ik denk dat een persoonlijk bezoek geschikter is, minister Ji.'

Liu Che glimlachte als iemand die zijn tegenstander te slim af is geweest bij een partijtje schaak.

Ping probeerde tevreden te kijken.

Na het eten maakte Ping een wandeling. Dit was haar lievelingsuurtje voor een wandeling in de tuinen. Iedereen rustte na het middagmaal, dus had ze de tuinen voor zich alleen. Kai had evenmin zin in een middagdutje. Hij rende voortdurend heen en weer over het pad. Eindelijk gedroeg hij zich netjes. Ping was blij dat ze goed kon zien dat het weer goed ging met hem. De drakenbewaker liep gapend achter Kai aan. Maar hij bleef niet staan, tenzij Kai dat deed.

Ping voelde zich schuldig. Het was niet goed om sluw en oneerlijk te zijn, tegenover wie dan ook, maar zeker niet tegenover de keizer. Ze had hem niet helemaal de waarheid verteld. Ze vond het een goed idee dat hij wist waar hij een nieuwe drakenhoeder kon vinden, maar net als de keizer verwachtte ze dat hij die pas in de verre, verre toekomst nodig zou hebben. En er was nog een reden waarom ze wilde zoeken naar de drakenhoederfamilies – ze hoopte haar eigen familie terug te vinden. Ergens in het keizerrijk waren haar ouders die haar als slaaf hadden verkocht. Ze had misschien broers en zusjes. Die wilde ze leren kennen. Maar zouden zij haar willen ontmoeten?

Ze keek naar Kai die zich goed amuseerde. Hij joeg achter iets aan. Het was maar een insect, maar hij achtervolgde het beestje alsof het een tijger was. Hij hurkte, klaar om te springen. Toen keek hij op en ontblootte zijn tanden. Dat leek niet de juiste houding om te springen. Hij tilde nu zijn achterste op en boog zijn kop naar de grond. Ping lachte.

Een beweging in een bosje dichtbij trok haar aandacht. Ze dacht dat het misschien een konijn was of een hagedis, maar dat was niet zo. Het was een rat.

'Hua!' riep Ping. Ze keek naar Flodderbroek die nu zat

te dutten op een stenen bank. 'Je hoort in je kooi thuis. Als iemand je hier ziet heb je een probleem.'

Ze pakte hem op en zette hem in de holte van haar arm. Ze aaide zijn warme vacht die er prachtig uitzag in de herfstzon. De rat trok zich los uit haar greep en rende terug, het bosje in. Even later verscheen hij opnieuw, nu met iets in zijn bek. Het was een reep bamboe. Dezelfde die hij had gehad toen hij de prinses bang had gemaakt. Hij legde de reep op Pings schoot. Ze pakte hem op en bestudeerde de karakters. Hoewel ze nu bijna twee-maal-honderd karakters had geleerd, kon ze er maar vijf lezen die op de reep bamboe stonden, en dat was niet genoeg om de tekst te kunnen begrijpen.

'Ik weet niet wat er staat, Hua,' zei Ping, een beetje geërgerd, omdat hij haar de reep had gegeven die alleen maar bewees hoe weinig ze geleerd had.

Kai wiebelde met zijn kontje. Hij wilde springen. Hua verloor opeens alle belangstelling voor de bamboe reep. Hij rende naar Kai en griste het insect weg waar het draakje achteraan had gejaagd. Kai maakte teleurgestelde geluiden.

'Hua!' zei Ping scherp. 'Daar speelde Kai al een poosje mee.'

Pas toen zag ze wat Hua tussen zijn tanden had. Het was een duizendpoot. Ze sprong op en tilde de draak in haar armen. Hua kauwde op de duizendpoot en slikte hem door.

Ping hield de draak dicht tegen zich aan, zelfs al staken de stekeltjes op zijn rug in haar huid. Ze draaide zich boos om naar Kais bewaker.

'Flodderbroek, eh... ik bedoel Xiao Zheng – jij behoort op Kai te passen.'

De drakenbewaker schrok wakker.

'Het spijt me, mevrouw,' stotterde hij.

'Ik zei nog dat je moest oppassen voor duizendpoten,' zei Ping.

'U had het over ijzer, vijfkleurige draad en bomen met Chinese bessen, maar over duizendpoten hebt u het niet gehad.' De onderlip van de drakenbewaker begon te trillen. 'Ik dacht dat het beestje alleen maar insecten at.'

'Nee! Duizendpoten zijn heel gevaarlijk. Als ze in het oor van de draak kruipen, eten ze zijn hersens op.'

Toen ze dit had gezegd, vond Ping het nogal belachelijk klinken. Maar Danzi was doodsbang geweest voor duizendpoten, dus wilde ze niet het risico lopen.

Ping keek om zich heen op zoek naar Hua. Ze had spijt dat ze tegen hem gesnauwd had. Ze zou de jonge minister kunnen vragen de reep bamboe aan haar voor te lezen. Maar de rat was nergens te zien. Hij was verdwenen en had de reep bamboe meegenomen.

Hoofdstuk 18

De eerste vorst

'Het is buiten te koud voor je als je je niet lekker voelt,' zei Ping. 'Als het licht wordt is dit de enige tijd dat ik een paar minuten voor mezelf heb.'

De eerst nachtvorst had de grond bedekt met een laagje rijp. De herfst had geen haast gemaakt met zijn vertrek, maar nu was het eindelijk winter geworden. Kai wilde zijn bed niet uitkomen om een wandeling te maken voor het ontbijt. Het koudere weer hield Ping niet binnen. Ze hield van de rust in de tuin, zo vroeg in de ochtend, hoewel het gras en de bladeren kraakten bij elke stap.

Ping zag Liu Che alleen zitten in een klein paviljoen in een afgesloten deel van de tuin. Hij had een warme mantel aan over zijn gewaad, maar hij zag er mager en koud uit. Hij had zijn handen in zijn mouwen gestoken en krabde over zijn armen. Toen Ping dichterbij kwam zag ze dat zijn gezicht grauw was en hij verspreidde een lucht alsof hij had moeten overgeven.

'Wat is er, Liu Che?' vroeg Ping. 'Moet ik een dokter halen?'

'Ik ben niet ziek,' antwoordde hij. Hij ademde moeilijk. 'Ik heb net mijn dagelijkse hoeveelheid monnikskap gegeten.'

Ping kende de plant. 'Maar monnikskap is giftig!'

'Ik heb de raad gekregen kleine porties te eten,' antwoordde Liu Che. 'De plant verlengt het leven. Maar er zijn wat bijverschijnselen – een beetje misselijkheid, een beetje huiduitslag die jeukt.'

Hij krabde in zijn hals en toen op zijn kuit

'Ik heb je gisteravond gemist aan tafel,' zei Ping.

'Ik had geen trek.'

'Het is te koud om nu buiten te zitten als je je niet goed voelt,' zei Ping.

'Maar bij het aanbreken van de dag is dit de enige plek en de enige tijd waar ik even alleen kan zijn.'

'Je kijkt zo bezorgd.'

Liu Che zuchtte. 'Ik heb op het ogenblik een boel aan mijn hoofd, Ping. Elk detail van het feest moet kloppen zodat de Hemel niet meer beledigd wordt.'

'Maar dat is toch het werk van je ministers en de medicijnman?'

'Ze nemen nog niet de kleinste beslissing zonder mij te raadplegen. Ik moet hun vertellen hoeveel witte fazanten er nodig zijn, hoe hoog de offerplaats moet worden, van welke soorten planten de heilige matten moeten worden gemaakt. Daardoor kan ik me niet goed houden aan mijn dieet voor een lang leven, wat veel belangrijker is.'

'Kon ik je maar helpen.'

'Er zijn dingen die alleen ik maar kan doen.'

Hij huiverde.

Ping overwoog een deken voor hem te halen.

'De helderzienden willen dolgraag dat ik te weten kom wat de Hemel heeft beledigd. Ik heb geen idee wat het kan zijn geweest. Ik heb de belastingen verlaagd en de school die mijn vader heeft gesticht groter gemaakt. Ik heb de grenzen van het keizerrijk verdedigd. Ik heb niets verkeerd gedaan.'

'Je bent een goede keizer, Liu Che.'

Twee bedienden haastten zich naar hen toe.

De Keizer zuchtte diep. 'Mijn schuilplaats is ontdekt.'

De bedienden knielden neer en bogen.

'Uwe Keizerlijke Majesteit,' zei de een, 'de Raad voor een Lang Leven wil u verslag uitbrengen van hun experiment met kikkers.'

'En minister Ji wil u graag spreken,' zei de ander.

'Is minister Ji al terug?' vroeg Ping. Ze had pas twee weken geleden voorgesteld dat minister Ji op zoek zou gaan naar de families die altijd de drakenhoeders hadden geleverd.

Voor de keizer antwoord kon geven, kwam minister Ji het paviljoen al binnen. Liu Che deed zijn ogen dicht alsof hij wenste dat hij ergens anders was.

'Ik was pas na middernacht terug op Ming Yang Lodge,' zei de minister, 'en ik heb de hele nacht gewerkt aan mijn rapport.' Het gewaad van de minister zag er even netjes en schoon uit als anders. De linten die zijn functies aangaven waren niet gekreukt. Hij zag er niet uit als iemand die na een lange reis de hele nacht had doorgewerkt.

'Vertel Ping uw bevindingen, minister Ji. Ik heb nu dringender zaken te doen.'

De minister hield onwillig de rol uitgestrekt naar Ping. Ze kreeg een kleur ondanks de kou.

'Ping kan niet lezen,' zei de keizer.

Liu Che keek opnieuw naar een punt in de verte alsof de inhoud van het rapport van de minister hem niet in het minst interesseerde. De minister rolde de zijde uit en begon voor te lezen. Ping hield haar adem in.

'Op de eerste dag van de derde week van de op twee na laatste maand van het eerste jaar van de regering van keizer Wu, vertrokken wij van Ming Yang Lodge. We brachten de eerste nacht door in de vestingplaats Su-chang. Op de tweede dag...'

'Ik hoef de details niet te weten,' zei Ping ongeduldig.

Minister Ji keek haar boos aan en rolde zijn rapport weer op.

'Ik ben bij het sub-hoofd van het district Nanyang geweest,' zei hij. 'Zowel Xiu-xin en Lu-lin liggen in deze provincie. Het lijkt aannemelijk dat de families Yu en Huan op de een of andere manier met elkaar verbonden zijn. Misschien stammen ze allebei af van een oorspronkelijk zeer oude drakenhoedersfamilie die...'

'Hebt u de drakenhoedende families gevonden?' vroeg Ping.

Minister Ji keek de keizer aan alsof hij het beneden zijn waardigheid vond om tegen Ping te praten. De keizer merkte het niet.

'Het sub-hoofd vertelde me dat Xiu-xin een paar jaar geleden vernietigd is door overstromingen. Hij wist niet of er een familie Huan woonde,' ging de minister verder met een stem die een hele vijver kon laten bevriezen. 'Gelukkig was op dat moment de derde assistent sub-hoofd in de kamer. Hij werd geboren in Xiu-xin en hij herinnerde zich een familie Huan uit zijn jeugd.'

Pings hart begon sneller te kloppen, alsof ze net twee li had gerend zonder te stoppen.

'Maar hij zei dat meneer Huan stierf vóór de overstromingen en mevrouw Huan is toen met haar twee kinderen naar een andere stad verhuisd. Niemand heeft ooit meer iets van haar gehoord. Ze was heel arm en er werd verteld dat ze allemaal aan een ziekte gestorven zijn.'

Ping was teleurgesteld. 'En de familie Yu?' vroeg ze.

'Het sub-hoofd zei dat er een familie Yu woont in Lu-lin,' antwoordde de minister.

Pings hart begon weer sneller te kloppen.

'Meneer Yu kweekt tegenwoordig zijderupsen.'

'Heeft hij kinderen?' vroeg Ping.

'Het sub-hoofd vertelde dat hij veel dochters heeft.'

'Ik verwachtte niet dat er nog een vrouwelijke drakenhoeder zou zijn,' zei Ping glimlachend tegen de minister.

De minister glimlachte niet terug. 'Nee, ik begrijp dat we naar een echte drakenhoeder zoeken, deze keer,' zei hij scherp. 'Een man dus.'

De keizer wendde zich tot minister Ji.

'Had hij ook zoons?' vroeg hij. Hij had dus toch geluisterd.

'Ik geloof dat het sub-hoofd het inderdaad over een zoon had.'

'Was hij linkshandig?' vroeg Ping. 'Zag hij eruit als een mogelijke drakenhoeder?'

'Ik had niet de opdracht het sub-hoofd te ondervragen of met een ander lid van de familie te praten,' antwoordde de minister kortaf.

Ping keek de keizer aan. 'We moeten meer dingen te weten zien te komen over deze familie.'

'Na het feest, Ping.'

'Maar ik zou kunnen gaan en met de familie Yu praten. Als ik niet kan helpen met de voorbereidingen van het feest, kan ik dit doen.'

De minister deed zijn mond open om bezwaar te maken.

'Kai zou genieten van de reis.'

De keizer fronste zijn wenkbrauwen. 'Kai mag niet weg hier. Hij moet zijn rol repeteren voor het feest.'

'Het zou goed zijn als hij iets van het keizerrijk zag,' drong Ping aan. 'Hij moet alles leren over kruiden. Hij kan zijn vormveranderingen oefenen.'

'Hij moet gewend raken aan de trommels en de gongen zodat hij daar niet van schrikt tijdens het feest.'

'Als de familie Yu een zoon heeft, zoals minister Ji zegt, zal Kais reactie op hem heel belangrijk zijn.'

'Meen je dat?'

'Ja.' Ping voelde dat de keizer begon te aarzelen. 'Het staat in de boeken.' De leugen tuimelde met gemak uit haar mond. 'Een jonge draak herkent een mogelijke drakenhoeder.'

Dong Fang Suo kwam hijgend aanlopen. Hij blies wolken witte damp uit als een fluitketel. Hij deed een poging om te buigen, die niet verder ging dan een korte kniebuiging. Hij werd gevolgd door een administrateur die een stapel rollen droeg van geitenleer.

'De helderzienden wachten op uw antwoord, uwe

Keizerlijke Hoogheid. Ze willen vandaag een antwoord krijgen. En uw nieuwe gewaden moeten gepast worden.'

'En wat wil jij?' snauwde de keizer tegen de administrateur.

'Deze documenten moeten uw goedkeuring en uw zegel hebben voor ze naar Chang'an kunnen worden gestuurd, Keizerlijke Majesteit. En de bode uit Yan wacht al drie dagen op een audiëntie. Hij wordt langzamerhand heel boos.'

'Ik krijg hier toch geen seconde rust! Er is altijd wel iemand die iets van me moet!'

Dong Fang Suo deed opnieuw een poging tot een buiging. 'Denk aan wat de Raad voor een Lang Leven zei over rustig, oppervlakkig ademhalen.'

'Stilte!' De stem van de keizer klonk luid door de tuin. Hij stond op en iedereen viel op zijn knieën.

'Dong, jij gaat naar Lu-lin om te praten met de familie Yu.'

'Maar het festival begint al over drie weken,' klaagde de keizerlijke tovenaar. 'Als Dong Fang Suo het te druk heeft, kan ik gaan,' zei Ping vlug.

'Jullie kunnen allebei gaan! Neem Kai mee! Maar zorg dat hij op tijd terug is voor het feest. Misschien dat ik nu rust krijg!'

'De wil van uwe Keizerlijke Hoogheid is wet,' zei Dong Fang Suo.

De keizer beende het pad af waarbij hij de rollen uit de handen van de administrateur in een bloembed schopte.

Ping wist dat ze er spijt van moest hebben dat ze aan de frustratie van de keizer had bijgedragen. Ze had zich schuldig moeten voelen, omdat ze ook nog tegen de keizer gelogen had. Maar ze kon de glimlach die over haar gezicht omhoog kroop niet meer tegenhouden.

Die middag zocht Lady An in de tuinen naar Ping.

'Prinses Yangxin heeft gehoord dat je op reis gaat,' zei ze. 'Ze heeft me gevraagd je te helpen bij het uitkiezen van wat warmere kleren.'

'Maar deze lange jurk is warm genoeg.'

Ping keek langs het nieuwe gewaad dat ze aan had naar beneden.

'Deze jurk is alleen maar geschikt voor hier,' zei Lady An. 'Je hebt dikkere kleding nodig voor de reis. Ga je mee?'

Het was de eerste keer dat Ping tegen Lady An sprak sinds het incident met Hua in de vertrekken van de prinses. 'Hoe gaat het met prinses Yangxin?' vroeg ze.

'Met de prinses gaat het wel goed,' antwoordde Lady An. Haar stem klonk bezorgd en Ping had het gevoel dat door het woordje 'wel' ze eigenlijk 'niet zo' bedoelde.

Ze nam Ping mee naar een kleedkamer die klein was naar de maatstaven van Ming Yang Lodge, maar nog steeds groot genoeg om een familie van twaalf mensen in onder te brengen. Langs de muren stonden overal kisten en manden. Aan een van de muren hing een lange bronzen spiegel met een rand van geschilderde, gespikkelde panters. Aan de overkant van de kamer stond een zwart, gelakt scherm, versierd met draaiende rode patronen. Het scherm steunde op mooie gouden pootjes in de vorm van drakenkoppen. Lady An legde een aantal gewaden neer. De rijke kleuren en het borduursel glansden in de middagzon die door de getraliede ramen binnenviel.

'Ik wil niets geks aan, hoor,' zei Ping.

'Dit is het minst bijzondere,' zei Lady An.

Ze hield een jurk op en Ping voelde aan de stof.

'Maar deze jurk is nog dunner dan de jurk die ik aan heb.'

'De draad is dunner, maar de stof is strak geweven,' zei Lady An. 'Hij is veel warmer.'

De stof was donkerrood met een ruitvormig patroon erin geweven van groen. Om de hals en manchetten was de jurk afgezet met zijde in dezelfde tint groen als het ruitpatroon in de stof. Ping trok haar eigen jurk uit. Lady An keek geschrokken naar de schrammen en littekens op haar armen.

'Heeft iemand je geslagen?' vroeg ze.

Ping lachte. 'Nee. Dit zijn Kais krabbels.'

Ze draaide zich om, zodat Lady An het grotere litteken niet kon zien, dat ze had van het bloed aftappen voor Kai toen hij nog heel klein was.

Lady An liep naar een van de manden en kwam terug met een pot balsem.

'Dit verzacht de schrammen en geneest ze,' zei ze.

'Ze doen niet zo erg pijn,' verzekerde Ping haar, maar Lady An drong erop aan dat ze de balsem op haar bekrabbelde huid smeerde.

'Je hebt nog iets nodig om onder het gewaad te dragen als het koud is,' zei ze.

'Ik heb heel veel koude winters doorstaan in een jasje en een lange broek, allebei tot op de draad versleten,' zei Ping.

Lady An gaf haar een dikke, lange onderjurk die bestond uit twee lagen. Die lagen waren opgevuld met vloszijde: de vlokkige, verwarde zijde van de cocon die niet afgewikkeld kan worden.

Ping trok het gewaad met de onderjurk aan. Ze pasten

uitstekend.

Ze keek in de donkere hoeken van de kamer. Ze had op de een of andere manier het gevoel dat iemand naar haar stond te kijken.

Lady An gaf haar ook nog een geborduurd zijden buideltje, een paar zijden wanten en een mantel die ze kon aantrekken over het gewaad als het heel koud werd. Tenslotte kreeg Ping van haar een nieuw stuk purper lint.

'Voor aan je keizerlijke zegel,' zei ze.

Ping bond het lint met de zegel – kenmerk van de Keizerlijke Drakenhoeder - aan haar riem en keek naar haar gezicht in de spiegel. Alleen de ministers, de keizerlijke tovenaar en de helderzienden droegen zegels van de keizerlijke regering die hun functie aangaven. Het waren allemaal mannen. Hoewel Lady An de hoogste keizerlijke bediende was in Ming Yang Lodge, had ze geen zegel. Ping streek met haar handen over haar nieuwe, warme gewaad. Voorzover ze wist was zij de enige vrouw in het hele keizerrijk die een keizerlijk zegel droeg.

Lady An maakte een van de kleinere dozen open die gevuld waren met versierselen voor het haar en haalde er een zilveren kam uit. Uit een mand met allerlei flesjes pakte ze een flesje met zoetruikende olie. Ze kamde de olie door Pings haar, liet haar zien hoe ze haar haar op zijn plaats kon houden met de zilveren kam en gaf haar het flesje olie. Ping keek opnieuw in de bronzen spiegel. Ze herkende zichzelf nauwelijks.

'Wil je ook een paar sieraden?' vroeg Lady An, terwijl ze een kistje met kettingen en armbanden openmaakte.

Ping schudde haar hoofd.

'Ik zie er al zo voornaam uit,' zei ze. 'Moet ik er niet...

eenvoudiger uit zien als ik boerendorpen ga bezoeken?'

'Je vertegenwoordigt de keizer. Je moet correct gekleed zijn,' antwoordde Lady An glimlachend. 'En je hebt het simpelste gewaad in heel Ming Yang Lodge uitgekozen, Ping.'

Ping keek in de spiegel en hoopte dat ze de jurk schoon en glad kon houden en dat haar haar goed bleef zitten. Ze hoorde geen geluidje, maar ze kreeg opnieuw het gevoel dat er nog iemand in de kamer was. Ze draaide zich om en zag prinses Yangxin naast het scherm staan.

'Jij mag een poosje weg van Ming Yang Lodge,' zei de prinses. 'Ik ben jaloers op je, Ping.'

Ping boog.

'Misschien vindt de keizer het goed als u met me meegaat.'

'Nee, zeker niet. De hele familie schaamt zich voor me. Ik blijf hier, gevangen op Ming Yang Lodge.'

Ping keek op naar de prinses.

'Voorzichtig, Ping.'

De prinses draaide zich om en liep de kamer uit, waarbij haar gewaad het geluid maakte van ruisende zijde.

· Hoofdstuk 19 ·

Aan de andere kant van de muren

'Een meisje?' riep meneer Yu spottend. 'Hoe kan de keizerlijke drakenhoeder van het vrouwelijk geslacht zijn?'
'De Hemelse wegen zijn ondoorgrondelijk,' zei Dong Fang Suo.

Nu de dodenbezweerder gevangen zat, verheugde Ping zich erop een reis te gaan maken aan de andere kant van de muren rond de tuinen van de Purperen Draak. Ze was liever met Kai alleen gegaan, zodat ze langs stille landwegen konden wandelen en ze hem de namen van vogels kon leren en het gebruik van planten, maar de keizer wilde onder geen voorwaarde dat zijn draak, de laatste keizerlijke draak, onbeschermd over het platteland wandelde. Bovendien was het bitterkoud geworden.

De voorbereidingen voor de reis duurden niet zo lang. Twee dagen later waren Ping, Kai en Dong Fang Suo klaar om te vertrekken. Ze zouden overnachten in herbergen.

Daarom hoefde Ping geen kookspullen mee te nemen. Ze stopte haar spiegel, kam, haar potje balsem en haar flesje olie in haar nieuwe zijden buidelje bij een munt van goud en een paar koperen munten voor het geval ze onderweg iets wilde kopen. Ze stopte de schub van Danzi en een stuk van de drakensteen in een apart zakje in het buideltje, omdat ze deze souvenirs in geen geval wilde kwijtraken.

Bij het aanbreken van de dag stond een koets hen op te wachten. Het was geen oude kar met een paard ervoor, waarin ze hierheen was gekomen. Het was een mooie koets in het keizerlijke geel. Op de zijkanten waren de keizerlijke symbolen van een blauwe kraanvogel en een rode vleermuis geschilderd. Het rijtuig had een overkapping tegen de regen en luiken die dicht konden als het hard waaide. Binnenin waren banken met kussens en dekens.

Kai was opgewonden geweest over de reis tot hij de koets zag met het grote, bruine paard ervoor. Hij rende weg en verstopte zich in de stallen. Het duurde niet lang of Ping had hem gevonden. Ze zag zijn staart onder een berg stro uitsteken.

'Het is heel anders dan die tocht in die oude kar, Kai,' legde Ping uit terwijl ze probeerde hem in de koets te tillen.

Hij klemde zijn voorpoten om een van de wielspaken heen.

'Stomme kar.'

'We worden er niet in opgesloten. Je kunt uitstappen en rondrennen als je wilt,' zei Ping. 'En Flodderbroek heeft een speciale doos met eten ingepakt, helemaal alleen voor jou.'

'Flodderbroek mee?' vroeg Kai.

Hoewel de drakenverzorger de hele dag alleen maar

achter de kleine draak aanrende en aan zijn kleinste wensen tegemoet kwam, had hij geen verstand van spelletjes. Kai was niet zo dol op hem.

'Nee,' anwoordde Ping. 'Alleen jij en ik en Dikzak.'

'Oké,' zei Kai, terwijl hij het wiel losliet. 'Kai mee.'

De koetsier sloeg even met de teugels en de koets zette zich in beweging. Achter de koets reden vier keizerlijke bewakers op mooie, zwarte paarden. De keizer had een grotere groep bewakers willen meesturen om Kai te beschermen, maar Ping had hem ervan weten te overtuigen dat vier mannen genoeg waren. Ping glimlachte toen ze onder de zuidelijke poort doorreden. Ze was er trots op dat Liu Che haar mening zo belangrijk vond. Ze keek op naar de drie karakters die in goud op de poort geschilderd stonden. Ze kon ze nu lezen. Er stond Lang Leve de Keizer.

Met het paard in galop voor de koets reden ze in hoge snelheid door het Tijgerwoud. Ping had gehoopt dat ze misschien een glimp van tijgers zou zien, maar als de wilde dieren al in de buurt waren, zouden de donderende paardenhoeven ze al gewaarschuwd hebben. De enige dieren die Ping in de verte zag waren herten en vossen.

Toen Kai eenmaal in de gaten had hoe hard de koets reed en zag dat de luiken opengelaten konden worden, kreeg hij plezier in de tocht. Hij wilde zijn kop naar buiten steken, zodat hij de wind in zijn oren kon voelen. Hij klom over Ping en de keizerlijke tovenaar heen, zodat hij eerst aan de ene kant naar buiten kon kijken en toen aan de andere.

Dong Fang Suo vond de reis minder leuk dan Ping. Zijn glimlach was geforceerd.

'Is er iets mis?' vroeg Ping.

Hij gaf niet meteen antwoord. 'De keizer is niet helemaal

gelukkig met de inspanningen van de Raad voor een Lang Leven,' zei hij. 'Hij begrijpt niet dat ik niet graag de levens riskeer van zijn onderdanen door hen naar een onbekend land te sturen of de zee over. Hij vindt dat we hem meer schema's en advies hadden moeten geven om zijn leven te verlengen.'

'Jij doet je best, Dong Fang Suo,' antwoordde Ping.

'Dat is niet genoeg,' mompelde de tovenaar.

Ping vond het vervelend voor de keizerlijke tovenaar, maar ze was zijn zorgen vrij snel vergeten. Haar opwinding groeide. Hoewel ze het veranderende landschap spannend vond en graag wilde weten waar de volgende drakenhoeder vandaan kwam, had ze het gevoel of haar buik vol vlinders zat: ze ging op zoek naar haar familie!

Ze reden door het hek in de muur rond het Tijgerwoud, langs velden en door dorpen. Ping had de draak naar binnen getrokken. Hij zat naast haar met een oor naar achteren geklapt en maakte lage, treurige geluiden.

'Ping niet lief,' zei hij.

'Idee van Lu-lu, Kai,' legde ze uit. 'Hij wil niet dat iemand je ziet.'

Ping gehoorzaamde graag aan Liu Che's wensen. Ze kon zich voorstellen hoe opgewonden de mensen zouden raken als ze Kai zagen, door welk dorp ze ook kwamen.

Ping pakte Kais nieuwste bal op. Zijn satijnen bal had niet lang geleefd. De kleine draak had hem aan stukken gescheurd. Een van zijn verzorgers had voor hem een bal gemaakt van gedraaid hennepvezel. Die bleek evenmin te bevallen, omdat bedienden voortdurend struikelden over stukken gerafeld henneptouw. Uiteindelijk had iemand een stevige bal gemaakt van geitenleer, gevuld met notendoppen. En die had het tot nu toe overleefd.

Ze gooide de bal naar de kleine draak en hij ving hem vakkundig op in zijn bek. Toen gooide hij hem met een ruk van zijn kop terug. Er was niet veel ruimte in de koets, maar het hield hem wel een uur bezig.

Het had veel overtuigingskracht gekost voordat Dong Fang Suo het goed vond dat ze ook de rat meenam. Hua lag heerlijk te slapen tussen de dekens en kussens. Ping was blij dat hij niet de hele tijd in een kooi hoefde te zitten. En daarom was hij weer blij met haar.

Verhalen vertellen was ook iets waar Kai dol op was. Ping sprak de woorden hardop uit. Hij begreep gesproken woorden veel beter nu, en ze hoefde alleen maar af en toe te stoppen om een paar onbekende woorden met haar gedachten aan hem uit te leggen. Ping vertelde hem de verhalen die Lao Ma haar had verteld toen ze werkten in het Huangling Paleis. Kai was dol op het verhaaltje van de draak die de rivierbeddingen met zijn lange staart opnieuw aangaf, toen keizer Yu de Grote Overstroming had laten stoppen. Hij vond ook het verhaal van de ondeugende prinses leuk die een kikker werd, en gevangen werd gezet op de maan. Hij had die verhaaltjes al heel vaak gehoord, maar hij vond ze nog steeds leuk. Ze vroeg Dong Fang Suo of hij nog een verhaaltje wist. De tovenaar vertelde een lang, saai verhaal over een soldaat van de keizer die al zijn geld verloor met gokken.

'Pings verhalen leuk,' zei Kai. 'Verhalen van Dikzak niet.'

Ping was heel vaak blij dat zij de enige was die de draak kon verstaan.

Het dorp Lu-lin, waar de familie Yu woonde, was meer

dan vijfmaal-honderd li weg. Het klonk als zo'n lange reis dat Ping nauwelijks kon geloven dat ze erheen gingen en binnen een paar weken weer terug zouden zijn. Omdat ze op een keizerlijke reis waren, mochten ze over het middelste gedeelte van de keizerlijke weg rijden. Die was met platte stenen geplaveid. De tocht verliep snel en gemakkelijk.

Na de derde dag begon Ping te denken dat het beter was geweest als Liu Che het niet goed had gevonden dat ze Kai meenam. Hij verveelde zich en was onrustig. Hua deed zijn best om het draakje te helpen amuseren. Ze speelden het spelletje Waar is de Rat? Ping had het bedacht. Hua was een meester in het vinden van schuilplaatsen in de besloten ruimte van de koets. Hij verstopte zich achter kussens, onder de zoom van Pings jurk en bovenop de hoed van de slapende keizerlijke tovenaar.

Wanneer ze stopten om te eten of te overnachten in een herberg, moest Kai van vorm veranderen. Hij kon nooit goed besluiten welke vorm hij wilde aannemen. Hij begon vaak als een kom of een emmer, maar dan kreeg hij iets nieuws in het oog en veranderde zich daarin. Gelukkig was het meestal donker tegen de tijd dat ze voor de nacht stopten en de vermoeide herbergiers merkten niet dat Ping aankwam met een pot en weer vertrok met een pompoen.

Ze brachten de zevende nacht door in een herberg in de stad Mang. Ping kon niet goed slapen. Hoe dichter ze bij het dorp Lu-lin kwamen, des te spannender ze het vond. Ze zou misschien de volgende dag haar familie zien. Ze probeerde er zo min mogelijk aan te denken. Maar ze kon niet voorkomen dat ze zich voorstelde hoe het zou zijn om haar ouders te ontmoeten. Zolang ze reisden had ze het klaargespeeld deze gedachten naar de achtergrond te verdringen, maar nu borrelde het in haar binnenste zo onrustig als water dat staat te koken op een vuurtje. Haar gevoelens over haar familie wisselden voortdurend. Het ene moment begreep ze hoe wanhopig ze geweest moesten zijn dat ze haar hadden verkocht. Het volgende moment was ze woedend, omdat ze zo weinig om haar hadden gegeven. Ze vroeg zich af of haar moeder nog steeds aan haar dacht. Had ze broers en zusjes? Wisten zij dat ze zich voor hen had opgeofferd? Of had niemand hun van haar bestaan verteld?

Lu-lin was een verwaarloosd dorpje, omgeven door boomgaarden vol moerbeibomen. Dong Fang Suo legde Ping uit dat moerbeibomen niet alleen in trek waren om hun zoete vruchten, maar ook om hun bladeren, het enige voedsel dat zijderupsen aten. Ze knikte maar ze wist het al. De bladeren waren al lang van de bomen gevallen. De takken waren kaal en bruin en er stond een gure wind. Ping was blij met de mantel die Lady An haar had gegeven.

Toen ze vlakbij Lu-Lin waren, stoof een roedel magere honden op de koets af. Ze blaften woedend en omsingelden het voertuig. De huizen waren vervallen.

De weinige varkens die ze zagen waren even mager als de honden en zo was het ook met de kippen.

'Ik dacht dat het kweken van zijderupsen heel winstgevend was,' zei Ping.

'Dat is ook meestal zo,' zei Dong Fang Suo, terwijl hij met de hulp van een bewaker uit de koets stapte. 'Vogels!' zei Kai. Met zijn lange, rode tong likte hij langs zijn lippen.

'Laat de kippen met rust, Kai! Ze zijn van deze arme mensen. Wij eten straks.'

Ping keek naar de kinderen die op de groentevelden

werkten en zorgden voor de waterbuffels. De kinderen hadden allemaal een snotneus en hongerige ogen. Zou dat haar leven zijn geweest als ze niet verkocht was aan Meester Lan, dacht Ping.

'Je moet nu even van vorm veranderen, Kai,' zei ze.

Kai dacht even na. Ping keek een andere kant uit en toen ze haar hoofd terugdraaide zat er een kip naast haar. Hij was veel dikker dan de kippen die in de modder rondscharrelden. Ze was bang dat de hongerige inwoners zouden proberen de kip te stelen.

'Nee, Kai,' zei ze zachtjes. 'Je moet je niet veranderen in iets wat mensen kunnen opeten!'

De lucht trilde even en de kip veranderde in een kruik.

De komst van een keizerlijke koets, vergezeld van vier bewakers veroorzaakte opschudding, zoals overal waar ze waren gestopt. De dorpsoudste verwelkomde hen, boog en bedankte hen ervoor dat ze hen eerden met een bezoek. Kinderen liepen weg van de taak die hun opgedragen was en stonden te staren naar de bezoekers. Vrouwen liepen hun huis uit om te zien waar al die drukte om was. Ze moesten een hand boven hun ogen houden om zich tegen de late zonnestralen te beschermen.

De dorpsoudste nodigde hen uit in zijn tuin en bracht wijn voor de vermoeide reizigers. Ze zaten ongetwijfeld buiten, omdat de man zich schaamde voor zijn nederige onderkomen. Ping had tegen Kai gezegd dat hij in de koets moest blijven in zijn kruikvorm. Ze hoopte dat Dong Fang Suo dit bezoek vlug zou afwerken. Ze wist dat de draak gauw genoeg zou krijgen van het stilzitten. De keizerlijke tovenaar huiverde, trok zijn jas dichter om zich heen en nam de wijn aan die hem aangeboden werd. Hij vroeg beleefd naar de zijdeoogst.

'De Hemel heeft ons niet gezegend,' zei de dorpsoudste. 'Onze oogst is al drie jaar achter elkaar slecht. Onze bomen zijn ziek. De bladeren worden geel en er komen bruine vlekken op. De zijderupsen lusten ze niet.'

'Wat erg dat u zo'n pech heeft,' antwoordde Dong Fang Suo.

Ping wriemelde ongeduldig aan de manchet van haar jas terwijl de dorpsoudste de keizerlijke tovenaar alle remedies tegen zieke moerbijbomen vertelde die ze hadden geprobeerd. Het duurde meer dan een uur voor Dong naar de familie Yu kon informeren.

'Ja, ze wonen hier,' zei de dorpsoudste, 'al generaties lang.'

Ping hoorde alleen maar het bonken van haar hart. Dit was het moment waarop ze al wachtte sinds ze waren vertrokken uit de Tuinen van de Purperen Draak.

De dorpsoudste nam hen mee naar een heel bouwvallig huis. Voordat Dong Fang Suo de kans kreeg aan te kloppen werd de deur opengegooid. Een man en een vrouw stonden in de deuropening. Ze waren mager en te oordelen naar hun versleten kleren, straatarm, maar ze glimlachten allebei.

'Welkom, welkom!' Ze praatten alsof ze oude vrienden begroetten, maar ze bleven in de deuropening staan, zodat het onmogelijk was het huis binnen te lopen. 'We hebben zo lang op dit moment gewacht.'

Ze letten niet op Ping. Hun glimlachen waren alleen voor Dong Fang Suo bestemd. Ping begreep hun opwinding niet.

Meneer Yu was een kleine man die ooit misschien zo dik

was geweest als Dong. Maar het vet was verdwenen en de huid op zijn gezicht hing in zakken, die ooit vol vet hadden gezeten, maar nu helemaal leeg waren. Mevrouw Yu was groter, maar ze had een gebogen rug, waardoor ze even groot was als haar man. Drie kleine kinderen, allemaal meisjes, verstopten zich achter de jurk van hun moeder. Ping staarde naar meneer en mevrouw Yu, zoekend naar gelijkenis – in hun ogen, in hun glimlach, in hun manier van bewegen.

Dong Fang Suo toverde tussen de plooien van zijn gewaad drie snoepjes uit. De ogen van de meisjes lichtten op, maar ze namen de dropjes niet aan.

'Mogen uw dochters een snoepje?' vroeg Dong Fang Suo.

Mevrouw Yu duwde de meisjes naar voren. Ze pakten de snoepjes, aten ze hongerig op en werden toen weggestuurd om de kippen te voeren. Dong Fang Suo probeerde het huis binnen te komen.

'Mijn huis is te nederig voor zulke eerbiedwaardige gasten,' zei meneer Yu. Hij stond glimlachend en buigend in de deuropening.

'Een nederig onderkomen is een paleisje in de ogen van de Hemel,' zei Dong Fang Suo, terwijl hij zich min of meer langs zijn gastheer wrong. De keizerlijke tovenaar moest en zou beschutting vinden tegen de gure wind.

Vier oudere meisjes waren aan het werk in het huis. Ze stonden gebogen over een grote bak dampend water. In het schemerige licht kon Ping niet zien wat ze aan het doen waren. Ze stonden op, bogen en wilden weggaan.

'Toe, we willen jullie niet storen,' zei Dong Fang Suo.

De meisjes keken naar hun ouders en gingen weer aan het werk. Ping staarde hen aan. Waren deze meisjes haar oudere zusjes?

Mevrouw Yu zei geen woord. Ze bleef maar glimlachen, glimlachen. Ping kon niet begrijpen hoe zulke arme mensen zo gelukkig konden zijn.

Het huis was inderdaad heel nederig. Het bestond uit een enkele kamer met een vloer van aangestampte aarde. Er waren geen meubels, alleen een oud matras en een kachel die niet brandde. De wind zocht zijn weg door gaten in de muren. De grijze hemel was door het dak zichtbaar. De dekens zagen er oud en versleten uit. Ping was gewend geraakt aan het comfort en de luxe van Ming Yang Lodge. Zelfs de hut van de herder op de Tai Shan was luxueus te noemen vergeleken bij het huis van de familie Yu. Meneer Yu vroeg hen te gaan zitten op de grond op een versleten en stinkende vacht van een waterbuffel. Ze kregen nog meer wijn. De wijn van de familie was gemaakt van een tamelijk zure gierst die niet goed afgegoten was.

'U hebt mooie dochters,' zei Dong Fang Suo.

'Ja,' zei meneer Yu, terwijl hij met een handgebaar zijn zeven dochters wegwuifde. 'Dat is mijn ongeluk.'

'Ze zullen vast hun moeder goed helpen,' zei de keizerlijke tovenaar beleefd.

'Ze werken wel hard, denk ik, maar jammer genoeg is maar een van hen verloofd.'

Nu haar ogen aan het schemerlicht gewend waren, zag Ping waar de meisjes mee bezig waren. Elk meisje had een berg witte balletjes in haar schoot. Dat waren cocons van zijderupsen. Een klein houtskoolvuurtje onder de grote kom hield het water warm. In feite zag het eruit dat het bijna ging koken. De meisjes doopten de balletjes in het hete water en draaiden ze dan om en om tot ze het einde van de zijden draad vonden. Ze haalden de draad uit de war en wonden hem om klossen. Ping keek verbaasd. De cocon van een zijderups bestond eigenlijk uit één lange, lange draad. Elke draad moest meer dan een li lang zijn geweest. De vingers van de meisjes waren wit en gerimpeld omdat ze steeds hun handen in het warme water doopten.

Ping vroeg zich af of de familie Yu nog een dochter had – een dochter die ze hadden moeten verkopen, omdat ze al zoveel meisjes hadden.

'Maar de hemel heeft ons gezegend,' zei meneer Yu trots. 'We hebben een zoon.'

Een jongen stapte uit de schaduw naar voren. Ping dacht dat hij ongeveer twee jaar jonger was dan zij. Hij was broodmager.

'Hier is hij,' zei meneer Yu, wijzend naar de jongen alsof hij een prijsdier was of een zeldzaam sieraad.

In feite zag de jongen er zo doodgewoon uit dat Ping zeker wist dat ze hem tussen een groep van tweemaal-tien jongens van dezelfde leeftijd niet zou herkennen. Op één uitzondering na: zijn haar was heel kort geknipt, te kort om er een vlecht van te maken of er een knot van te maken. Het hing langs zijn oren naar beneden en viel in een pony over zijn voorhoofd. Hij stond met gebogen hoofd en wriemelde aan de lap stof die hij als riem om zijn gerafeld jak droeg.

Mevrouw Yu keek stralend naar de jongen en stak haar hand naar hem uit, zodat hij die vast kon pakken. Haar vingers waren stijf en benig als de klauwen van een vogel. Ze waren even rimpelig als die van haar dochters, maar op plekken was de huid aan het vervellen en liet rauwe, rode vlekken zie. Dat kwam ongetwijfeld omdat ze jarenlang elke dag met haar handen in heet water bezig was. Mevrouw Yu kon haar mond niet meer houden.

'We hebben gegist naar de reden van uw komst,' zei ze blij. 'U komt voor Jun!'

Ze glimlachte trots tegen haar zoon, terwijl meneer Yu nog eens wijn inschonk. In zijn opwinding morste hij iets op de jas van Dong Fang Suo. Hij schonk ook een beker voor de jongen in en gaf die aan hem. De jongen nam de beker aan met zijn linkerhand. Mevrouw Yu keek naar de keizerlijke tovenaar. Ze wilde zeker weten dat hij het had opgemerkt. Het was vreemd om te zien dat ouders het zo leuk vonden dat hun kind linkshandig was. Meester Lan had tegen Ping gezegd dat linkshandig zijn een vloek was en dat ze hem daardoor alleen maar ongeluk bracht.

'Wist u dat leden van uw familie in dienst van de keizer zijn geweest?' vroeg Dong Fang Suo.

'Ja natuurlijk,' antwoordde meneer Yu. 'Mijn grootvader werkte aan het hof zo'n dertig jaar geleden. Hij hoorde thuis in een lange rij van Yu mannen die dezelfde functie hebben gehad. Hij stierf onverwacht tijdens zijn werk. Ik was nog maar een kleine jongen, maar ik weet nog goed dat een minister van de keizer ons kwam vertellen dat mijn grootvader een ongeluk had gehad. Hij bekeek mijn vader en mij om te zien of we de juiste eigenschappen hadden. Die hadden we geen van tweeën. Sindsdien leven we in armoede.'

'Maar Jun heeft de eigenschappen wel,' ging mevrouw Yu verder. 'Hij gebruikt altijd zijn linkerhand voor alles en hij kan dingen voorspellen.'

Dong Fang Suo ging rechtop zitten. 'Is hij helderziend?'

Ping keek aandachtig naar het gezicht van de jongen.

Ze had aangenomen dat ze een andere drakenhoeder direct zou herkennen, als ze hem zou tegenkomen. Ze had verwacht dat haar helderziendheid al haar twijfels weg zou nemen, maar ze voelde geen enkele band met de jongen.

'Ja,' zei mevrouw Yu trots. 'Hij weet wanneer er onweer op komst is. En hij weet of een ongeboren baby een jongetje of een meisje is.'

Dong Fang Suo keek met belangstelling naar de jongen. 'Ik heb nooit gehoord dat een drakenhoeder helderziend is, voor ze in contact komen met een draak. Jij wel, Ping?'

Ping kreeg geen kans iets te zeggen.

'Zo wisten we ook dat u kwam om hem de positie van keizerlijke drakenhoeder aan te bieden!' riep meneer Yu.

'Ik ben bang dat we niet zijn gekomen om hem die baan aan te bieden,' zei de keizerlijke tovenaar, 'want van een keizerlijke drakenhoeder zijn we aan het hof al voorzien.'

Het geluk van meneer en mevrouw Yu smolt als ijs in warm water.

'Ping is de keizerlijke drakenhoeder,' zei Dong Fang Suo.

Het stel keek voor het eerst naar Ping.

'Een meisje?' riep meneer Yu spottend. 'Hoe kan de keizerlijke drakenhoeder van het vrouwelijk geslacht zijn?'

'De Hemelse wegen zijn ondoorgrondelijk,' zei Dong Fang Suo.

'Maar voor ons hangt er alles van af,' zei mevrouw Yu. 'We hebben de dorpsoudste een heleboel geld betaald om Jun te leren lezen en schrijven. Daardoor kon hij zijn werk in de kwekerij ook niet doen.'

'Wij verheugden ons er op dat hij een keizerlijk loon zou krijgen,' zei meneer Yu. 'Mijn grootvader verdiende zes zakken graan en vijf rollen Chinese munten per jaar.'

Meneer Yu klonk alsof dit een fortuin was, maar het was niet zoveel geld. De gouden munt in Pings buideltje was meer waard dan de Chinese munten bij elkaar

'Wilt u er alstublieft nog eens over nadenken? De keizer heeft vast liever een mannelijke drakenhoeder,' pleitte mevrouw Yu.

'Als we een paar jaar dit loon krijgen zijn we gered,' ging meneer Yu door. 'Het zou niet belangrijk zijn dat we geen bruidsschatten hebben voor onze andere dochters. Het zou er niet meer toe doen als de bladeren van de moerbeiboom verdroogden en stierven.'

Ping wilde een vraag stellen die brandde op haar tong. Ze kon niet meer wachten. Dong Fang So deed zijn mond open om iets te zeggen, maar Ping was hem voor.

'Hebt u dit eerder gezien?' vroeg ze, terwijl ze het bamboe vierkantje dat om haar hals hing voor de dag trok. Meneer Yu hield het karakter ondersteboven, terwijl hij ernaar keek. Ping wist dat het niets voor hem betekende.

Hij schudde zijn hoofd. Ik heb het nooit eerder gezien.'

Dat was geen verrassing voor Ping. Vanaf het moment dat ze meneer en mevrouw Yu voor het eerst zag, had ze diep in haar binnenste geweten dat ze niet haar ouders waren. Ze had ook het vage gevoel dat er iets was dat meneer en mevrouw Yu niet wilden vertellen. Maar dat gevoel werd verdrongen door haar verdriet. Ze had haar familie niet gevonden.

'Toch willen we graag dat Jun het vak leert,' zei Dong Fang Suo met een snelle blik naar Ping, 'voor het geval de functie vrij komt. U zult de afwezigheid van uw zoon vergoed krijgen.'

De keizerlijke tovenaar trok een gouden munt uit zijn

buidel en gaf die aan meneer Yu. De gezichten van het echtpaar klaarden op.

'Jun gaat met ons mee naar Ming Yang Lodge en...'

Een schreeuw ergens buiten onderbrak de keizerlijke tovenaar. Ping wist dat Kai de oorzaak van het lawaai zou zijn. Hij had te lang alleen in de koets gezeten.

Er werd nog eens geschreeuwd. Ping dacht dat het lawaai uit een bouwvallig schuurtje kwam, achter het huis van de familie Yu. Zoals ze verwacht had was Kai daar, maar niet meer in de vorm van een kan. De drie jongere dochters Yu staarden naar het purperen draakje. Het kleinste meisje gilde oorverdovend. Kai had een paar kleine terracotta potten van een plank gestoten.

'Rupsen,' zei hij, hoewel de anderen alleen maar het geluid van een vrolijk gefloten melodietje hoorden. 'Kai ruikt rupsen.'

'Niets aan de hand,' stelde Ping de familie Yu gerust. 'Hij doet jullie niets.' Ze gaf het schreeuwende meisje klopjes op haar rug, in een poging haar te troosten.

'Het spijt me dat hij de potten gebroken heeft.'

Ze raapte wat van de aardewerken scherven op. Kai scharrelde snuffelend door de rondgestrooide inhoud van de potten – honderden kleine zwarte balletjes.

'Kai, niet doen!' zei Ping.

Ze tilde hem op. Een paar van de kleine ballen zaten vastgeplakt op zijn natte, roze neus.

'Ik ben bang dat hij jullie papaverzaadjes heeft verknoeid,' zei ze, terwijl ze de balletjes van zijn neus veegde.

'Ik geloof niet dat het papaverzaadjes zijn, Ping,' merkte Dong Fang Suo op. 'Ik vermoed dat het eitjes van de zijderups zijn die bewaard worden voor de oogst van het volgend seizoen.'

'O,' zei Ping terwijl ze probeerde de kleine eitjes bij elkaar te vegen. Uit elk eitje zou een zijderups tevoorschijn komen die een lange zijden draad zou spinnen om zijn cocon te vormen. Ze waren kostbaar. 'Het spijt me heel erg.'

Het kleine meisje hield eindelijk op met schreeuwen en koos voor een snotterende huilbui.

Dong Fang Suo gaf meneer Yu nog een gouden munt.

Kai wrong zich in bochten in Pings armen. Hij stak zijn klauwen in haar huid. Ze liet hem los met een kreet van pijn. Jun was binnengekomen. Kai dribbelde naar hem toe, terwijl hij hoge en blije fluitgeluiden maakte. De jongen staarde naar Kai, maar hij was niet bang voor hem. Hij stak een hand uit en raakte de kop van de kleine draak aan.

Meneer en mevrouw Yu straalden van plezier. Ping probeerde ook te glimlachen.

'Het lijkt erop dat we nog een kandidaat hebben gevonden voor de functie van drakenhoeder,' zei Dong Fang Suo. 'Onze reis heeft succes gehad.'

'Jongen lief,' zei het draakje.

Pings halve glimlach verdorde als een blad in de herfst. Ze kreeg een gevoel dat ze nooit eerder had gehad. Het duurde even voor ze het een naam kon geven. Het was jaloezie.

• Hoofdstuk 20 •

Het ravijn van de kronkelende slang

Ze keek speurend langs de rotsen,
maar er was geen richel breed genoeg voor iemand
die zich hier ergens zou willen verschuilen.

Nog voor de ochtendschemering begon, werd het paard voor de koets gespannen. Dong Fang Suo wilde zo snel mogelijk terugkeren naar Ming Yang Lodge. Er waren nog veel dingen te regelen voor het feest. Hij had slecht geslapen, hoewel de dorpsoudste erop gestaan had dat zo'n belangrijke gast als de keizerlijke tovenaar, in zijn bed zou slapen. Twee bewakers waren de avond ervoor teruggestuurd om de boodschap van het succes naar de keizer te gaan brengen. Als de keizerlijke tovenaar al was opgevallen dat Ping een slecht humeur had, liet hij daar niets van merken.

Ondanks het vroege uur verdrongen de inwoners van Lu-lin elkaar bij de stadspoort om vooral niets te missen. Angstige kinderen hielden zich vast aan de kleren van hun ouders of huilden, omdat ze opgetild wilden worden. Ze wilden allemaal een glimp opvangen van het verbazingwekkende wezentje dat plotseling in hun dorp was opgedoken.

Kai wist dat alle aandacht voor hem was en blies brommend wolken mist uit.

Jun gaf zijn moeder en zusjes een kus ten afscheid en klom in de koets. Meneer Yu gaf zijn zoon een versleten zijden rol.

'Je moet doorgaan met je studie, Jun,' zei hij. 'We zullen bidden dat je succes mag hebben.' Hij keek even onvriendelijk in Pings richting. 'Het is je geboorterecht.'

De jongen knikte.

Hij zwaaide naar zijn familie, terwijl de koets wegreed. Hij stak zijn hoofd naar buiten en zag zijn ouders en zusjes steeds kleiner worden tot het kleine, straatarme dorp Lu-lin helemaal uit het zicht verdwenen was.

De koets was er niet op gebouwd om drie mensen en een onrustige draak te vervoeren. Dong Fang So nam meer ruimte in dan Ping en de jongen samen. Kai begon zich algauw te vervelen. Ping had het opgegeven de draak te verbieden met zijn kop uit de koets te hangen, tenzij ze door een dichtbevolkt gebied reden. Hij klauterde over hen heen, trapte op de bamboe boekenrol van de jongen en op de buik van de keizerlijke tovenaar.

De lucht was bewolkt en Dong Fang Suo voorspelde sneeuw.

'Ik denk dat je heel veel te vragen hebt,' zei hij met een brede glimlach tegen de jongen, 'over het hele doen en laten van draken.'

Jun schudde zijn hoofd en probeerde zich te verschuilen achter zijn pony.

'Over de keizer en het keizerlijke paleis?' vroeg de keizerlijke tovenaar, terwijl zijn glimlach begon te verdwijnen.

De jongen schudde opnieuw zijn hoofd en staarde naar zijn boekenrol. Om de paar minuten slaakte hij een diepe zucht. Hij leek niet zo blij met de verandering als zijn ouders. Ping zag dat hij met zijn mouw langs zijn ogen veegde. Hij miste zijn ouders en zusjes, al waren ze arm. Hij heeft het geluk dat hij nog een familie heeft die hij mist, dacht Ping bitter.

Een half uur later probeerde de tovenaar opnieuw de jongen in een gesprek te betrekken, maar Juns hoofd was gebogen en hij reageerde niet.

Kai hing uit de koets en probeerde bladeren te vangen die van de bomen vielen. Ping hield hem vast aan zijn staart, voor het geval hij zich te ver naar buiten zou buigen.

Terwijl ze keek naar de natte, lege velden waar de koets langs reed, had Ping genoeg tijd om na te denken. Ze wist nu dat meneer en mevrouw Yu haar ouders niet waren. Als zij een echte drakenhoeder was, zou het alleen maar kunnen betekenen dat de familie Huan de hare was. Maar minister Ji had verteld dat die mensen allemaal dood waren. Ze zou haar familie nooit meer vinden.

Kai daagde Jun uit voor een spelletje. Hij was voortdurend in de buurt van de jongen gebleven vanaf het moment dat hij hem voor het eerst had gezien. Hij had erop aangedrongen te mogen slapen op het voeteneinde van het bed van de jongen – hoewel dat bed niet méér was dan een stapel stro in de schuur.

De jongen slaakte een verbaasde kreet. Ping keek om, denkend dat Kai hem misschien gebeten had. Maar het was Hua die Juns paniek had veroorzaakt. De rat kroop onder een kussen uit.

Dong Fang Suo grinnikte. 'Dat is Pings rat,' zei hij. 'Jij hebt vast geen enge huisdieren, of wel? Geen slangen of spinnen onder je kleren?'

Ping aaide Hua. Ze had niet beseft dat de keizerlijke tovenaar hem niet mocht.

Ze keek naar de boekenrol die Jun bestudeerde. Hij was bedekt met karakters – honderden karakters. Ping herkende er maar een paar. Hij kon blijkbaar veel beter lezen dan zij.

Dong Fang Suo gaf haar een teken, waarbij hij met één van zijn rupsachtige wenkbrauwen opgetrokken, met zijn hoofd in Juns richting knikte. Hij wilde dat ze met de jongen praatte. Ping had geen zin in zo'n conversatie. Ze wilde hem niet op zijn gemak stellen. Ze wenste dat ze hem nooit had ontmoet. Ze had zich voorgesteld een hulpje te vinden, iemand die haar kon vervangen als ze ziek was, iemand die ervoor zou zorgen dat een van zijn toekomstige kinderen drakenhoeder werd. Ze had niet verwacht een rivaal te vinden.

Dong Fang Suo begon aan te dringen. Hij schopte haar tegen haar scheenbeen. Ping kon niets bedenken waarover ze met Jun kon praten. Ze keek uit het raam om inspiratie op te doen. Ze kwamen langs een dorp dat door akkers werd omgeven. Boeren waren op de akkers aan het werk. Ze zag kinderen, jongens en meisjes met kort haar zoals Jun had. Een paar waren helemaal kaal.

'Waarom is het haar van de kinderen in dit deel van het land zo kort?' vroeg ze de jongen. 'Is dat gebruikelijk hier?'

De jongen kreeg een kleur.

Dong Fang Suo schraapte zijn keel. 'Ik denk dat je zult merken, Ping,' zei hij nerveus grinnikend, 'dat de kinderen hun haar zo kort hebben, omdat ze allemaal last hebben van hoofdluis. De kinderen met hun haar nog kort zijn alleen maar bezig het weer te laten groeien.'

'O,' zei Ping. 'Toen ik op Huangling was had ik ook last van luis, maar ik moest van meester Lan een of andere stinkende zalf in mijn haar smeren.'

Dong Fang Suo keek Ping boos aan. 'Maar dat kunnen de meeste boeren niet betalen.'

Ping had een verschrikkelijke hekel gehad aan de bijtende zalf. Ze had niet beseft dat het een luxe was.

Ping deed geen andere pogingen met Jun te praten. Ze zag hoe de vingers van de jongen vlug langs de kolommen karakters op zijn rol vlogen. Ze was blij dat ze het stuk kalfsleer vergeten was, waar ze de paar karakters die ze had geleerd op had geschreven. Hoewel ze genoeg vrije tijd had om te studeren, had Ping het moeilijk gevonden om te leren lezen. Deze jongen had leren lezen tussen zijn taken in de moerbeiboomgaarden door.

Kai was blij dat Jun met hen meereisde.

'Jongen, doe je mee,' zei hij, terwijl hij zijn bal op Juns rol gooide en met zijn neus een por gaf tegen zijn arm.

Jun probeerde het te negeren, maar uiteindelijk gaf hij toe. Hij gooide de bal naar de draak, steeds weer opnieuw. Kai gooide hem enthousiast terug. De jongen had veel meer geduld voor spelletjes dan Ping, maar uiteindelijk kreeg hij er ook genoeg van.

'Genoeg voor nu Kai,' zei de tovenaar. 'Laat Jun even met rust.'

De stekels op de rug van de kleine draak hingen slap. Hij maakte lage, ongelukkige geluidjes.

'Later?'

Jun gaf de draak een klapje op zijn kop. 'Ik speel straks weer met je.'

Ping staarde de jongen aan. 'Kon je verstaan wat Kai zei?'

Jun knikte en verborg zijn hoofd in zijn boek.

Ping was geschokt. Ze had wel een half jaar voor Kai gezorgd voor ze zijn geluiden kon begrijpen. Jun was nog geen hele dag in zijn buurt geweest. Ze kreeg een steeds grotere hekel aan de jongen.

'De keizer zal heel blij zijn dat we je hebben gevonden,' zei Dong Fang Suo. 'Als je de proeven haalt, krijg je een korte training.'

Ping vroeg zich af welke proeven en wat voor training de tovenaar in zijn hoofd had. Zij had nooit proeven hoeven doen en de enig training die ze had gekregen was van Danzi.

'Ik ga met je spelen, Kai,' zei Ping, terwijl ze haar hand uitstak naar de bal.

Kai griste de bal weg en gooide hem in Juns schoot.

'Nee,' zei hij beslist. 'Kai speelt met jongen... straks.'

Pings jaloezie etterde als een zwerende vinger.

De volgende dag zat Jun nog steeds gebogen over zijn rol.

'Wat staat er geschreven op je rol?' vroeg Dong Fang Suo.

Jun hield de rol omhoog zodat de keizerlijke tovenaar hem kon zien.

'Het zijn alle karakters die ik heb geleerd,' antwoordde de jongen. 'Verzameld in kleine versjes en verhaaltjes, zodat ik ze beter kan onthouden.' Het was de eerte keer dat hij meer dan vijf woorden achter elkaar zei.

'Goed dat je zoveel karakters kent.'

'Onze dorpsoudste werkte voor de regering toen hij jonger was. Hij heeft me leren lezen en schrijven.'

'Ping leert lezen, maar ze kent maar half zo veel karakters.'

Ping staarde naar buiten. Ze hoefde niet herinnerd te worden aan haar onwetendheid.

Tegen het einde van de tweede dag waagde Jun het eindelijk een vraag te stellen.

'Zijn er nog meer draken op de wereld, meneer?' vroeg hij aan de tovenaar.

Dong Fang Suo scheen blij met deze vraag.

'Af en toe krijgen we het bericht dat er draken zijn gezien aan de grenzen van het keizerrijk, ver van menselijke nederzettingen,' antwoordde hij enthousiast. 'Het zijn misschien verhaaltjes geweest van reizigers om indruk te maken op hun toehoorders, maar ik denk dat er meer draken zijn... ergens.'

'Wilde draken?'

'Dat denk ik. Ze leven in het wild, maar waar weet ik niet.' Dong Fang Suo glimlachte tegen de jongen. 'Ik zie dat je al denkt als een drakenhoeder.'

Ping kookte van woede.

Ze sliepen die nacht in een herberg. Ping was blij dat ze een kamer voor zich alleen kreeg. De avond ervoor hadden ze geslapen in een militair fort. Dong Fang Suo had een kamer gekregen bij de officieren, maar Ping had in de stal moeten slapen bij Kai, het paard... en Jun. Ze verheugde zich op een nacht lekker slapen op een comfortabel matras.

Diep in de nacht of misschien vroeg in de ochtend werd ze wakker, alsof ze door een hard geluid was gewekt, maar het enige geluid dat ze hoorde was iemand die zachtjes praatte op de binnenplaats beneden. Ze kon niet verstaan wat er werd gezegd.

Kai had liggen draaien zodat zijn staart en zijn achterpoten tegen haar gezicht lagen. Ze stond op om hem weer om te draaien. Toen liep ze naar het raam. Dong Fang Suo was op de binnenplaats. Hij fluisterde op dringende toon tegen een boodschapper die naast een dampend paard stond. De boodschapper besteeg zijn paard en reed weg. Dong Fang Suo bleef achter op de binnenplaats en staarde naar zijn gezwollen voeten.

'De wil van zijne Keizerlijke Hoogheid is wet,' hoorde Ping hem tegen zichzelf zeggen.

Ze liep terug naar haar stapel stro, maar kon niet meer in slaap komen.

De volgende dag was er iets aan de hand met de keizerlijke tovenaar, maar Ping had geen idee wat het was. Ze waren weer onderweg. Hij was bijzonder stil en zei niets over de boodschapper. Hij probeerde evenmin Jun weer aan het praten te krijgen. Ping vond de stilte niet vervelend. Ze voerde meer dan genoeg gesprekjes door de eindeloze vragen van de draak.

'Bijna thuis?' vroeg hij tien-en-zeven keer per uur.

'Etenstijd?' was zijn volgende lievelingsvraag.

'Wat is dat?' vroeg hij elke keer als hij iets zag waar hij de naam niet van wist.

Ping moest vertellen wat allerlei dingen waren: wat

was een biggetje, hoe zag een kersenbloesemboom eruit, hoe scheidde je het kaf van het koren of hoe werkte een weefgetouw.

Uiteindelijk kroop Kai, moe van het vragen, tussen Ping en de jongen – zijn neus op Juns schoot – in en ging slapen. Dong Fang Suo soesde meestal ook, maar het leek nu of hij geen slaap had. Hij staarde naar buiten en draaide afwezig de linten die zijn functies aangaven om zijn vingers.

Voor het eerst sinds ze waren vertrokken uit de Tuinen van de Purperen Draak was de lucht helder. Ze hadden de sneeuwwolken in het zuiden achtergelaten. De lucht was nog wel koud, maar er stond geen wind. In de koets hing de vage geur van de schors van een kaneelboom, terwijl ze langs dorpen kwamen en de weg verdween in een woud van kaneelbomen. Ping snoof de geurige lucht op.

Ze schrok toen Jun haar opeens een vraag stelde: 'Heb jij je hele leven in het paleis van de keizer gewoond?' vroeg hij verlegen, terwijl hij haar door zijn pony aankeek.

Ping schudde haar hoofd. Ze wilde hem niets over zichzelf vertellen.

'Heb je altijd geweten dat jij een drakenhoeder was?'

Ze wilde dat de jongen dacht dat ze vanaf haar geboorte getraind was om drakenhoeder te worden.

Kai werd wakker uit zijn dutje.

'Verhaal,' zei hij.

Het verhaal van hoe Ping drakenhoeder was geworden was een van Kais lievelingsverhalen. Hij hoorde dolgraag over haar avonturen met zijn vader. Ping liet zich vermurwen. Ze zou Kai het verhaal hardop vertellen. Hij moest nog steeds zijn begrip van spreektaal verbeteren. En Jun zou het horen. Dan zou hij weten dat haar leven moeilijker was geweest dan het zijne. Hij zou beseffen dat zij de ware drakenhoeder was – degene die met een wijze oude draak had gereisd, degene die de drakensteen het hele keizerrijk door gedragen had, degene die bij Kais geboorte was geweest.

Ze vertelde hem over Danzi en haar jaren op Huangling. Ze legde uit dat Hua haar enige vriend was geweest. Ze liet de jongen de schub van Danzi zien en de purperen scherf, maar hij mocht ze niet vasthouden van haar.

'Je hebt tot nu toe een heel spannend leven gehad,' zei Jun jaloers.

Dong Fang Suo die de hele morgen nog niets had gezegd, begon opeens te praten.

'Volgens de oude toverboeken heeft de schaal van een drakenei veel interessante eigenschappen,' zei hij, terwijl hij naar voren leunde en naar de scherf tuurde.

Ping voelde zich opeens bezitterig. Ze stopte de purperen scherf van de eierschaal en ook Danzi's schub terug in haar buideltje en vervolgde haar verhaal.

Ze kwam bij het stuk waar Danzi haar de drakenhoedersspiegel gaf.

'Elke ware drakenhoeder van Danzi heeft deze spiegel gehad,' zei ze trots. 'Hij is honderden jaren oud.' Ze wreef de spiegel op en hield hem Jun voor. 'Je mag hem vasthouden als je heel voorzichtig bent.'

Ze zat aan Jun te vertellen hoe ze Diao had verslagen en de dodenbezweerder te slim af was geweest, toen de koets stopte. Ping was zo verdiept geweest in haar verhaal dat ze niet had gemerkt dat het landschap helemaal veranderd was. Ze keerden langs een andere route terug naar Ming Yang Lodge. Het bos met kaneelbomen hadden ze achter zich gelaten en de weg slingerde door een smalle vallei. Aan beide kanten rezen steile rotsen op met de kleur van niet opgewreven ijzer. De vallei was net breed genoeg voor een koets. Dong Fang Suo stak zijn hoofd uit het raam om te zien wat er gebeurde.

De tovenaar leek nerveus, alsof hij grote haast had. Ping zag geen enkele reden om haast te maken. Ze zouden ruim op tijd voor het feest terug zijn op Ming Yang Lodge. Een van de bewakers kwam uitleggen dat er een rotsblok op hun pad lag.

'We laten de paarden de rotsblok wegtrekken,' legde de man uit. 'Intussen kunnen jullie uitstappen en de benen strekken.'

Hij deed de deur van de koets open.

'Waar zijn we?' vroeg Ping.

'Dit is het Ravijn van de Kronkelende Slang,' zei Dong Fang Suo. De keizerlijke tovenaar stond op, bedacht zich en ging weer zitten.

Ping tuurde naar het rotsblok dat hen de weg versperde. Hij leek niet zo groot.

Opeens zei Kai: 'Plassen.'

'Kun je niet een halfuur wachten tot we uit dit ravijn zijn?' vroeg Ping.

'Nee,' antwoordde het draakje.

Ping wist dat het geen goed idee was om hierover met Kai te ruziën. Het laatste wat ze wilde was de stank van een drakenplas in de koets.

De tovenaar greep haar opeens bij haar mouw.

'Niet uitstappen, Ping.'

Het leek of hij nog meer te zeggen had, maar de woorden bleven steken in zijn keel.

'Nu plassen,' drong Kai aan en sprong uit de koets.

Ping schudde Dongs Fang Suo's hand van haar arm. 'Ik moet even op Kai letten. Hij mag niet weglopen.'

Er was nauwelijks ruimte tussen de rotswand en de koets om uit te stappen.

Donkere rotsen torenden aan weerskanten boven hen uit. Het zag er zo glad en steil uit dat het leek of de wand met een mes gesneden was. Van de lucht was niets meer te zien dan een streep blauw. Ping had het ongemakkelijke gevoel dat ze werd gadegeslagen.

Kai liep snuffelend rond achter de koets. Het duurde altijd even voor de draak de juiste plek had gevonden om te plassen. Hij vond een boom prettig, maar hier stonden geen bomen. Tussen de rotsen stak hier en daar een pol gras uit. Een schamel struikje had het klaargespeeld een stukje aarde te vinden om in te groeien. Een paar dunne, bleke bloemen vochten voor hun leven. Kai bleef snuffelen langs de rotsen.

'Schiet op, Kai,' zei Ping ongeduldig.

Haar maag deed pijn. Ze herinnerde zich de laatste keer dat ze dat gevoel ook had gehad toen iemand naar haar stond te kijken. Ze keek speurend langs de rotsen, maar er was geen richel breed genoeg voor iemand die zich hier ergens zou willen verschuilen. Er stond geen zuchtje wind en in de smalle doorgang was het eng stil.

Jun sprong uit de koets en schopte tegen een steen.

Eindelijk besloot de kleine draak dat de struik goed genoeg was. Hij tilde zijn poot op. Een plas donkergroene vloeistof verspreidde zich over de droge aarde. Ping stond op een afstandje vanwege de stank en dacht dat de struik voor de avond wel dood zou zijn. Ze wachtte. Het verbaasde haar altijd hoeveel urine een kleine draak kon ophouden. Toen Kai eindelijk klaar was, begon hij opnieuw te snuffelen.

'Kai, hierkomen, en vlug!' riep Ping.

Ze liep naar hem toe om hem op te tillen. Zodra ze dicht in zijn buurt kwam, rende hij weg met zijn hoge, tinkelende drakenlach.

'Ik speel geen spelletje, Kai,' zei ze dringend.

Ze keek weer langs de rotsen. Vanuit haar ooghoek zag ze een lichtflits. Ze draaide zich om naar de koets en zag Jun met het draakje onder zijn arm in de koets springen. De jongen had haar spiegel in zijn hand.

Ping wilde achter de koets aanrennen, toen iets een stuk hoger op de tegenoverliggende rots haar aandacht trok. Het was een slang, met ringen van zwart met oranje. Hij moest reusachtig zijn als zij hem van deze afstand kon zien. Een van de slangenogen keek haar recht aan. Een zonnestraal weerspiegelde zich erin. Ping kon haar blik niet wegtrekken van het oog. Ze probeerde zich te bewegen, maar kon het niet. Het leek of haar voeten in de rotsgrond wortel hadden geschoten. Ze hoorde het geluid van het paard en de koets die ratelend wegreed, maar het oog van de slang liet haar blik niet los. Ze hoorde de twee bewakers op hun paarden springen en in galop achter de koets aarijden.

Toen hoorde ze gerommel. Eerst dacht ze dat het donderde. Er viel geen regen, maar ze kreeg een douche van kiezelstenen. Grotere rotsblokken vielen als een waterval naar beneden. Eentje raakte haar aan de zijkant van haar hoofd. De slang draaide eindelijk haar kop af en gleed weg over de rots, hoog boven haar. Een schaduw viel over haar. Ze keek op. Er kwam nog een rotsblok naar beneden, maar deze was zo groot als een os. Hij kwam regelrecht op haar af. Eindelijk kreeg ze haar voeten in beweging. Maar de rots bewoog zich sneller dan zij. De streep blauwe lucht verdween.

Hoofdstuk 21

Een korrel zand

In het ravijn was het net zo stil
als voor de stenenregen.
Geen vogel die zong,
geen zuchtje wind.

Hoewel Ping haar ogen open had, kon ze niets zien. Ze had niet verwacht ooit nog iets te kunnen zien – ze had verwacht dat ze dood was. Misschien ben ik een geest, dacht ze. Geesten kunnen misschien niets zien. Of had de neerstortende kei haar blind gemaakt?

Na een poosje besefte ze dat de duisternis nuances had en in feite zag ze een streepje licht uit haar linker ooghoek. Maar ze kon haar hoofd niet bewegen om ernaar te kijken. Ze voelde een aantal lichaamsdelen – haar hoofd, haar armen, haar borst. Ze deden allemaal zeer.

De reusachtige kei was neergestort op de bodem van het ravijn en lag nu stil tegen de rotswand aan. Er had zich een kleine, driehoekige ruimte gevormd tussen de gevallen kei, de rots en de bodem. Pings lichaam lag in deze nauwe holte, niet verpletterd, maar gevangen. Haar hoofd was naar één kant gedraaid. De reusachtige kei drukte tegen haar wang. Bloed sijpelde langzaam langs haar hals naar beneden. De kei drukte ook tegen haar borst, dus kon ze alleen maar kort en oppervlakkig ademhalen. Ze kon zich niet bewegen.

Zodra ze had gezien dat de reusachtige kei recht op haar afwam, had ze geweten dat ze zijn verpletterende gewicht onmogelijk kon ontlopen. Het was alsof hij al duizend jaar had liggen wachten op het moment dat zij op die plek stond, zodat hij kon vallen en haar verpletteren. Alsof een stoot qi-kracht de kei had losgewrikt en hem regelrecht op haar had gericht. Ze had hem wel kunnen ontwijken, maar de slang had haar afgeleid en toen hadden haar voeten elke beweging geweigerd.

In het ravijn was het net zo stil als voor de stenenregen. Geen vogel die zong. Geen zuchtje wind. Er waren ook geen angstige stemmen, er werd niet gegraven en niemand riep haar naam. Er klonk ook geen stem in haar hoofd. Ze kon Kai niet voelen. Ze was alleen, volkomen alleen.

Ze probeerde redenen te bedenken, waarom ze alleen zou zijn. Haar geest werkte niet goed. Misschien was Dong Fang Suo hulp gaan halen. Ze wachtte. Ze kon nauwelijks schatten hoeveel tijd ze daar al lag. Niemand kwam. De dunne draad die haar met Kai had verbonden was gebroken. Hij was te ver weg van haar. Dong Fang Suo was geen hulp gaan halen. Hij moest gedacht hebben dat ze dood was en had haar gewoon laten liggen in het Ravijn van de Kronkelende Slang. Maar ze was niet dood. Nog niet. Ze zou heel langzaam sterven.

Ze hoorde een krassend, krabbelend geluid. Iets zachts streek langs haar gezicht. Ze rook een bepaalde rattengeur.

'Hua,' zei ze. Haar stem klonk als die van een kwakende kikker. 'Ik had moeten weten dat je me niet in de steek zou laten.'

Ze voelde iets koels in haar mond, vochtig en zoet. Het was een of andere bloem die nectar bevatte. Hua was op zoek gegaan naar iets wat haar zou bijbrengen.

Ze kon maar op één manier overleven: de grote kei moest worden weggehaald. En er was maar één iemand die dat kon doen: zijzelf.

Ze was niet boos. Haar boosheid over Jun was door de kei uit haar geperst. Ze moest een andere manier vinden om zich op haar qi-kracht te concentreren. Ze zou meer kracht nodig hebben dan ze ooit had geproduceerd.

Ze deed alle oefeningen van de geest die Danzi haar had geleerd. Ze stelde zich een tuin vol pioenen voor en telde elke bloem. Ze telde van vijfhonderd terug tot één.

Ze wist dat ze niet genoeg qi-kracht kon oproepen om de hele kei op te tillen. Ze stelde zich de hoek voor waarin de kei tegen de rotswand lag. Er was minder kracht nodig als ze de kei opzij kon duwen. Ze ademde nauwelijks, bewoog geen spier, al de qi in haar was geconcentreerd op het verschuiven van de kei.

Hij bewoog niet. Nog geen háárbreed.

Als Danzi er was geweest was het haar gelukt. Ze had kracht van hem kunnen krijgen. Maar hij was ver weg. Ver, ver weg. Ze dacht aan haar spiegel. Als ze het koele brons kon voelen, zou dat misschien helpen. Maar ze had de spiegel niet meer. Ze had hem altijd bij zich gehad vanaf het moment dat ze was vertrokken van het Zwarte Drakenmeer, maar nu had Jun de spiegel.

Zelfs als de kei niet groter was geweest dan een meloen, zou ze nog niet de kracht hebben gehad hem te verschuiven.

'Ik kan het niet.' Ze kon alleen nog maar fluisteren. Maar ze moest kunnen roepen. Ze moest Kai vinden.

Ze hoorde Hua krabben in de zanderige grond.

'Jij kunt me niet uitgraven, Hua,' zei ze, maar de rat bleef krabben tot hij een paadje had gegraven naar haar linkerhand.

Op dat moment voelde ze dat Hua iets in haar hand legde. Het was koud en glad, en het had scherpe randen. Ze wist precies wat het was. Het was een scherf van het drakenei.

'Hua, je weet altijd wat ik wil, zelfs voordat ik het zelf weet.'

Ze voelde met haar vingertoppen over de scherf, voelde hoe glad hij was, maar ook hoe scherp de randen waren. Ze voelde hoe haar geest zich weer concentreerde, stelde zich voor dat haar hele lijf was overdekt met kleine inktvlekjes, elk vlekje niet groter dan een speldenprik. Ze haalde de qi-kracht uit elk inktvlekje. Ze voelde de korrelige oppervlakte van de kei tegen haar rechterwang drukken. Deze keer concentreerde ze zich op maar één klein puntje op de kei, op één enkele korrel zand. De rest van de kei bestond niet. Het ravijn bestond niet. Er was niets anders in de wereld, dan alleen maar een korrel zand. Het zweet druppelde van haar voorhoofd. Ze voelde hoe de kracht in haar zich tot een heel dunne straal vormde. Die richtte ze op de korrel zand. De kei verschoof. Hij viel op zijn zij. Ze voelde een vlaag wind en de klap deed de aarde onder haar trillen.

Een wolk stof daalde neer. De streep blauwe lucht boven het ravijn was het mooitste wat Ping ooit had gezien. Ze bewoog zich niet. Ze voelde Hua's snorharen tegen haar wang. Ze probeerde zich naar hem toe te draaien, maar dat lukte niet. Ze had geen shi kracht meer in haar lichaam. De rat rende weer weg.

Ping had weliswaar overal pijn en blauwe plekken, maar ze wist dat ze niets gebroken had. Haar hoofd deed het meeste pijn, waar de veel kleinere steen haar had geraakt. Het klopte en brandde en daardoor kon ze maar moeilijk nadenken. Ze moest nadenken, dat wist ze, maar ze wilde het niet. Er waren beelden van vóór de stenenregen. Geen bewegende herinneringen, alleen maar drie stille beelden, alsof iemand die momenten had geschilderd, zodat ze ze niet zou vergeten. Ze wilde dat ze ze kon vergeten. Ze wilde teruggaan naar vóór de stenenregen en de dingen anders laten gebeuren.

Ze keek naar de drie beelden. Het eerste was van Dong Fang Suo. Hij zat stil in de koets. Er was iets aan de hand geweest met de keizerlijke tovenaar dat haar de hele morgen had beziggehouden en ze besefte eindelijk wat het was. Hij glimlachte niet meer.

Het tweede beeld was van een slang, zwart met oranje was zijn huid. Hij verdween niet uit haar hoofd. Ze had eerder zo'n slang gezien op de Tai Shan op de dag dat de dodenbezweerder haar geit had gedood. De slang was de dodenbezweerder geweest die van gedaante was veranderd. Ze wist het zeker. Hij had de kei naar beneden geduwd om haar te doden.

Het laatste beeld was van Kai. Hij hield zijn bal tussen

zijn tanden geklemd. Hij had zich half van haar afgedraaid en keek Jun aan. Zijn ogen waren hard als kleine bruine kiezelsteentjes.

Ze wist zeker dat Dong Fang Suo en de dodenbezweerder onder één hoedje speelden. Ze hadden het plan beraamd haar te doden. Zij had tegen Liu Che gezegd dat Kai elke mogelijke drakenhoeder kon identificeren. Het was maar een smoesje geweest, zodat de keizer erin zou toestemmen dat ze hem meenam. Maar Kai had zijn werk gedaan – te goed. Hij had Dong Fang Suo ervan overtuigd dat Jun niet een mogelijke drakenhoeder kon zijn – maar dat hij de enige was.

In de bamboeboeken stond duidelijk vermeld dat drakenhoeders altijd zoons waren van de families Yu of Huan. Jun was linkshandig, hij was helderziend en hij hoorde Kais woorden in zijn hoofd. Hij had alle kenmerken van een drakenhoeder. Ze had hem zelf de spiegel van de drakenhoeder gegeven. En Kai had hem vanaf het begin aardig gevonden. Had Kai Jun geaccepteerd als zijn hoeder? Het was de enige reden die ze kon bedenken voor het ellendige gevoel dat ze had.

Het verlies van Kai was pijnlijker dan al haar schrammen en blauwe plekken. Alleen al het uitspreken van zijn naam deed pijn. Het was alsof ze een deel van zichzelf was kwijtgeraakt, een of ander stuk van haar lichaam dat wezenlijk was om in leven te blijven, zoals haar hart of haar longen. Ze kon zijn aanwezigheid niet voelen, voelde de draad niet die tussen hem en haar bestond. Maar ze was er zeker van dat hij niet dood was. Ze zou het geweten hebben als hij dood was. De tranen stroomden over haar wangen.

Hoe kon ze geloofd hebben dat ze zo belangrijk was als een keizerlijke drakenhoeder? Wat had haar bezield? Haar leven sinds ze van Huangling was weggegaan leek een droom waaruit ze net ontwaakt was. De droom die – hoe meer je eraan denkt, hoe moeilijker die wordt om te herinneren. Een voor een vervaagden de details van dit vorige droomleven, totdat elke herinnering eraan volkomen verdween.

· Hoofdstuk 22 ·

Een koolveld

Toen Ping haar ogen opendeed was het dag.
Ze wist niet waar ze was.

Hua kwam terug met nog een bloem die met nectar gevuld was. Ping voelde de druppels van de zoete vloeistof op haar tong en voelde ze in haar keel lopen. Een kleine hoeveelheid kracht keerde terug naar een plek ergens bij haar linkerelleboog. Ze gebruikte de kracht om zich langzaam op haar zij te rollen. Het deed zeer. Toe zag ze Hua. Zijn ogen hadden de kleur van de lucht. Hij was zo'n mooie rat, zelfs met het stuk uit zijn oor. Ze zou het tegen hem hebben gezegd, maar wilde haar energie niet verspillen aan praten. Een grote uitdaging lag voor haar. Ze moest opstaan.

Het overeind komen zou meer energie kosten dan ze

bezat. Lopen kon ze zich al helemaal niet voorstellen. Ze vond de donkere rotsen vreselijk. Ze hingen dreigend boven haar en het leek of ze elk moment op haar zouden neerstorten. Ze keek omhoog naar de streep blauw. Ze hield van het blauw. Als ze hier weg kon komen, zou ze meer blauw zien. Hua zat naast haar. Hij piepte geregeld alsof hij haar wilde aanmoedigen op te staan. Ze bewoog een spier. Toen nog eentje. Er was zoveel concentratie voor nodig om een arm te bewegen, haar hoofd om te draaien. Ze wist dat ze ooit in staat was geweest weg te rennen voor slechte mensen. Ze wist dat ze veel ingewikkelde dingen had gedaan, zoals groenten snijden, kleren wassen. Wat was haar lichaam ooit knap geweest. Het lukte haar zich op haar knieën te werken. Toen moest ze een paar minuten uitrusten. Misschien duurde het langer, maar ze was vastbesloten: ze zou opstaan.

Ze had het gevoel dat haar lichaam van lompen was gemaakt. Het leek onnmogelijk dat het rechtop kon staan en haar gewicht kon dragen zonder in elkaar te zakken of om te vallen. Maar Ping had die dag al een keer het onmogelijke bereikt. Ze moest het nog een keer doen. Het duurde lang, maar tenslotte stemden haar zwakke, zere ledematen erin toe dat ze haar gewicht zouden dragen, eerst op haar knieën, toen op haar voeten.

De donkere rotswanden rezen aan weerskanten van haar op. Het leek of ze naar elkaar toe vielen. Ze bedekte haar hoofd met haar armen, maar er kwamen geen rotsblokken naar beneden. Ze keek weer op, deed toen haar ogen dicht, omdat ze niet wilde dat de rotswanden om haar hoofd draaide. Ze was heel duizelig.

Het kostte haar veel moeite. Ping tilde een voet op en

bewoog hem naar voren. Ze stopte om te rusten. Ze wist niet waar ze heen ging. Ze keek naar voren en toen keek ze om. De bochten in het ravijn betekenden dat ze de weg vóór haar en de weg achter haar niet kon zien. Welke kant moest ze uitgaan? Het leek er niet toe te doen. Ze moest alleen maar weg zien te komen van de benauwende rotswanden. Ze tilde haar andere voet op. Ze bleef doorgaan met bewegingen naar voren. Het spaarde haar de moeite dat ze zich moest omdraaien.

Uiteindelijk raakten haar benen eraan gewend dat ze haar ondersteunden. Haar voeten herinnerden zich weer hoe ze moesten lopen zonder dat ze ze daar bij elke stap aan moest herinneren. Hua rende naast haar mee, terwijl ze voortstrompelde. Van tijd tot tijd piepte de rat bemoedigend.

De steile rotsen aan weerskanten van de weg werden glooiende heuvels en uiteindelijk rotsachtige grond. Hier en daar groeiden gras en struiken. Eindelijk kon ze het ravijn achter zich laten, maar er was geen blauw meer. De lucht was grijs geworden. Ping bleef staan om op adem te komen. Als ik ga zitten kom ik nooit meer overeind, dacht ze. Ze bleef lopen. Het was koud, heel koud. Ze had geen gevoel meer in vingers en tenen. Het werd donker. Uit de grijze lucht begon water te druppelen. Ze hield haar hoofd naar achteren en deed haar mond open om te drinken Hoe heette dat water? Regen. Het leste haar dorst. Ze liep door, hoewel ze zich niet kon herinneren waar ze heenging. Ze wist zeker dat er iets belangrijks was wat ze moest doen.

Af en toe bleef Ping plotseling staan, omdat ze het gevoel kreeg dat ze iets verloren had, maar ze wist niet meer wat het was.

Ze raakte even de zijkant van haar zere hoofd aan. Het plakte. Ze keek naar haar vingers, maar het was te donker om te zien wat het plakkerige spul op haar vingers was. Als ze niet wist waar ze heenging, waarom bleef ze dan lopen? Ze stopte en ging zitten. Hua bracht haar bessen. Ze had niet de kracht ze op te eten. Haar oogleden waren zwaar. Haar ogen vielen dicht.

Toen Ping haar ogen opendeed was het licht. Ze wist niet waar ze was. Ze was nat en koud, maar haar gezicht brandde en haar hoofd klopte. Het regende niet, maar ze hoorde het geluid van stromend water. Er was een beek, snelstromend en diep. Ze kroop erheen en dronk naar hartelust. Ze gooide koud water in haar gezicht. De beek stroomde kabbelend en gorgelend om de rotsblokken heen in zijn haast om ergens te komen. Omdat Ping niet wist waar ze heen wilde volgde ze de beek.

Ping ploeterde langs de modderige oever, keek naar de grond, zette de ene bemodderde voet voor de andere. Misschien stroomde de beek naar de zee. Ze was een keer op weg geweest naar de zee, hoewel ze niet kon bedenken waarom. Misschien was ze er nooit gekomen. Misschien was het de bedoeling dat ze er nu heenging.

Toen raakte ze de beek kwijt. Hij was weggeslopen toen ze niet keek. Maar ze bleef lopen. Ze liep rechtdoor, door bossen, over velden. De zon scheen niet, maar ze had het warm, heel warm. Ze huiverde, maar het zweet liep langs haar lichaam.

Nu bevond ze zich in een veld vol kool. Iemand riep iets tegen haar, zwaaide met een schoffel. Mensen dromden om haar heen als vliegen om een mesthoop. Het leek zo lang geleden dat ze een gezicht had gezien. Ze zagen er allemaal zo grappig uit met de verschillend gevormde neuzen die uit de gezichten naar voren staken. Ze lachte. Sommigen droegen korte schorten om hun middel. Sommigen hadden een schop. Ze hadden allemaal vuile handen. Ze praatten, maar ze verstond er geen woord van.

Pings maag begon opeens salto's te maken. De menigte week uiteen en een vrouw stapte naar voren. Het geroezemoes viel stil. De vrouw begon te praten en Ping begreep haar.

'Wat is er met je gebeurd?'

De stem van de vrouw echode in haar oren, in haar hoofd. Ping werd duizelig.

De stem vroeg weer iets: 'Waar kom je vandaan?'

Ping keek naar de vrouw die praatte. Een woord ontplofte in haar hoofd. Ze probeerde het woord te zeggen, maar haar mond was kurkdroog. Er speelden lichtjes in de ogen van de vrouw. De wereld draaide weer om haar heen.

Ping werd wakker in een huis dat rook naar bijenwas. Ze lag op een divan onder een deken van ongeverfde zijde. Iemand boog zich over haar heen, en bespatte haar zachtjes met water dat rook naar jasmijn. Het was niet de vrouw van het koolveld. Het was een meisje.

Het meisje riep naar iemand buiten de kamer: 'Ze is bijgekomen.'

Het klonk geërgerd, alsof het meisje vond dat ze betere dingen te doen had dan op een flauwgevallen vreemdeling te passen. Het meisje zou mooi zijn geweest als ze niet zo boos keek. Haar haar zat in een nette knot die op zijn plaats werd gehouden met drie kammetjes, hoewel ze niet ouder kon zijn dan een jaar of negen – veel te jong om kammen in haar haar te dragen.

De divan stond in een mooi gemeubileerde kamer. Ping keek rond. Ze zag een geboende tafel waarvan de poten gebeeldhouwd waren in de vorm van beren. Het geboende tafelblad, dat rustte op de koppen van de beren, was de bron van de bijenwasgeur. Aan een van de muren hing een schildering op zijde. Het was een tekening van een schoolkind dat onder een grote tak stond die zwaar was van de kersenbloesem. Een vrouw kwam de kamer binnen. Het was de vrouw van het koolveld. Ze had een jongetje op haar arm.

'Voel je je wat beter?' vroeg de vrouw, terwijl ze het kind op de grond zette.

Ping kreeg het gevoel dat ze in een draaikolk zat. Ze durfde niet naar de vrouw te kijken voor het geval ze opnieuw zou flauwvallen. Ze begon te trillen van de emoties die ze van binnen voelde. Het was angst, blijdschap en woede vermengd met een wanhopig verlangen. Ping deed haar mond open, maar kon geen woord zeggen.

'Wat heeft ze toch?' riep het meisje ongeduldig.

'Kan ze niet praten?'

Ping keek naar het gezicht van de vrouw. Haar wangen waren rond, haar lippen zacht. Haar haar was keurig gevlochten, maar er zaten grijze strengen tussen het zwart. Haar ogen waren zwart omrand om hun mooie vorm te accentueren. De vrouw keek vol bezorgdheid naar het meisje dat op haar divan lag.

'Je koorts is gezakt,' zei ze.

De jurk van de vrouw was gemaakt van dunne, gesponnen hennepvezel dat donkerblauw was geverfd. Er zaten stroken blauwe satijn om de hals en manchetten, geborduurd met kleine gele bloemen.

Ping trok het stuk rode, zijden draad onder haar jurk vandaan. Haar hand trilde toen ze het bamboe vierkantje omhoog hield. Het karakter dat erop stond was nu bijna te vaag om te lezen, maar het gezicht van de vrouw veranderde zodra ze het zag. De kleur trok weg uit haar wangen. Haar ogen keken niet meer bezorgd, maar hevig geschokt.

Het meisje tuurde naar het karakter in het vierkantje. 'Er staat Ping.'

De vrouw knikte, terwijl ze Ping bleef aanstaren. Nu kon zij geen woord uitbrengen. Ping stond zichzelf tenslotte toe het woord uit te spraken dat op het koolveld in haar hoofd was ontploft.

'Mama.'

· Hoofdstuk 23 ·

Hereniging

'Heb je echt een draak gezien?' vroeg Liang.
Ping keek over haar schouder, omdat ze er zeker van wilde zijn dat niemand kon meeluisteren.
Ze glimlachte tegen de jongen.

Ping wilde haar armen om de hals van haar moeder slaan. Ze wilde haar aanraken, haar handen in de hare houden. Maar haar moeder bewoog zich niet. Ze praatte niet. Ze staarde alleen maar naar Ping. De uitdrukking in haar ogen was er niet een van onverwachte blijdschap. Ping vond het meer een uitdrukking van pijn.

Een man kwam de kamer binnen. Hij was groot en goed gekleed.

'Dit is Ping,' fluisterde Pings moeder.

Hij fronste zijn wenkbrauwen. Hij keek zijn vrouw aan.

'Mijn oudste kind,' legde Pings moeder uit. 'Ping, dit is je stiefvader, meester Chang.'

De man keek verbaasd naar Ping. 'Zo.' Meer kon hij blijkbaar niet zeggen.

Hij had de donkere huid van iemand die buiten in de zon werkte, een dikke snor en een sikje onder zijn onderlip. Zijn ernstige gezicht lachte opeens en hij riep om een bediende die bouillon moest brengen.

'We vroegen ons af wie deze vreemdeling was die twee dagen op onze akkers rondstrompelde. We hadden nooit kunnen denken...' Hij schudde zijn hoofd van verbazing. 'Wat is er met jou gebeurd? Was je op weg om je moeder te bezoeken na zoveel jaar? Heb je een ongeluk gehad?'

Wat was er met haar gebeurd? Ping kon het zich niet herinneren.

'Ik heb de wond op je hoofd schoongemaakt,' zei Pings moeder. 'Zo zal hij wel genezen. Het moet een lelijke klap zijn geweest. Je bent er vast een deel van je geheugen door verloren.'

De bediende gaf haar een gelakte beker. Met trillende handen bracht Ping hem naar haar lippen en nipte van de bouillon.

'Doe maar kalm aan,' zei meester Chang. 'Het komt allemaal terug, heus.'

Pings moeder maakte nu een wond op haar hand schoon. 'Je had een gebroken stuk steen in je hand. Hij was van een heel bijzondere purperen kleur,' zei ze. 'Je hield het stuk zo stevig vast dat het in je hand heeft gesneden.'

Ping had een dunne losse jurk aan. Ze wist dat hij niet van haar was. Ze keek om zich heen. Er lag een lange jurk op het voeteneinde van het bed. Hij was donkerrood. In groen was er een ruitpatroon doorheen geweven. De kraag en manchetten waren van groene zijde. Er zat een broche op de jurk van purperen steen.

'Zoet maar,' zei het meisje chagrijnig, 'je spullen zijn hier heus veilig.' Ze gaf Ping een witte zegel van jade aan een purperen lint en een zijden buideltje. Ping hield de jade in haar hand. Aan een kant stond een draak gegraveerd. Er was een stukje afgebroken. Met trillende vingers reikte ze naar de purperen scherf. Toen keek ze in het buideltje. Er zat een raar, ruw ding in dat ongeveer het formaat had van een beukenblad. Eerst wist ze niet wat het was. Toen herinnerde ze het zich weer. Het was de schub van een draak.

Herinneringen drongen een voor een haar geest binnen als regendruppels die van de hoek van een dak drupten. Ze herinnerde zich berg Huangling en een grote groene draak. Ze herinnerde zich een donkere, angstige nacht en de scherpe stank van het koken van augurken in het zuur. Haar geest scheen te weten dat ze het niet aan zou kunnen, als ze zich alles tegelijk zou herinneren. Ze herinnerde zich een mooie purperen steen met roomzachte krullen. Ze wist opeens weer dat ze ooit hoog over de wereld vloog. Ze herinnerde zich dat ze de keizer had ontmoet. Ze zag hem tegen haar glimlachen. Er was een tuin. Bij elke druppel herinnering groeide de pijn. Ze herinnerde zich de reis naar de familie Yu. Ze herinnerde zich een koets die wegreed en haar achterliet, een reusachtige kei die van de top van de rots naar beneden stortte. De laatste druppels herinnering sijpelden Pings geest binnen. Ze herinnerde zich Kai en hoe hij haar was afgepakt. Ze ging weer liggen en verlangde naar vergetelheid.

'Ik denk dat ze weer gaat flauwvallen,' zei het meisje, zonder een greintje bezorgdheid.

'Laat haar met rust,' zei meester Chang. 'Doe de luiken open, Mei.'

'Wil je me vertellen over mijn kinderjaren,' fluisterde

Ping. 'Ik weet er niets meer van.'

Haar moeder bleef stil zitten. Aan haar gezicht kon Ping zien dat het geen leuk verhaaltje zou worden. Ze nam weer een slok van de bouillon die haar kracht moest geven om te luisteren.

'Je vader werkte in de kwikmijnen. Ik zag hem maandenlang niet. Toen werd hij ziek van het werk en hij kwam naar huis,' zei Pings moeder. 'Net nadat je oudste broer was geboren.'

Ze keek Ping niet aan, terwijl ze praatte, maar staarde in haar schoot. 'Ik verdiende een beetje geld met het vlechten van bamboemanden en hoeden om op de markt te verkopen, maar het was nooit genoeg om de honger ver buiten de deur te houden. Het was een zegen van de Hemel toen meester Lan bij ons aanklopte.'

De duizeligheid keerde terug. Ping zette de beker bouillon neer voor ze hem zou laten vallen.

'Een zegen?' vroeg ze zachtjes.

'Hij kwam voor je oudste broer. Hij zei dat de familie Huan recht had op een functie aan het hof. Blijkbaar had een van je vaders voorouders die positie bekleed en had het van vader op zoon over moeten gaan. Maar om de een of andere reden kwamen alleen linkshandige jongens voor de taak in aanmerking. Je vader, noch je grootvader was linkshandig. Meester Lan haalde een pruim uit zijn tas en gaf die aan je oudste broer. Hij stak zijn rechterhand uit. Toen hij de pruim had opgegeten vroeg meester Lan hem de pruimenpit naar buiten te gooien. Je broer gooide de pit (steen) ook met zijn rechterhand naar buiten. We smeekten meester Lan hem aan te nemen voor de taak, al was hij dan niet linkshandig. "Wat maakt het uit welke hand hij gebruikt?" vroeg ik. "Hij zal hard werken, net als zijn vader. Zijn vader heeft zich bijna doodgewerkt." Maar hij nam hem niet aan.'

Pings moeder keek Ping maar even aan, alsof ze het niet kon verdragen als ze haar te lang aankeek.

'Toen zag meester Lan dat jij bezig was voor mij garen om een klos te winden. "Zij gebruikt haar linkerhand," zei hij. We begrepen niet waarom hij opeens zoveel belangstelling had voor jou. Alleen mannen komen in aanmerking voor keizerlijke posities. "Weet ze het ooit wel eens van te voren als er iets gaat gebeuren?" vroeg hij. Ik vond het heel vreemd dat hij daarnaar vroeg. Maar toevallig had je inderdaad iets gezegd, een dag voor een buurvrouw stierf. Ik dacht dat alleen maar haar maag van streek was, maar jij zei: "Tante is morgen dood." Ze stierf inderdaad de volgende dag. Meester Lan was zeer geïnteresseerd toen ik hem dit vertelde.'

Het scheen dat Ping, net als Jun, helderziend begon te worden vóór ze ooit een draak had gezien.

'Je oudste broer was ziek,' zei Pings moeder. 'En hij werd niet beter, omdat hij niet genoeg te eten kreeg. Ik wist dat ik niet twee kinderen in leven kon houden, dus toen meester Lan aanbood jou mee te nemen om je in te wijden in het vak van kamermeisje, stemde ik toe. Als één van je kinderen een goed leven zou krijgen en geen honger hoefde te lijden vond ik dat heel goed.'

De tranen rolden intussen over de wangen van Pings moeder. 'Je vader haalde het einde van het jaar niet. Je broer stierf twee maanden later.'

Meester Chang legde troostend een hand op de schouder van zijn vrouw.

'Ik verwachtte iets van je te horen, als je eenmaal in het paleis was,' ging Pings moeder door. 'Meester Lan zei dat je – na een opleiding van een jaar of twee - een ruime vergoeding zou krijgen en omdat je kost en inwoning kreeg, zou je in staat zijn het grootste deel van je verdiensten aan mij te sturen.'

Ping kon haar oren nauwelijks geloven. Had meester Lan altijd geweten dat zij een drakenhoeder was en dat aan niemand verteld? Had hij haar zijn slaaf gemaakt, zodat hij de positie van drakenhoeder zelf kon houden? Ze deed haar mond open om iets te zeggen, maar er kwam geen woord uit haar mond.

'Ik stuurde een brief naar Chang'an om meester Lan te laten weten dat ik naar een andere stad was verhuisd,' ging Pings moeder door, 'maar ik heb nooit geld ontvangen.'

Het chagrijnige meisje stond met haar armen over elkaar. 'Ik denk dat ze het te druk had om geld te sturen.'

'Sssst, Mei,' zei meester Chang. 'Laat je stiefmoeder uitpraten.'

'Maar de Hemel besloot tegen me te glimlachen,' vervolgde Pings moeder. Ze wreef door haar ogen en klopte op de hand van haar man. 'Meester Chang had net zijn eerste vrouw verloren. Hij had een jong kind en niemand die voor haar kon zorgen. Hij redde me van armoede en wanhoop.'

Ping zei nog steeds niets, maar de gedachten verdrongen zich in haar hoofd. Hoe kon ze haar dochtertje hebben laten gaan? Waarom had ze Lans leugens niet doorzien?

Meester Chang glimlachte naar zijn tweede vrouw. 'We hebben jaren hard moeten werken, maar nu gaat het ons goed.'

'Niet zo goed als wat zij heeft meegemaakt op het keizerlijke paleis,' zei Mei.

Hoewel Pings jurk vol modderspatten zat, was hij gemaakt van mooie stof en haar onderjurk was gevoerd met vloszijde. De kleren waren van een rijke vrouw en zagen er ook zo uit. Ze had goud in haar buidel, een zilveren kam in haar haar en een zegel van jade die aan een lint aan haar ceintuur hing. Ping kon niet ontkennen dat ze rijk was.

'Ik wou dat ik in een paleis kon wonen en niet in dit gewone huis,' zei Mei.

Meester Chang fronste zijn wenkbrauwen tegen zijn dochter.

'Mei, ga tegen Yi Min zeggen dat we vanavond een gast aan tafel hebben.'

Het meisje keek boos naar Ping en liep stampend naar de keuken.

'Het is zo vreemd,' zei meester Chang alsof hij net naar het verhaal van een of andere verteller had zitten luisteren. 'Het toeval heeft je hierheen gebracht, op dezelfde dag dat je moeder op de akkers was om te helpen de laatste oogst binnen te halen, voor het zou gaan sneeuwen.'

Ping wist dat het niet het toeval was dat haar hierheen had gebracht. Ze had helemaal niet doelloos rondgewandeld. En al was ze wazig van de koorts geweest, haar helderziendheid had haar pad voor haar gekozen.

Ping wilde hun vertellen dat de keizerlijke positie die meester Lan haar had gegeven een slavenbestaan was; dat ze in de ossenstal had moeten slapen en varkensstallen moest uitmesten. Maar het was teveel ellende, teveel eenzame jaren en teveel honger geweest om in woorden uit te drukken.

‘Ik werd naar het Huangling Paleis meegenomen, niet naar Chang’an,’ zei ze in plaats daarvan.

‘Waar is dat?’ vroeg meester Chang. ‘Ik heb er nog nooit van gehoord.’

‘Het is helemaal in het westen bij de grens van het keizerrijk. Ik heb je brief nooit gekregen.’

En al was dat wel zo geweest, dat had meester Lan hem verscheurd, daar was ze zeker van. Haar moeder geloofde dat ze in de luxe van het keizerlijke paleis had gewoond. Ping wilde haar hart helemaal uitstorten, en vertellen over elke ongelukkige minuut, elke klap die ze had gekregen, elk wrede opmerking die ze had moeten verduren. Ze wilde Mei door elkaar schudden en tegen haar zeggen dat ze zo’n geluk had gehad. Ze wilde uitleggen hoe het voelde als je niet kon slapen van de kou, als je zo’n honger had dat je restjes uit de varkenstrog at, als je zo eenzaam was dat je niemand in de wereld had tegen wie je kon praten, alleen een rat. Mei had iets dat meer waard was dan goud, meer dan mooie kleren – ze had familie.

Haar moeder had de volle geurige huid van een rijke vrouw, maar Ping kon haar geschiedenis lezen in de rimpels op haar gezicht en het verdriet in haar ogen. De onverwachte komst van haar dochter had een plek in haar binnenste opengehaald die ze jaren gesloten had gehouden. Als Ping haar de waarheid vertelde, zou het haar alleen maar ongelukkig maken. En dat wilde ze niet.

Meester Chang pakte de hand van de kleine jongen en trok hem weg uit de bescherming van de jurk van zijn moeder.

‘Dit is je tweede broer, Liang,’ zei hij.

'Hoi,' zei Ping,

De kleine jongen was te verlegen om te praten. Hij gluurde naar Ping en keek dan weer naar de grond.

Pings moeder en stiefvader stelden haar vele vragen over haar leven. Ze beschreef het het Huangling Paleis (hoewel ze het alleen maar in het donker had gezien, als ze 's avonds naar binnensloop om het te verkennen). Ze vertelde hun over Ming Yang Lodge en de prachtige Tuinen van de Purperen Draak. Ze vertelde hun trots over haar vriendschap met de jonge keizer.

'Wat moest je er precies doen, Ping?' vroeg haar stiefvader.

'Ik was de keizerlijke drakenhoeder,' antwoordde ze. Hoewel ze die functie niet meer had, kon ze toch niet verhinderen dat er een beetje trots in haar stem sloop.

Mei giechelde. 'Drakenhoeder. Draken bestaan niet. Dat weet iedereen.'

In dit mooie huis was geen honger of tegenspoed en buiten hoorden ze het lawaai van een drukke stad. Draken schenen daar niet thuis te horen. Ping had niet het verlangen hen van gedachten te doen veranderen. Zo was het beter. Ze zou hun niet het hele jammerlijke verhaal hoeven te vertellen.

'Drakenhoeder is de naam voor de functie sinds de Oudheid,' zei Ping. 'Ik moest zorgen voor een paar dieren van de keizer.' Dat was niet zo'n grote leugen. 'Ik zorgde ervoor dat ze eten kregen en afgericht werden.'

Ze vertelde over het plan van de keizer om het Tijgerwoud te veranderen in een reservaat voor wilde dieren uit het hele keizerrijk.

De kleur was terug in het gezicht van Pings moeder. Nadat ze haar dochter had horen vertellen over het paleis en haar gelukkige leven op Ming Yang Lodge, kwam haar glimlach terug.

'Dat had ik echt niet gedacht,' zei haar moeder. 'Ik dacht dat je misschien kamermeisje was geworden of borduurster.'

'Maar je praat alsof het allemaal voorbij is,' zei meester Chang.

'Ja,' antwoordde Ping. 'Ik heb die taak niet meer.'

Nu ze hen gevonden had, wilde Ping bij haar familie blijven. Haar vorige leven was verdampt, als water in de zomerzon. Ze hoopte dat ze met hen een nieuw leven kon beginnen. Zelfs als ze de last van nog een dochter niet wilden dragen, kon ze blijven als bediende. Ze zou op het land kunnen werken. Ze kon alles doen, wat dan ook, zolang ze maar bij hen kon zijn. In dit huis zou ze gelukkig worden. Hier zou ze kunnen vergeten van haar falen als drakenhoeder.

De kleine jongen Liang kwam naar de divan. Hij had iets zien bewegen naast Ping. Hij tilde de deken op die haar bedekte en Hua's kopje kwam tevoorschijn.

Mei gilde. De rat knipperde met zijn helderblauwe ogen tegen het licht.

'Hij doet je niets,' stelde Ping de jongen gerust. 'Hij is heel tam en gedraagt zich netjes,' voegde ze er voor haar moeder aan toe die walgend naar de rat keek.

'Ik heb nooit gehoord dat iemand een rat als troeteldier houdt,' zei haar moeder.

Meester Chang keek hoofdschuddend naar Hua. 'Ze fokken zeker veel ratten in keizerlijke paleizen,' zei hij terwijl hij naar buiten liep om voor zijn ossen te gaan zorgen.

Pings moeder en stiefzusje gingen helpen bij het klaarmaken van het avondmaal. Ping keek door de deuropening naar de rest van het huis. Het was groot. Ping bevond zich op de eerste verdieping. Trappen leidden naar beneden, naar een keurige tuin die aan alle kanten door schuren en stallen werd omgeven. Ping kon drie dikke varkens zien in een varkensstal en een ren vol kippen. Uit de keuken, aan de zijkant van de tuin, kwamen de heerlijkste geuren. Het was helemaal zoals een thuis behoorde te zijn.

Lian stak zijn handje uit om Hua te aaien. Zijn vingers nestelden zich in de blauwachtige vacht van de rat.

'Wat is hij zacht.' Het was de eerste keer dat Ping de jongen hoorde praten. Hij had een lieve stem.

Liang aaide Hua en kriebelde hem achter zijn oren. Hij was niet bang voor de rat. Ping voelde opeens dat ze heel veel van haar halfbroertje zou kunnen houden.

'Wil je hem vasthouden?' vroeg ze.

Hij knikte. Ping zette Hua bij het jongetje op schoot.

'Heb je echt een draak gezien?' vroeg Liang.

Ping keek over haar schouder, omdat ze er zeker van wilde zijn dat niemand kon meeluisteren. Ze glimlachte tegen de jongen.

'Ja. Ik moest voor twee draken zorgen,' fluisterde ze. 'De ene was een grote draak. Hij was heel wijs en dapper, maar hij was ook heel oud. Hij is naar het Eiland van de Gezegenden gevlogen. De andere was een babydraak. Als hij gelukkig was, maakte hij geluidjes als iemand die een mooi melodietje speelt op een fluit. Soms was hij heel stout. Hij heette Kai.'

Dit was de beste manier om aan het draakje te denken,

besloot ze. Hij hoorde bij het verleden. In haar nieuwe leven bestond hij niet.

'Maar nu heb ik geen draken meer,' zei ze treurig.

'Waren de draken blauw zoals de draken die geschilderd staan op ons goede servies?' vroeg de jongen.

'Er zijn misschien ergens in het keizerrijk wel blauwe draken, maar mijn draken waren niet blauw. Kai was purper. De oude draak was groen.'

Ping viste de drakenschub uit haar zijden buideltje. 'Dit is een schub van de oude draak.' Ze voelde met haar vinger over de ruwe buitenkant.

'En dit,' ze vond het stuk van de schaal van het drakenei, 'is een deel van het ei waar de kleine draak uit is gekomen.'

'Mag ik het aanraken?' vroeg Liang.

Ping legde het stuk van de schaal in de uitgestrekte handen van de jongen. Hij glimlachte. Hij miste een tand.

Het avondeten werd opgediend in de kamer, waarin Ping was wakker geworden. Het was de mooie kamer, de kamer waar de familie gasten ontving, niet waar ze normaal aten. De tafel was gedekt met witte kommen die beschilderd waren met blauwe draken. Het dienstmeisje bracht drie gerechten binnen, die bestonden uit graan en groenten van de akkers van meester Chang.

Ping luisterde naar wat ze die dag hadden gedaan. Mei had een scheur opgelopen in haar lievelingsjurk. De kleine Liang had een hagedis in de tuin gevonden. Meester Chang had een zak graan gegeven aan een gezin, waarvan de vader ziek was.

'Ik heb een spannende dag gehad,' zei Pings moeder. 'Ik heb mijn dochter die ik zo lang gemist heb, teruggevonden.'

Iedereen glimlachte – zelfs Mei.

Na het eten maakte Pings moeder de wond op Pings hoofd schoon met een zachte lotion.

'Hij geneest goed,' zei ze.

'Je moet blijven zo lang als je wilt, Ping,' zei meester Chang. 'Als je het niet erg vindt om een matras met je halfzusje te delen.'

'Maar ik wil geen rat in mijn kamer!' zei Mei, terwijl ze boos haar armen over elkaar sloeg.

'Misschien kun je je rat in de stal laten,' stelde meester Chang voor.

Toen de twee meisjes alleen waren, probeerde Ping met Mei te praten, maar het meisje was niet in de stemming voor een gesprek. De enige keer dat ze iets zei was om duidelijk te maken dat haar kammen van ebbenhout waren gemaakt en niet van zilver. Toen ging ze liggen met haar gezicht naar de muur.

Ping sliep voor het eerst sinds ze nog heel klein was onder hetzelfde dak als haar familie. Ze voelde zich veilig en warm. Al haar verantwoordelijkheid was van haar schouders getild. Ze zou bij haar moeder blijven. Ze zou haar halfzusje wel voor zich winnen en vriendinnen met haar worden. Ze zou de kleine Liang verhalen vertellen en hij zou van haar gaan houden. Al deze dingen zouden gebeuren, daar was ze zeker van.

Ze haalde de drakenschub weer uit haar buideltje en voelde zijn ruwe structuur. Ze hield hem onder haar neus om die typische geur te ruiken. Ze hield hem omhoog in het maanlicht en zijn doffe groene kleur begon te glanzen. Het was een herinnering aan haar voorbije leven. En niets meer.

· Hoofdstuk 24 ·

Het tijgerwoud

Zij die in hun bed blijven zijn niet altijd veilig.
Wees niet bang voor de gevaren op de weg.

Ping kon de maan zien door de bomen. Hij was vol, maar door de donkere takken die een vrij uitzicht erop benamen, leek het of hij in onregelmatige stukken was gesneden. Een van de stukken brak af. Dat is jammer, dacht Ping. De maan is gebroken. Dit komt nooit meer goed. Het stuk van de maan viel uit de hemel. Het werd steeds groter. Tussen de bomen door rende Ping erheen. Ze wilde weten waar het zou landen. Ze wilde een stuk van de maan van dichtbij bekijken. Ze wilde het liever dan wat dan ook.

Ze rende tot ze bij een open plek kwam. Het heldere licht was vlak boven haar. Het was helemaal geen stuk van de maan. Het was een draak. Haar draak.

'Danzi, wat heb ik jou lang niet gezien.'

Zij die begerig zijn, raken hun leidraad kwijt. Zij die oprecht en rustig zijn, zien het gevaar en zijn niet bang.

Danzi daalde neer. Ping klampte zich vast aan een van zijn klauwen, terwijl de draak weer omhoog vloog, de donkere hemel in. Haar voeten voelden de grond niet meer. Met grote vleugelslagen vloog Danzi verder. Ping keek naar de stralende drakengestalte boven haar. Elke schub glansde als groene jade in het licht van een lamp. Danzi vloog hoger en hoger. De donker wordende wereld kromp met verbazingwekkende snelheid onder haar ineen. Ze zag nu berghellingen in de diepte, waarvan de contouren vaag zichtbaar waren in het licht van de maan. Het leek een spookwereld.

Een slingerende beek was de enige die niet sliep. Zijn draaiende bochten werden door de maan schaars verlicht, terwijl hij haastig zijn weg vervolgde. Ping had zich als die beek gevoeld. Altijd haast, altijd vechtend, nooit tijd om te rusten, maar op de een of andere manier leek het of ze steeds op dezelfde plek bleef.

'Ik kan eigelijk alleen maar slapen als ik hier boven ben met jou, Danzi,' zei Ping. 'Hierboven hoef ik niet te lopen, niet na te denken, maar ik vlieg dankzij jou.'

Zij die in hun bed blijven, zijn niet altijd veilig. Wees niet bang voor de gevaren op de weg.

Pings hart nam een hoge vlucht. Even maar. Haar vingers werden stijf van de kou. Ze voelde dat haar greep om de drakenklauw verslapte. Een wolk schoof voor de maan. De drakengestalte verdween, alsof iemand een kaars had uitgeblazen. Een vlaag ijskoude wind vertelde dat ze viel, viel, viel.

Ping schrok wakker uit de droom. Ze had de drakenschub nog steeds in haar hand. Ze had tot nu toe in haar leven weinig van Danzi's woorden begrepen. Ze waren even verwarrend als wanneeer hij er inderdaad was geweest, maar deze keer was zijn bedoeling duidelijk. Ze had voor veiligheid gekozen in plaats voor het pad dat haar bestemming was. Als een lafaard had ze zich willen verbergen in de gezelligheid van het huis van haar familie.

Ze kon hier niet blijven. Jun was niet de drakenhoeder – zij was het. Danzi had het gezegd. Uit alle mensen in het keizerrijk en daarbuiten had de oude draak haar gekozen om te zorgen voor zijn enige erfgenaam. Ze was nog niet zover dat ze die rol wilde opgeven. Haar verlangen om bij haar familie te zijn was sterk, maar niet zo sterk als haar wil om voor Kai te zorgen.

Ze had bijna dezelfde fout gemaakt als haar moeder – het enige dat Ping haar kwalijk nam in al de tijd dat ze op Huangling had gewoond. Haar moeder had geluisterd naar de raad van iemand anders in plaats van haar hart te volgen. Ze had haar enige dochter overgelaten aan de zorg van een vreemde. Ping had bijna hetzelfde gedaan. Dong Fang Suo had besloten dat ze geen drakenhoeder meer was en ze had zich Kai laten afnemen. De tovenaar zat fout. Ze moest het aan Liu Che vertellen. Hem ervan zien te overtuigen dat zij de ware drakenhoeder was.

Ping zat te ontbijten met haar familie. Ze stelde zich voor hoe het zou zijn om elke morgen met hen te eten – genieten van haar moeders warme broodjes, luisteren naar de plannen van haar stiefvader en naar Mei's gejammer, en Liang helpen zijn sokken aan te trekken. Maar dit knusse familieleven was niet voor haar bestemd. De Hemel had een ander pad voor haar gekozen.

'Ik vertrek na het ontbijt,' zei ze.

'Je gaat toch nog niet weg?,' vroeg haar moeder.

'Blijf nog een poosje,' zei meester Chang. 'Dit is geen goed seizoen om te reizen.'

Ze legde haar hand op die van haar moeder. 'Het is mijn grootste wens geweest om je te vinden, mama. Ik zou dolgraag blijven, maar ik heb andere plichten.'

'Ik dacht dat je zei dat je je baan kwijt was,' zei Mei.

'Die grote steen tegen mijn hoofd heeft mijn geheugen ook een klap gegeven,' zei Ping. 'Ik had alleen maar een korte vakantie. Ik moet terugkeren naar Ming Yang Lodge.'

Ping bond haar haar niet in een knot zoals Lady An haar had geleerd. In plaats daarvan had ze het samengebonden in een lange vlecht.

'Dat is makkelijker voor de reis,' legde ze uit terwijl ze de zilveren kam aan Mei gaf. 'Hij was van prinses Yangxin. Vanaf nu is hij van jou. Dat wil ik graag.'

Ze gaf het flesje haarolie aan haar moeder en haar enige gouden munt aan meester Chang. Hij wilde hem niet aannemen. Ze wist dat de familie eigenlijk geen geld nodig had, maar ze had niets anders om te geven.

'Het is niets vergeleken bij alles wat ik jullie zou hebben gestuurd als ik geweten had waar jullie waren,' zei ze. 'Maar ik heb nu niet meer bij me.'

Ze stond voor het huis van haar familie met haar tas over haar schouder. Haar moeder leek verward en verbaasd door het plotselinge besluit van haar dochter om te vertrekken.

'We dachten dat je zeker een paar dagen zou blijven,' zei

meester Chang.

'Ik wou dat ik voor altijd kon blijven,' zei Ping.

Ze wilde meer zeggen, maar ze was bang dat ze de tranen, die haar heel hoog zaten, niet kon inhouden.

Haar moeder pakte haar hand vast.

'Vanaf de dag dat dochters geboren worden, weten hun moeders dat ze weggaan.' Haar ogen stonden ook vol tranen. 'Je bent alleen iets eerder weggegaan dan de meesten. Ik ben trots op je, Ping. Dit is goed voor de eer van je vaders familie.'

Ping omhelsde en knuffelde haar moeder lang. Meester Chang zei dat ze altijd welkom was in zijn huis. Mei vond het goed dat Ping haar knuffelde. Ping bukte zich en gaf Liang een kus op zijn wang.

'Kai zou je heel leuk vinden,' fluisterde ze.

Meester Chang gaf Ping een tas met gedroogd fruit en noten voor onderweg. Hij zei dat ze alleen maar naar de volgende garnizoensplaats hoefde te lopen langs de keizerlijke weg. Van daaruit zou ze een koets kunnen nemen naar Ming Yang Lodge.

Ping haalde Hua uit de stal en zwaaide terwijl ze op weg ging.

'Ik kom terug om jullie op te zoeken wanneer ik kan,' riep ze over haar schouder, maar ze had het gevoel dat dat nooit zou gebeuren.

Ze voelde Hua's warmte in de plooien van haar jurk. Ze was blij dat ze niet helemaal in haar eentje hoefde te reizen.

De volgende koets zou pas over vier dagen vertrekken. Ping kon niet wachten. Ze zou terug moeten lopen naar Ming Yang Lodge. Hoewel ze met elke stap verder wegging van haar familie, bracht elke stap haar ook dichter bij Kai. Ze zocht in haar hoofd naar de draad die haar met Kai verbond, maar ze kon hem niet vinden.

Onder het lopen dacht Ping na over wat haar moeder had gezegd. Ze was maar een meisje. Natuurlijk zou haar moeder het welzijn van een zoon boven de hare stellen. En ze had gelijk. Zelfs al was ze bij hen gebleven, dan zou over een jaar of twee meester Chang een echtgenoot voor haar hebben gevonden en ze zou weggestuurd zijn om tussen vreemden te wonen. Zoals het nu ging was het beter. Haar moeder geloofde dat Ping gelukkiger was, dan ze geweest zou zijn als ze bij haar was gebleven.

Toch had Ping iets verloren. In de vreselijke jaren op Huangling, had ze altijd een sprankje hoop in haar hart gehouden. Ze had gedroomd dat ze op een dag haar moeder zou vinden en bij haar zou blijven wonen met de steun en de warmte van een familie. Dat sprankje hoop was verdwenen. Wat haar toekomst ook voor haar in petto had, maar dit was het niet. De hoop was vervlogen, maar ze wist nu wel zeker waar haar levenspad lag.

De hereniging met haar familie was niet geweest zoals ze zich had voorgesteld, maar Ping was niet treurig. Ze wist dat haar moeder veilig en gezond was. Ze had een halfbroertje. Een stiefzusje. Ze hoefde zich geen zorgen over hen te maken, want meester Chang zou voor hen zorgen.

Het was een raar gevoel dat ze voor niemand anders hoefde te zorgen dan voor zichzelf. Ping kon nu over dingen nadenken zonder dat drakenwoorden haar gedachteloop onderbraken. Sinds Kai uit zijn ei was gekropen, had ze er zo vaak naar verlangd om even verlost te zijn van de kleine draak. Een paar dagen zonder het gebrabbel van de babydraak in haar hoofd, zonder dat het beestje haar krabde of steeds op haar schoot sprong. Nu had ze die vrijheid maar het voelde of ze een arm of een been miste. Ze miste Kais stem in haar hoofd, zijn blije geluidjes als hij rondrende in de tuin en nieuwe dingen ontdekte. En ze miste zijn stekeltjes die in haar zij prikten als ze sliepen. Ze verheugde zich erop dat ze hem weer zou zien.

Tegen het einde van de eerste dag was ze terug op de keizerlijke weg. Ze vond het jammer dat ze haar jas in de koets had laten liggen. Aan de hemel hingen donkere, zware wolken. Een ijzige wind beloofde sneeuw.

Er waren een paar mensen op de keizerlijke weg, maar ze liepen allemaal met gebogen hoofd tegen de wind in. Dat kwam Ping goed uit. Ze had geen zin om telkens stil te staan en een praatje te maken. Zodra ze maar kon, probeerde ze een stuk mee te rijden op een boerenkar.

Twee dagen nadat ze bij haar familie was weggegaan kwam Ping bij een stad waar ze op de reis naar Lu-lin ook doorheen waren gekomen. De geur van geroosterd vlees trok haar naar een kraam die langs de weg stond. Hier had Dong Fang Suo op de heenreis een middagmaal gekocht. Kai was verrukt geweest, omdat de man geroosterde zwaluw verkocht. Ping kocht met een paar koperen munten een gebakken kwartel.

'Ik had niet verwacht dat ik jou nog eens zou zien,' zei de koopman.

Ping was verbaasd dat hij zich haar herinnerde.

'De man stopte op de terugreis weer bij mijn kraam,' zei de koopman. 'Ik vroeg waar jij was. Hij zei dat je bij je familie bleef in Lu-lin. Dat was het doel van de reis!'

'Weet u nog wanneer dat was?'

'Een dag of drie, vier geleden. Hij had grote haast,' zei de koopman. 'Het was bijna donker toen ze hier stopten. Ze kochten eten om mee te nemen. Er kwam muziek uit de koets. Het leek of iemand fluit speelde. Het was het treurigste melodietje dat ik ooit heb gehoord.'

Ping liep snel de stad weer uit en at ondertussen de kwartel op. Ze moest terug naar de Tuinen van de Purperen Draak, en snel ook.

Dong Fang Suo had gelogen tegen de koopman. De laatste keer dat ze de keizerlijke tovenaar had gezien, had ze haar familie nog niet eens ontmoet. Ze voelde een venijnige steek van haat voor de oude man. Hij had haar bedrogen. Hij was een zwakke oude man en, hoewel hij zichzelf tovenaar noemde, had hij geen toverkrachten.

'Hij wilde mij dood hebben en hij haalde de dodenbezweerder erbij om dat te doen.'

Ze zei de woorden hardop om te zien hoe ze klonken. Overigens was het niet zo vreemd als ze gedacht had. Dong Fang Suo wilde dat Jun de plaats van Ping innam. Liu Che zou daar niet mee hebben ingestemd. Hij zou willen dat Ping drakenhoeder was. Maar als ze dood was, was het probleem opgelost.

Elke dag liep Ping vanaf het moment dat het licht begon te worden tot lang nadat het donker was. Ze reed niet meer met boerenkarren mee. Ze was nu sterker en kon sneller lopen dan een os. Hoe dichter ze bij de Tuinen van de Purperen Draak kwam, des te spannender ze het vond. Ze kon Kai nog niet voelen. Ze sliep steeds minder tot ze uiteindelijk helemaal geen tijd meer nam om te slapen, maar de hele nacht doorliep. Hua vergezelde haar. 's Nachts rende hij naast haar, maar overdag joeg hij door de velden of de struiken waar niemand hem kon zien. Als hij moe werd klom hij tussen de plooien van haar jurk.

Ping kwam bij een zijweg. Ze liet de keizerlijke weg achter zich en sloeg de zijweg in die smaller en rustiger was, maar die ook naar de Tuinen van de Purperen draak leidde. Het was nu zes dagen geleden dat de reusaachtige kei was neergestort. Ze was van plan aan te kondigen dat zij de keizerlijke drakenhoeder was en vragen om een begeleiding door het Tijgerwoud, maar toen ze bij de muur kwam die het Tijgerwoud omgaf, bleek het hek open. Een bewaker was nergens te zien. Misschien had de keizer besloten dat het woud met zijn gevaarlijke bewoners afschrikwekkend genoeg was voor zijn vijanden. Ze zou onbeschermd door het woud moeten lopen.

Door de bomen zag ze dat de wolken oranje werden. Het zou gauw donker zijn. In de verte hoorde ze het geschreeuw van apen en het brullen van andere dieren, maar welke dieren dat waren wist ze niet. Beren misschien? Ze wilde zo snel als ze maar kon terug naar Ming Yang Lodge, maar 's nachts was het te gevaarlijk in het Tijgerwoud. Ping beklom de trap in de lege wachttoren die naast het hek stond. Ze vond er eten en een matras. Ze aaide Hua's warme vacht als troost. Ze besefte niet hoe uitgeput ze was tot ze ging liggen. Ze sliep als een eekhoorn in de winter.

Voor het aanbreken van de dag was Ping weer op weg. Het pad door het woud was vredig na de drukte van de keizerlijke weg. Er werden geen groeten geroepen zodra ze door reizigers werd ingehaald. Er was geen hoefslag van galopperende paarden of het kraken van wielen. Geen gehijg van keizerlijke boodschappers. De enige geluiden die ze hoorde kwamen van de vogels en van andere dieren die wakker werden.

De meeste bomen in het woud waren stokoude jeneverstruiken. Hun bladeren hadden een blauwachtige kleur en hun bast hing in repen van de stam. Ping kauwde op jeneverbessen. Ze smaakten bitter, maar ze bleef er alert van. Behalve de vogels en de onzichtbare dieren in het kreupelhout, waren de stille struiken de enige getuigen van haar reis.

Laat in de middag hoorde Ping het geluid van stromend water. Ze liep van het pad af, op zoek naar de beek. Drie herten stonden te drinken aan de tegenoverliggende oever. Eerst merkten ze Ping niet op. Toen keken ze plotseling alle drie tegelijk op. Ping dacht dat ze een geluid had gemaakt, waar ze van schrokken, maar de gealarmeerde dieren keken niet in haar richting. Ze keken om. De struiken waren dicht. Hun takken groeiden zigzaggend door elkaar als tralies. Een paar donkere takken bewogen. De herten schoten weg. Ping tuurde het woud in. Er bewoog iets.

Toen stapte een dier tussen de struiken en bomen uit. Het liep naar de oever van de beek op brede, geklauwde poten. Het dier bleef staan, stak zijn snuit in de lucht en snoof. Het was een groot beest. Zijn vacht was niet zo geel als ze altijd had gehoord, maar honing-bruin, met zwarte strepen. Het dier hurkte neer en dronk met een grote roze tong. De tekening op de gebogen kop was prachtig. Het zag eruit alsof een kunstenaar ze met een penseel, in zwarte inkt gedoopt, erop had geschilderd. De tijger keek op. Hoewel Ping zich niet had bewogen, nauwelijks had durven ademhalen, wist ze dat het dier haar had gehoord. Het keek haar recht in haar ogen. Zijn lippen krulden naar buiten, waardoor de vacht om zijn neus rimpelde. Zijn witte snorharen gingen daardoor rechtop staan. Hij ontblootte zijn tanden. Het diepe brullen van de tijger echode door het woud.

De vogels zongen niet meer. Geen kleine schepsels ritselden tussen de struiken. Alles was stil, uit eerbied voor de reusachtige kracht van de tijger. Ping stelde zich voor dat zijn klauwen diep in haar huid drongen en die reusachtige tanden haar verscheurden. Het dier was bedoeld om te doden. De tijger deed een stap in haar richting. Ping keek in zijn ogen en voelde haar eigen macht, haar eigen kracht. Ze was niet voorbestemd om door een tijger gedood te worden. Het beest brulde weer, draaide zich toen om en liep terug het woud in.

Ping dronk uit de beek. Ze zou nu de draad die haar met Kai verbond hebben moeten voelen. Ze haastte zich terug naar het pad. De zon stond al laag. Ze moest voor donker op Ming Yang Lodge zijn. Ping was haar reis begonnen met het tellen van de dagen tot ze weer bij Kai zou zijn, toen had ze de uren geteld. Eindelijk kon ze de tijd in minuten schatten. Ze begon te rennen.

Ze zocht naar de lichtjes van Ming Yang Lodge, maar ze zag ze niet. Ze had verwacht dat de hekken gesloten waren, en er bewakers waren die hun gebruikelijke uitdaging riepen: 'Wie waagt het de vrede van de zoon van de Zoon van de Hemel te verstoren?' Maar de hekken stonden wijdopen, en de wachttorens waren leeg.

Ping liep door een van de hekken de tuinen in.

• Hoofdstuk 25 •

Bloed en vuur

Ze hoorde vaag een geluid. Het klonk als de hoogste tonen van een fluit die op een verre berg bespeeld werd. De melodie was zo vol droefenis en pijn dat Ping het gevoel kreeg dat haar hart brak.

Ping liep de Tuinen van de Purperen Draak binnen. Zelfs in het schemerlicht zagen ze er anders uit dan de tuinen die ze iets meer dan twee weken geleden achter zich had gelaten. Waar eerst grote bedden met winterlelies en irissen vol knoppen waren geweest, lag nu een reusachtige, donkere berg aarde. Op de berg lag op vijf verschillende plaatsen de smeulende as van een vuur. Ergens tussen die vuurplaatsen lag een grote bronzen kookpot op zijn kant. De aarde tussen de vuurplekken was aangestampt alsof een massa mensen erop had staan dansen en springen, maar er was niemand. De grond was bezaaid met dierenbotten en fruitschillen. Wijnkruiken en bekers lagen verlaten onder de struiken. De stank van koud dierlijk vet en as kon de scherpe geur van wierook niet helemaal verdringen. Planten waren platgetrapt, boomtakken gebroken. Een eend, het enige teken van leven, zat treurig te kwaken naast een met rommel gevulde vijver.

Ping had zich afgevraagd wat voor ontvangst ze zou krijgen als ze terugkeerde naar Ming Yang Lodge, maar dit had ze niet verwacht. Ze kon het niet begrijpen. Het feest van de keizer om zich te verzoenen met de Hemel zou pas de volgende dag beginnen. Wist ze niet meer welke dag het was? Of was de keizer te ongeduldig geweest om de gunstige dag die de helderzienden hadden vastgesteld, af te wachten?

Pings hart bonkte. Ze voelde de paniek stijgen in haar keel. En nog steeds kon ze de draad die haar met Kai verbond niet voelen.

Ze liep over de brug het gebied van Ming Yang Lodge binnen. Ze vond een lamp en Hua stak hem aan met een van zijn spuugballen. Ze rende naar het drakenhuis. Kais bed was afgehaald. Zijn bal van geitenleer lag op de grond.

Ze liep naar Zaal van de Zoetgeurende Koelte. Hua dribbelde achter haar aan. De kamer was leeg. De keukens ook. Er waren geen bedienden. De potten en pannen waren opgeruimd. De Zaal van Zich Verspreidende Wolken bleek ook leeg. De meubels waren met lakens bedekt. Nergens waren keizerlijke bewakers te zien. Ze ging naar de vertrekken van de prinses. Ze waren volkomen kaal. De kisten en manden met kleren, de dozen met juwelen en cosmetica waren allemaal weg. De wandkleden hingen niet meer aan de muren, de matten en kussens waren weggehaald. Ze rende door gangen en wist niet waar ze heen ging.

Ze hoorde vaag een geluid. Het klonk als de hoogste tonen van een fluit die op een verre berg bespeeld werd. De melodie was zo vol droefenis en pijn dat Ping het gevoel kreeg dat haar hart brak. Het was Kai. Hij riep haar. Iets of iemand deed hem pijn. Ping probeerde erachter te komen waar de fluittonen vandaan kwamen, maar hoe beter ze luisterde, des te zwakker het geluid leek.

Een voorgevoel daalde over haar neer als een laag koud zweet. Er ging iets ergs gebeuren. Ze stak haar hand in haar buideltje om de schub van Danzi aan te raken. Dat kalmeerde haar altijd. Maar in plaats daarvan sloot haar hand zich om de scherf van de drakensteen. Haar geest concentreerde zich en richtte zich plotseling op het zwakke geluid als een goed gerichte pijl die zijn doel zoekt. Eindelijk voelde ze de draad die haar vastgreep en naar Kai leidde. Ze zette de lamp neer en liep met gesloten ogen door. Ze wilde zich niet laten afleiden door de dingen om haar heen. Ze stopte pas toen een deur haar weg versperde.

Ping deed haar ogen open Ze wist precies waar ze was. Achter de deur lag de Zaal van de Vredige Afzondering waar de leden van de Raad voor een Lang Leven hun geheimzinnige werk deden en waar ze de dodenbezweerder had gezien. Ze hoorde de stem van de kleine draak in haar hoofd, maar het waren geen woorden, alleen maar een laag, treurig gekreun.

Ping duwde de deur open. De zaal was verlicht door verschillende lampen. Ze zag nu details die bij haar vorige bezoek in het donker verborgen waren gebleven. Op de muren stonden symbolen geschilderd – vreemd gevormde paddenstoelen, een vrouw die een dienblad droeg waarop zeven reusachtige perziken lagen, de karakters voor nooit en verval. Ping herkende de scherpe, zure lucht van haar vorige bezoek. Ze herinnerde zich waarom hij haar bekend voorkwam – ze had hem in Wucheng ook geroken.

Schalen en flessen stonden naast elkaar op een bank. Er stond ook een vijzel met stamper. Iemand was gestopt met het vermalen van schildpadschild tot een poeder. Een bamboe boek lag open. Daarnaast lagen wat gedroogde planten. De onaangename lucht kwam uit kommen waarin donkere, onheilspellende mengsels zaten. In een kom zat een dikke, donkere vloeistof waarin Ping de pootjes van een vogel herkende, dennennaalden en stukken hondenvlees waar de vacht nog op zat en maden in rondkropen. In een andere kom zat een ranzig mengsel van varkensvet, eetbare plantenstelen en zwarte torren. Naast de kom lag een naald met een bruine zijden draad erin. Dit bekende gereedschap hoorde daar niet thuis. Hua snuffelde aan een derde kom. Daarin lag alleen maar een grote, bloederige lever, die niet rotte. Hij lag in vers bloed. Er was een stuk afgesneden.

Ping dacht dat dit de aftreksels en wondermiddeltjes moesten zijn, waarmee de Raad voor een Lang Leven aan het experimenteren was. Ping had Liu Che's obsessie voor een lang leven nooit goed gevonden. Ze was bezorgd geweest om zijn lichamelijke gezondheid, maar nu maakte ze zich meer zorgen over zijn geestestoestand. Ze had echter geen tijd om zich zorgen te maken over de keizer. Kai was de enige die telde. De onzichtbare draad trok haar naar de deuropening met het gordijn waarachter de dodenbezweerder zich verborgen had op de avond dat de toren instortte. Ping trok het gordijn opzij.

De dodenbezweerder was er niet – maar Kai wel. Er was net genoeg licht uit de andere kamer dat ze hem kon zien.

Hij lag vastgebonden op een bank. Hij draaide zijn kop langzaam in haar richting. Ze rende naar hem toe. Zijn groene ogen waren zo troebel als stilstaand water. Zijn lippen hadden de kleur van oud vlees. Bloed stroomde uit een fikse snee in de staart van de kleine draak. Ping schrok. De wond werd met spelden opengehouden om te voorkomen dat hij kon genezen. Purper bloed druppelde in een flesje dat onder de bank stond.

'Ping.' De stem van het draakje klonk zwak.

Ping trok de spelden uit zijn staart en scheurde de zoom van haar jurk, waarmee ze de wond verbond. Ze tilde Kai op, en wiegde hem in haar armen. Hij was nauweljks bij bewustzijn.

'Wie heeft dit gedaan?' De tranen rolden over haar wangen. Ze kon niet praten zonder te snikken, dus zei ze de woorden in haar hoofd.

'Slechte man,' antwoordde Kai.

Ze wist wie hij bedoelde.

Er zouden altijd mensen zijn die Kai zochten, of het nu ging om de eigenschappen van zijn drakenlijf of om zijn waarde in goud. Het was haar taak om hem tegen zulke begerige mensen te beschermen. Ze had gefaald. Ze had geloofd dat zij en Kai veilig waren. Het was te laat bij haar opgekomen dat er binnen de muren van Ming Yang Lodge ook vijanden konden zijn.

Ping werd opeens heel bang. Ze kon maar moeilijk ademhalen. Ze had een prikkend gevoel op de achterkant van haar hals. Iemand was de kamer binnengekomen. Iemand die het op Kai had gemunt. Ze draaide zich om en keek speurend rond, ook in de schemerige hoeken. Ze zag niemand. Hua maakte een waarschuwend piepgeluid.

De haren van zijn vacht stonden overeind. Hij ging op zijn achterpoten staan en lanceerde een spuugbal. Die miste zijn doel, maar in het kort oplaaiende haardvuur zag Ping wat de rat had gezien.

Een slang waarvan de huid zwart met oranje getekend was gleed over de vloer. Kai jammerde. Ping voelde zijn angst bijna lijfelijk. De slang was bijna twee meter lang en zo dik als een mannenarm. Hij kwam met zijn kop omhoog. Hij had maar één oog. Er zat een litteken op de plek waar het andere oog had moeten zitten. Het ene gele oog van de slang glinsterde in het licht van de lamp en staarde naar Hua. De rat verstijfde, zijn poten leken aan de vloer vast te plakken en hij leek niet in staat zijn ogen van het gele slangenoog los te maken. Ping had een dergelijke gele glans gezien, hoog op de rots in het Ravijn van de Kronkelende Slang. Die had hetzelfde effect op haar gehad. De slang draaide zich van Hua af en gleed naar Ping, terwijl ze haar gespleten tong een groot aantal malen razendsnel uitstak en weer naar binnen haalde.

De slang glinsterde, terwijl ze heftig kronkelde met haar lijf. Ping werd misselijk toen hij zich veranderde in een figuur die gehuld was in een lange cape. De figuur had een gemberkleurige baard, een getatoeëerd gezicht en een lapje voor zijn oog. Hij hield een mes in zijn ene hand – een keukenmes, waarmee de koks van de keizer het vlees altijd sneden. In zijn andere hand hield hij het afgesneden stuk van de lever, waaruit nog steeds bloed druppelde. Ping had gezien hoe de dodenbezweerder geboeid in kettigen werd weggevoerd van Ming Yang Lodge. Op de een of andere manier had hij zich kunnen bevrijden en hij speelde onder één hoedje met de keizerlijke tovenaar.

Zonder na te denken concentreerde Ping haar qi op een grote kruik en liet hem door de kamer vliegen. De kuik sloeg tegen het hoofd van de slangenbezweerder en brak in stukken. Kreunend zakte de man op zijn knieën. Pings hart sloeg een slag over. Voor het eerst voelde ze zich prettig dat ze iemand pijn had gedaan. De cape gleed van de schouders van de dodenbezweerder en ze zag dat hij een raar vest aan had. Het was gemaakt van platte vierkantjes van groene jade. In de hoeken van elk vierkantje zaten gaatjes die onderling verbonden waren met iets dat leek op gouddraad. Liu Che had haar verteld over de eigenschappen van jade. Belangrijke mensen werden begraven in pakken van jade, zodat hun lichaam niet verging na hun dood. De jade beschermde de lijken tegen krachten die hen probeerden aan te vallen. Het vest van jade had een schild gevormd dat de dodenbezweerder had beschermd tegen haar helderziendheid, tot ze op een armlengte afstand van hem stond.

Klauwachtige zwarte vingernagels strekten zich uit naar Kai, zoals ze ook naar de drakensteen in Wucheng hadden gegrepen. Ze hield het draakje steviger vast en concentreerde haar qi-kracht opnieuw. De woede brandde in haar binnenste als een poel gesmolten ijzer. Ze was nog nooit in haar leven zo boos geweest. Nog steeds op zijn knieën hief de dodenbezweerder het mes, klaar om het te gooien. Ping maakte een stoot qi-kracht vrij. Het mes sprong uit zijn hand en sloeg in de muur achter hem. De tatoeage op zijn gezicht zag er meer uit als een tamme kat dan als een kwaadaardig wild beest. In zijn ene oog was angst te lezen in plaats van de hypnotische glinstering. Ping kreeg een gevoel van triomf.

Ze liep naar hem toe, blij met het feit dat hij op zijn knieën voor haar zat. Ze wilde opnieuw aanvallen. Haar voet botste tegen iets aan. Ze keek naar beneden. Het was een arm. In het schemerachtige licht had ze niet gezien dat er een lichaam op de mat lag. Intussen pakte de dodenbezweerder een bronzen pot op en gooide die in haar richting. De pot raakte haar van opzij.

Ping viel om. Het duurde even voor ze haar ogen weer op iets kon richten. Ze herkende het lichaam op de grond. Het was Flodderbroek. Zijn gezicht was wit, zijn grote ogen hadden een starende blik, maar zijn huid was nog warm. De jas waarop Drakenverzorger stond was opengescheurd en ook zijn wijde broek waardoor zijn buik bloot was. Zijn handen lagen boven zijn hoofd, zaten met een touw aan elkaar vast en waren vervolgens aan de poot van een bank gebonden. Hij had een groot gat in de rechterkant van zijn buik. Donker bloed had gestolde plasjes gevormd op de bamboemat om hem heen. Ping herinnerde zich de lever in de kom. Aan de uitdrukking op het gezicht van de drakenverzorger te zien, was Ping er zeker van dat de man nog in leven was geweest toen zijn lever uit zijn lichaam was gesneden.

Ze moest kokhalzen, maar haar maag was leeg. Het enige dat ze uitspuwde was een straaltje gele gal. Kai maakte een hoog, scherp geluid. Het was een geluid van pijn, angst en eenzaamheid. Ping probeerde op te staan. Schijven, met prikkeldraad omwonden, vlogen door de lucht naar haar toe. De punten misten op een haar na haar huid, maar maakten haar mouwen vast in de grond, zodat ze onmogelijk kon opstaan. Haar woede veranderde in angst nu haar eigen kracht was uitgedoofd als een kaars onder een kaarsendover.

De dodenbezweerder had een naald in zijn hand met een draad erdoor. Hij draaide zich van haar af, zodat ze niet kon zien wat hij deed. Ze hoorde hem kreunen van pijn en hoopte dat ze hem pijn had gedaan. Ze moest zich opnieuw op haar qi oriënteren, terwijl hij afgeleid was. Ze moest elke shu kracht en macht in zich verzamelen. Ze rukte haar linkerarm van de vloer, waarbij ze een scheur in haar mouw kreeg. Toen trok ze de andere, met prikkeldraad omwonden schijven, waarmee ze aan de vloer vastzat los, waardoor ze weer vrij werd. Ze sprong op. Ze zond een stoot qi uit en die was sterk, veel sterker dan wat ze tot nu toe ooit had kunnen oproepen. De dodenbezweerder wankelde toen hij geraakt werd, maar toen hij zich naar haar omdraaide kwam er een hakkelend geblaf uit zijn mond. Hij lachte. Ping schoot de ene stoot qi-kracht na de andere af. Maar het had geen zin. Nog maar een paar minuten geleden had de dodenbezweerder zijn toevlucht gezocht tot een bronzen pot waar hij haar mee raakte. En hij had schijven gebruikt die met prikkeldraad omwonden waren om haar buiten gevecht te stellen. Er was iets veranderd. Nu straalde hij een kracht uit even groot als de hitte van een felbrandend vuur.

Ze stak haar hand weer op.

'Blijf proberen,' lachte de dodenbezweerder, terwijl hij – met het mes nog steeds in zijn hand – naar haar toe kwam. 'Maar mijn pink naar achteren buigen zal je niet eens lukken.'

Ping probeerde het toch. Hij zoog de kracht uit haar weg, voor ze er zich maar op had kunnen concentreren. Ze kon niet één stoot van qi-kracht meer oproepen. Zijn ene oog staarde haar aan. Ze keek weg. Ze moest zijn blik vermijden. Ze moest ontsnappen of ze zou eindigen als de ongelukkige Flodderbroek. Ze kon Kai niet helpen als ze dood was. Ze gebruikte het beetje kracht dat nog over was om naar de deur te rennen en keek niet om. Ze rende door de gangen, de trap op, sloeg hier af en daar, met de ijdele hoop dat ze de dodenbezweerder van zich af kon schudden.

Toen stond ze voor het grote gebouw met de vertrekken van de keizer. Ze kwam weer een beetje tot zichzelf. Het was verboden binnen te gaan zonder uitgenodigd te zijn. Ze ging de deur binnen met het sprankje hoop dat Liu Che er misschien was en haar zou helpen.

De getraliede deuropeningen die naar het balkon leidden waren allemaal dicht. De lucht was bewolkt. De lotuspatronen van licht op de vloer waren lichtgrijs. Er brandden geen lampen. Ook hier lagen lakens over de meubels.

Pings angst was zo groot dat ze niet meer op haar benen kon staan en zich op de grond liet zakken. Ze had geen sprankje hoop meer. Ze keek om. De dodenbezweerder stond in de deuropening, zijn mond verwrongen in een glimlach die niets te maken had met blijdschap of geluk. Ping huiverde. Zijn ene oog keek haar glinsterend aan. De blik drong bij haar binnen als een boor. Ze kon haar blik niet van het oog losmaken. Ze kon diep in zijn boze binnenste kijken – en wat ze daar zag maakte haar heel bang.

Hij keek weg van haar, maar ze kon nog steeds niet overeind komen. Ze zag alleen maar de houten vloerplanken. De dodenbezweerder genoot van zijn overwinning. Hij hield het mes voor zich.

Terwijl ze naar de donkere vloerplanken staarde verscheen iets door een van de grotere kwastgaten. Het was zo dichtbij dat ze het niet scherp kon zien. Toen zag ze dat het een bevende roze neus was. Toen volgden snorharen, twee helderblauwe ogen en twee oren, waarvan een een stukje miste. Hua was genezen en had haar gevonden. Op de een of andere manier speelde hij het klaar zijn lijf door het gat te persen. Ze werd iets sterker bij het zien van de rat, een heel klein beetje maar.

De dodenbezweerder liep niet gehaast door de kamer. Hij knielde neer naast Ping en hield het lemmet van het mes tegen haar maag. Een niet aangestoken lamp was het enige binnen haar bereik dat ze als een wapen kon gebruiken. Ze greep de lamp en sloeg de dodenbezweerder ermee op zijn hoofd. De olie stroomde in zijn ogen en op zijn cape. Blind bedreigde hij Ping met het mes. Ze rolde opzij, maar voelde een brandende pijn toen het lemmet in haar rechterarm sloeg. Er siste iets, even later nog een keer. Hua lanceerde zijn spuugballen. De cape van de dodenbezweerder vatte opeens vlam. De man gilde van pijn en angst, toen de vlammen naar zijn gezicht lekten. Hij deed verwoede pogingen om de gesp van de cape open te maken. Zijn geschreeuw klonk Ping als muziek in de oren.

De dodenbezweerder gooide de brandende cape van zich af. De vlammen sprongen naar een kussen en toen naar een mat. Het vuur vloog over de bamboemat sneller dan een galopperend paard. Het flakkerde op tussen Ping en de dodenbezweerder. Ping voelde een grote opluchting. De dodenbezweerder kon haar niet raken – maar het vuur sloot ook elke kans op ontsnapping af. Door rook en vlammen zag Ping dat de dodenbezweerder zich omdraaide en met grote stappen de kamer uit liep.

Terwijl Ping het balkon op rende voelde ze de hitte achter in haar nek. Vuurtongen lekten al door het traliewerk van de deuren. Ze keek zenuwachtig rond. Ze kon niet weg. Achter haar stond alles in brand. Voor haar wachtte haar een val van vier chang naar de tuin beneden. Hua klom over haar rug naar boven. Hij wist wat ze moest doen. Ze sprong over de scharlakenrode balustrade. Ze had geen keuze.

Ping viel voorover. Boven het suizen hoorde ze een ruisend geluid. Het was de waterval die van de heuvelrug naar beneden kwam en in een vijver in de diepte neer zou komen. Ze kon schreeuwen van blijdschap. De vijver zou haar val breken. Ze keek naar beneden. Haar opluchting veranderde in paniek. De vijver was niet recht onder haar. Ze zou op de grond vallen en haar nek breken. Ze deed haar ogen dicht. Ze viel met een smak ergens in. Het was niet zo hard als de grond was geweest, maar een hevige pijn schoot door haar borst. Ze was in de takken van een wilgenboom gevallen. Ze braken niet, maar bogen onder haar gewicht.

Ze strekte haar armen uit en sloeg ze om zoveel mogelijk hangende wilgentakken heen als ze maar kon. Ze gleden door haar armen heen, maar ze hadden haar val gebroken. Ze greep een grote, sterke wilgentak. Hij brak niet; hij boog en rekte als een eind touw en hield haar gewicht. Ze gebruikte de vaart van haar val waardoor ze met een grote zwaai recht boven de vijver kwam te hangen. Toen liet ze de tak los.

De klap op het water was pijnlijk maar ze maakte zich meer zorgen over verdrinken. Ze ging onder tot ze op de gladde, met algen bedekte, bodem van de vijver terechtkwam. Ze mocht niet in paniek raken van zichzelf. Ze herinnerde zich nog hoe ze met Kai door het groene water rond de put in het Zwaarte Drakenmeer had gedreven. Ze zette zich op de bodem af en trappelde. Ze kwam weer boven en greep zich vast aan een vreemd gevormde steen die boven het water uitstak. Hua zwom naar haar toe. Ping kwam op adem en werkte zich toen naar de rand van de vijver. Ze sleepte zich uit het water. Bloed druppelde in de vijver. Ping scheurde een reep stof van haar mouw en verbond met één hand haar arm zo goed en zo kwaad als het ging. Ze moest de pijn negeren. Ze pakte Hua op en stopte hem in haar jurk. Ver boven haar verlichtte de brand de nachtelijke hemel. Oranje vlammen likten langs de balustrade van het balkon van de keizer.

Ping was aan de dodenbezweerder ontsnapt, maar waar was Kai?

Hoofdstuk 26

Modderig water

Ze ging liggen op de rivieroever
en maakte het zich een beetje gemakkelijk. Ze probeerde
niet meer te denken aan de lelijke, zwartgeblakerde wereld
om haar heen en aan de dingen waarin ze had gefaald.

Ze had zo'n pijn in haar borst dat ze maar moeilijk kon rennen. Ze wist een beetje over hoe de botten van een schapenlijf in elkaar zaten, omdat ze voor meester Lan geiten had moeten slachten. Een van haar ribben was gebroken door de val. Terwijl ze naar de lagere gebouwen van Ming Yang Lodge strompelde, leek het of haar voeten zich in slow motion bewogen. Vonken regenden neer van de brand boven. Andere gebouwen hadden nu ook vlam gevat. Als de bedienden en de keizerlijke wachten er waren geweest, hadden ze de brand misschien kunnen blussen. Maar de vlammen verspreidden zich in alle richtingen – naar de keukens, naar de vertrekken van de prinses. Ping draaide en draaide, maar aan alle kanten werd ze door de brand teruggedreven. Ze kon de Zaal van de Vredige Afzondering niet meer breiken. En daar moest Kai nog zijn... Het hele landgoed, elk gebouw, elk paviljoen, elk meubelstuk was van hout gemaakt. Als een gulzig monster verslond de brand alles wat op zijn pad kwam. En niets zou hem dat kunnen verhinderen.

In Pings hoofd was het een chaos van beelden uit een nachtmerrie – van de dode drakenverzorger; van het grijnzende gezicht van de dodenbezweerder; van brandende gebouwen; van Kai strompelend en onder het bloed. Ze kon het eind van de dunne draad die haar met de draak verbond niet vinden. Haar helderziende blik zocht blind, maar vond niets. Ping voelde in haar buideltje naar de scherf van de drakensteen. Hij was er niet. Haar zijden buideltje was gescheurd, waarschijnlijk door de wilgentakken en daardoor was de scherf eruit gevallen. Ze had nog maar pas zijn kracht begrepen: door die scherf kon ze haar geest concentreren – en nu had ze hem verloren. Ze had het stevige leren buideltje moeten houden, dat ze sinds Huangling had gehad, in plaats van zo'n dun zijden zakje te gebruiken. Nog een vergissing die ze kon toevoegen aan de lange lijst van vergissingen die ze had gemaakt. Wanhoop omhulde haar als een zwart doodskleed.

Ze had geen macht over de vijf elementen. Ze kon geen brand bedwingen. Ze kon alleen maar toekijken terwijl Ming Yang Lodge afbrandde. Haar ogen prikten van de rook; de tranen stroomden over haar wangen. Het schemerlicht bood een troosteloze aanblik. De vlammen lekten en krulden nog steeds om de lagere gebouwen. De bomen waren kaal op een paar verschroeide bladeren na. De lotusbladeren op de vijvers waren verwelkt. De rook van de brandende gebouwen had de bloemen doen verschrompelen. Niet lang geleden had Ping de dodenbezweerder nog een verschrikkelijke dood toegewenst, nu bad ze dat hij aan het vuur was ontsnapt. Het was de enige manier waarop Kai dit had kunnen overleven.

Ping kroop door de dikke, zwarte rook die haar dreigde te verstikken, omdat er alles in zat wat in de tuin had gegroeid. Ze liep de Ming Yang heuvel af, langs de Villa voor de Late Lente tot ze bij de oever van de Gele Rivier kwam. De rivier stroomde snel, hij had haast om naar de zee te komen. Hij was zich niet bewust van de verwoeste Ming Yang Lodge, of van Pings problemen. Het modderige water was net zo troebel als altijd, strekte zich uit tot zover ze kon kijken en liet niets los over wat hij onder zijn wateroppervlak verborg. Ping dronk iets van het gele water en waste met moeite de rook uit haar ogen.

Gehurkt op de rivieroever probeerde ze niet meer te denken aan de verschrikkingen van de nacht, maar dat lukte niet. Flodderbroek was dood. Het keizerlijke Ming Yang Lodge vernietigd. De dodenbezweerder had haar aan zich onderworpen. En dan kwam nog het belangrijkste, datgene waar ze niet aan probeerde te denken, omdat dat ondraaglijk was.

'Ik voel de draad niet,' zei ze tegen Hua.

Van haar helderziendheid kon ze niet meer op aan. De gave kwam en ging als een vlam die flakkerde in de wind. Ze wist niet hoe ze haar onder controle moest krijgen. Ze voelde van alles, maar wist de betekenis van die gevoelens niet. Het was zoiets als proberen door het modderige rivierwater heen te kijken. Het enige dat ze wilde voelen was de draad tussen haar en Kai, maar die was er niet. Hua kroop weg tussen de plooien van haar jurk. Ze ging op de rivieroever liggen, en maakte het zich een beetje gemakkelijk. Ze probeerde niet te denken aan de lelijke, zwartgeblakerde wereld om haar heen en aan de dingen, waarin ze had gefaald.

'Ik heb haar gevonden,' zei een stem.

Ping deed haar ogen open. Een zachte bries had de rook verdund. Ze wist niet hoe lang ze daar had gelegen. Een keizerlijke bewaker keek op haar neer. Ze hoorde voetstappen en andere mannen kwamen aanlopen. Onder hen was ook minister Ji.

Ping ging vlug rechtop zitten.

'Ik loop al meer dan een uur naar je te zoeken,' zei hij boos.

'Hoe wist u dat ik terug was op Ming Yang Lodge?'

De minister gaf geen antwoord. Hij draaide zich om en liep weg. 'Volg me,' zei hij.

Zijn kalmte maakte Ping woedend. Ze wilde opstaan en hem door elkaar schudden, maar ze had de kracht niet. Ze greep de zoom van zijn gewaad vast.

'Ik ben Kai kwijtgeraakt,' snikte ze. Deze keer kwamen de tranen niet door de rook heen.

Minister Ji veegde haar handen weg alsof het spinnen waren.

'Je verdriet is absoluut onnodig,' zei de minister. 'De keizerlijke draak is bij de keizer. Ik heb de opdracht gekregen jou bij zijne Majesteit te brengen.'

Ping kon haar oren niet geloven.

'Maar ik heb Kai gezien.' Ping probeerde te bedenken

wanneer dat precies was geweest. Het leken dagen geleden, maar het kon niet meer geweest zijn dan een paar uur. 'Hij was zwak en hij bloedde. De dodenbezweerder had hem.'

'De keizer heeft me niet opgedragen geen ruzie te maken met jou.' Minister Ji draaide zich om en liep het pad af.

Ping volgde hem. De minister leek totaal niet van streek over de nog steeds brandende Ming Yang Lodge.

'Ming Yang Lodge staat in brand,' zei ze. Ze wilde horen dat ze niet krankzinnig werd, dat ze zich de brand niet had verbeeld.

'Heel vervelend,' zei Minister Ji. 'De boel zal weer opgebouwd moeten worden en dat is een uitgave, waarop de keizer niet zit te wachten.'

De minister liep voor haar uit langs de rivieroever. Ping probeerde de zaak in haar hoofd op een rij te krijgen, zodat ze alles beter kon begrijpen. Hoe had minister Ji geweten dat ze terug was op Ming Yang Lodge? Wie had Kai gered? Het was zoiets als proberen de stukken van twee dezelfde gebroken potten in elkaar te passen. Niets paste. Niets was te begrijpen.

Ze kwamen bij een kleine inham in de rivieroever, waar een boot lag vastgebonden, weg van de snelle stroom in de rivier.

'Waar neemt u me mee naartoe?' vroeg Ping.

De minister gaf geen antwoord. Hij liep naar de loopplank van de boot. Ping liep achter hem aan.

De boot was kleiner dan de boot die Danzi en haar over de Gele Rivier had vervoerd. Maar deze had een groep van tien roeiers die alleen maar een korte broek aan hadden. De huid van hun gespierde armen was strak en glansde. Met zoveel roeiers, dacht Ping, moeten ze tegen de stroom op hebben geroeid. Minister Ji ging in het midden van de boot op een bank zitten en bracht zijn lange gewaad in orde. Ping liet zich naast hem zakken. Hua bewoog zich onrustig in de plooien van haar jurk.

De bootsman maakte de boot los en duwde hem de stroom in. Op zijn bevel doopten de roeiers hun spanen in het water en begonnen te roeien zo hard ze maar konden. Ze roeiden niet tegen de stroom op, maar ze wilden ook niet dat de rivier de boot stroomafwaarts meevoerde. Ze roeiden naar de overkant van de rivier. Hun spieren bewogen, terwijl ze steeds weer hun roeispanen in het gele water lieten plonsen. Ze zongen een lied zodat ze gelijk bleven roeien. De boot vorderde maar langzaam de brede rivier over, en Ping voelde goed dat de stroom hen tegelijkertijd stroomafwaarts meetrok.

De rivier was minstens vier li breed. Terwijl ze de oever aan de overkant naderden, zag ze een bamboestruik. De dikke stengels groeiden tot aan de waterkant. Ze reikten naar de grijze lucht en de toppen zwaaiden naar voren en naar achteren in de wind alsof ze niet konden besluiten waar ze heen gingen. Ping zag geen gebouwen tussen de bamboestruiken, geen haven waar de boot naar op weg was. Intussen trok de stroom hen steeds verder stroomafwaarts. Als ze naar een haven aan de tegenoverliggende oever roeiden, zouden ze die missen. Maar dat leek minister Ji noch de roeiers te interesseren. Het ritme van de riemen die in het water plonsten bleef steeds hetzelfde.

De oever aan de overkant was nu nog maar een paar chang weg. Iets groots en zwarts kwam in zicht. Het was de keizerlijke sloep. Ping voelde Kai opeens. Het gevoel was nog niet zo sterk, maar ze wist dat hij aanwezig was.

Hoop groeide in haar binnenste. Hij was dichtbij. In tien-en-vijf halen waren ze in de haven waar de keizerlijke sloep aangemeerd lag. De twee aanlegplaatsen aan elke kant van de rivier waren daar gebouwd om rekening te kunnen houden met de sterke stroom en de kracht van de roeiers.

De sloep was niet keizerlijk geel; hij was nog zwart. Bedienden waren druk bezig kisten en manden op de kant te lossen waar een brede weg in noordelijke richting liep. Een paar kisten kwamen Ping bekend voor. Ze liep achter minister Ji de loopplank van de keizerlijke sloep op. Haar benen trilden van vermoeidheid en spanning.

Het was druk op het dek. Ministers, bewakers en bedienden. Liu Che zat op een troon op het dek. Hij was zo mager dat zijn gewaad veel te wijd was geworden. Hij zat, terwijl de hiel van een met gouddraad geborduurde schoen op zijn andere knie rustte, zo ontspannen alsof er helemaal niets was gebeurd. Kai zat op een satijnen kussen naast de keizer. Hij tilde zijn kop op alsof dat heel veel moeite kostte.

'Ping,' zei de draak.

Ping was zo opgelucht dat ze Kai zag, dat het haar onverschillig liet, wat ze had doorgemaakt. Minister Ji boog voor de keizer en voegde zich bij de andere ministers. Ping wilde naar de draak lopen, maar bewakers versperden haar de weg.

'Alles goed met je, Kai?' Ze praatte in haar hoofd tegen de draak.

'Kai oké.'

Zijn fluittonen klonken zwak.

Dong Fang Suo zat geknield voor de keizer. 'Je bent je positie als tovenaar van de keizer kwijt,' kondigde de keizer aan.

Pings hart maakte een sprongetje. Ze hoefde Liu Che nu niets te vertellen over Dong Fang Suo's verraad. Hij wist het al. De oude tovenaar zat als een geslagen hond voor de keizer. Zijn gezicht was net zo gekreukt als zijn gewaad. Ping zond hem een boze, triomfanelijke blik. Eindelijk kon ze uitrusten. De keizer zou voor alles zorgen. Ze boog voor hem.

'Dong Fang Suo heeft me in de steek gelaten, Hoogheid,' zei Ping. 'Ik was gewond geraakt door een reusachtige, vallende kei. Het was geen ongeluk. Hij speelt onder een hoedje met de dodenbezweerder.'

'Stil!' snauwde minister Ji. 'De keizer heeft je geen toestemming gegeven om te praten.'

Bewakers drukten haar op haar knieën en duwden haar hoofd naar beneden. Ping wachtte tot Liu Che tegen de minister zou zeggen dat ze mocht praten, maar de keizer zei niets. Ze draaide haar hoofd, zodat ze hem kon zien. Zijn ogen waren zo koud als gepolijste stenen, zijn mond was een dunne, rechte streep. Door zijn holle wangen zag hij er ouder en onheilspellend uit.

'Ik ben ook niet erg blij met Dong Fang Suo,' zei de keizer. 'Ik had tegen hem gezegd dat hij er voor moest zorgen dat je stierf.'

Ping dacht dat ze hem niet goed had verstaan.

'Ik heb een nieuwe tovenaar benoemd.' De keizer stak zijn hand op.

Angst verdrong Pings woede. Het was alsof elk mooi ding in het keizerrijk plotseling niet meer bestond. Ze keek een andere kant uit. De dodenbezweerder kwam van benedendeks de trap op naar het dek. Hij had een prachtige zwart met rode cape om. Daaronder zag ze een glimp van het vest van jade. Op zijn hoofd droeg hij een ministershoed. Hij had een rode, rauwe brandwond aan een kant van zijn gezicht. Ping rende naar hem toe, klaar om hem te wurgen en zijn ene oog uit te steken om wat hij Kai had aangedaan. Vier bewakers grepen haar vast en hielden haar tegen. De dodenbezweerder ging zitten op een houten stoel die mooi bewerkt was.

'Wat doet hij hier? Jullie weten niet wat hij heeft gedaan!' Ping probeerde zich los te rukken. 'Hij heeft de drakenverzorger gedood. Hij heeft geprobeerd mij te doden. Hij heeft Kai pijn gedaan.'

'De dodenbezweerder heeft mijn orders uitgevoerd,' zei de keizer. Zijn stem was koud en scherp als een ijspegel.

'Maar u hebt hem laten oppakken. Ik heb hem geboeid gezien in kettingen.'

De keizer lachte. 'Een kleine voorstelling voor jou, Ping. Om je te laten ophouden met rond te snuffelen op plaatsen waar je niet behoorde te zijn.'

Pings hersens deden geen pogingen meer om deze onlogische wereld te begrijpen. Er liep een rij mieren over het dek. Ze keek naar hun haastige bewegingen.

'Ik heb dokters benoemd die toezicht moeten houden op de gezondheid van de draak,' zei de keizer kalm. 'Ze ontwikkelen een speciaal dieet om het bloed te laten herstellen, zodat hij bloed kan verliezen, maar er niet dood aan gaat.'

Een grijns maakte het knappe gezicht van Liu Che lelijk. Hij streek een plooi glad in zijn gele gewaad.

'Toen de Hemelreikende Toren instortte, wist ik dat er wanorde was in het heelal. Ik had mijn helderzienden niet nodig om me te vertellen dat de Hemel niet tevreden was over enige aspecten van mijn bewind. Maar niemand kon me vertellen wat het was. Ik moest zelf de waarheid ontdekken.'

Liu Che keek haar zo geringschattend aan dat ze zich even onbetekenend voelde als de mieren.

'Jij bent het, Ping. Door jouw schuld is de orde in het heelal verstoord. Jij hebt de Hemel beledigd.'

'Ik?'

'Er is nooit een vrouwelijke drakenhoeder geweest,' ging de keizer verder. 'Het is tegen de wetten van de natuur. Er staat geen voorspelling in de bamboe boeken, en geen voortekenen voorspelden zo'n onnatuurlijke gebeurtenis.'

Ping keek naar Kai, kreupel en gewond. Ze had niet de kracht op te staan. Haar tranen droogden op. De ellende en het verraad waar ze zo vol van was geweest, werden vervangen door woede.

'Dat is niet waar,' zei ze. 'Danzi geloofde dat ik zijn drakenhoeder was. Hij heeft mij gekozen om voor Kai te zorgen.'

'Denk je dat ik op de woorden van een afgetakelde oude draak zou afgaan in plaats van te luisteren naar de raad van al mijn ministers en de wijsheid in de bamboe boeken die van generatie op generatie is doorgegeven?' vroeg de keizer. 'De graanoogsten mislukken, de zijderupsmotten leggen geen eieren, er zijn overstromingen in het zuiden. Allemaal jouw schuld, Ping.'

Ping kon van verbazing geen woord uitbrengen.

Niemand had het recht om oneerbiedig te zijn over Danzi. Zelfs de keizer niet. Ping sprong op, duwde de bewakers opzij en stond oog in oog met Liu Che.

'Ik heb de harmonie in de wereld niet verstoord!' riep ze

met harde stem.

De keizer stond op van zijn troon.

'Sinds jij de rol van drakenhoeder op je hebt genomen is er van alles misgegaan,' zei hij. 'De oude draak ontsnapte. Mijn vader werd getroffen door een ziekte die hem noodlottig werd. De Hemelreikende Toren stortte in. Ik wist dat ik de balans in het heelal moest herstellen, maar ik kon de draak niet achterlaten zonder een hoeder. Jij hielp me dat probleem oplossen, Ping, toen je voorstelde dat ik naar een andere drakenhoeder op zoek moest gaan. Zodra ik hoorde dat er een jongen was gevonden, heb ik opdracht gegeven jou te doden.'

'Het is jouw obsessie die de harmonie in het heelal heeft verstoord,' schreeuwde ze.

Het kon haar niets schelen of Liu Che de zoon van de Hemel was. 'Eerst wilde je alleen maar jong blijven. Toen wilde je wel duizend jaar worden. Nu wil je eeuwig leven. Jij bent degene die de Hemel heeft beledigd!'

Het sombere gezicht van de keizer was rood van woede, zijn ogen waren vervuld van haat. Hij deed een stap naar haar toe. Ping kromp ineen. Ze dacht dat hij van plan was haar te slaan, maar in plaats daarvan stak hij zijn hand uit naar de zegel die aan een lint aan haar ceintuur hing. Hij gaf er een harde ruk aan. Het lint scheurde af. Hij keek naar de afgebrokkelde en groezelige zegel die in zijn hand lag.

'Jij mag deze zegel niet meer dragen,' zei hij. 'Ik heb een nieuwe keizerlijke drakenhoeder benoemd.'

De ministers deden een stap opzij. Een kleine gestalte liep nerveus naar de keizer. Het was Jun. In plaats van zijn gerafelde kleren droeg hij een zachtgroen gewaad.

De keizer hield hem het zegel voor. Jun pakte hem met trillende handen aan, liet hem bijna vallen en boog.

'Ik zal u goed dienen, uwe Keizerlijke Majesteit,' zei Jun.

De jongen ging naast Kai staan en legde een hand op de geschubde rug van de draak. Hij had iets in zijn andere hand. Iets dat plat was en rond en het ving het zonlicht. Het was de spiegel van de drakenhoeder. Kai schoof dichter naar Jun toe.

'Jongen is Kais vriend,' zei de draak. Hij maakte een paar gelukkige fluitgeluiden. 'Dikzak heeft plan voor Ping. Kai helpt Dikzak.'

De woorden van het draakje werden in Pings hart geëtst alsof het brandende kolen waren. Haar benen begaven het en ze viel op haar knieën.

'Nu is de orde hersteld in het heelal,' kondigde de keizer aan.

'Maar – maar de dodenbezweerder...,' stotterde Ping.

'De dodenbezweerder begrijpt dat er ongewone stappen moeten worden gezet om grote dingen te bereiken. De Raad voor een Lang Leven verspilde - net als vrouwen in de keuken - veel tijd aan kibbelen over de ingrediënten, en net als de wetenschappers trouwens. Toen ik hoorde over de dodenbezweerder, wist ik dat hij bij mij in dienst moest komen. Ik moet je daarvoor bedanken, Ping,' zei de keizer. 'Tenslotte heb ik niet hoeven zoeken naar de dodenbezweerder. Hij heeft me een aanbod gedaan.'

De dodenbezweerder keek neer op Dong Fang Suo, die nog steeds gehurkt op het dek zat. 'Je bent zwak, Dong. Jij en je Raad boden de keizer alleen maar een lang leven aan. Ik heb hem onsterfelijkheid gegarandeerd.'

'Hij heeft Kai laten bloeden,' zei Ping, maar zelfs haar

stem had zijn kracht verloren.

'Daarom moest ik jou vervangen,' zei de keizer hatelijk. 'Je behoort trouw te zijn aan mij, niet aan de draak. De dodenbezweerder heeft de draak op mijn bevel laten bloeden.'

Het duizelde Ping. Ze kon niet geloven wat ze hoorde.

De stem van de keizer klonk ongeduldiger.

'Kai is geen verwend huisdier om het keizerlijke huishouden te amuseren. Zijn doel is de keizer te dienen. Als jij werkelijk de keizerlijke drakenhoeder was, Ping, zou je al lang geleden beseft hebben dat drakenbloed het belangrijkste ingrediënt is in het wondermiddel voor onsterfelijkheid. Kai zal vereerd worden als de laatste draak van de keizer. Hij zal in luxe leven, duizend jaar of meer, in dienst van mij en zijn bloed aan mij geven. Dat is zijn plicht als draak van de keizer.'

'Dat mag niet,' zei Ping zwakjes. 'Dat is niet goed.'

Liu Che maakte een gebaar met zijn hand alsof hij een vlieg verjoeg. 'Ik hoef mijn handelingen niet te rechtvaardigen tegenover een meisjesslaaf. De dodenbezweerder zegt, dat om te garanderen dat de Hemel me vergeeft voor mijn vergissing jou als drakenhoeder te benoemen, jij geofferd moet worden.'

In Liu Che's ogen zag Ping een krankzinnige schittering. Ping zag geen spoor meer van de vriend die hij geweest was. De band van vriendschap tussen hen was altijd heel kwetsbaar geweest. Hij werd eerder beschadigd en weer hersteld, maar Ping besefte nu dat ze kon zeggen wat ze wilde, maar dat niets de breuk tussen hen kon herstellen. De keizer was bereid om Kais leven te riskeren, hem eeuwen te laten lijden in het waanzinnige najagen van onsterfelijkheid. De vriendschap was voor altijd kapot.

Dong Fang Suo keek naar haar en trok zijn rupsachtige wenkbrauwen om beurten op. Zijn mond bewoog. Ping had geen idee wat hij tegen haar wilde zeggen. Als hij probeerde zich te verontschuldigen, dan was het te laat. Een bewaker kwam aanlopen met een speer over zijn schouder.

Vanaf de rivieroever klonken een aantal trompetten die steeds hetzelfde korte deuntje herhaalden. Niemand aan boord scheen daarover verbaasd te zijn. De muziek hield op en werd vervangen door het geluid van paardenhoeven. Zes mannen in jasjes – blauw met goud - kwamen uit noordelijke richting aangereden op zwarte paarden. Elke man hield een trompet tegen zijn lippen. Ze speelden het melodietje weer. Achter de paarden volgden soldaten te voet. Wimpels – blauw met goud - hingen wapperend aan de schacht van hun speren. Achter hen kwamen donkere, mannen die vreemde dieren leidden. De dieren waren groter dan paarden. Ze hadden een lange, gebogen hals en twee bulten op hun rug. Het waren lelijke beesten die onplezierige, grommende geluiden maakten. Ping had zulke dieren nog nooit van haar leven gezien. De soldaten op de rivieroever gingen uiteen voor nog een man te paard. Hij was ongeveer zes-maal-tien jaar en zijn gevleugelde hoofddeksel was dezelfde als die de ministers van de keizer droegen. Zijn paard droeg een blauwe pluim op zijn hoofd. De man keek de keizer aan zonder te glimlachen. Hij steeg af, sloeg het stof van zijn jas en liep de loopplank op.

De keizer stond op. ‘Welkom, Hertog van Yan.’

‘Uwe Keizerlijke Hoogheid,’ zei de hertog zonder buiging.

De keizer negeerde deze onhoffelijkheid en zei tegen minister Ji: ‘Zeg tegen prinses Yangxin dat de hertog is gearriveerd.'

De minister boog en ging benedendeks. Ping besefte nu dat de manden en kisten op de oever dezelfde waren als die ze had gezien in de vertrekken van de prinses. Pinses Yangxin zelf verscheen. Haar jurk was gemaakt van fijn hennepvezel, in dezelfde tint blauw als de jasjes die de soldaten van de hertog droegen en afgezet met goudband. Daaroverheen droeg ze een warme mantel. Een sjaal bedekte haar mooie haar. Lady An en de andere hofdames waren op eenzelfde manier gekleed.

'Ik ben klaar om terug te keren naar mijn echtgenoot en hem om vergeving te smeken,' zei de prinses met kalme stem, terwijl ze voor de hertog boog.

Ze keek Ping niet aan.

'Als u mij mijn fouten kunt vergeven, heer,' zei ze, 'zal ik een gehoorzame echtgenote zijn.'

Het strenge gezicht van de hertog werd zachter, terwijl hij neerkeek op het hoofd van prinses Yangxin.

'Hebt u de documenten voor het verdrag?' vroeg de hertog aan de keizer.

Minister Ji stuurde een bediende weg om een tafel te halen. Hij haalde een rol uit zijn mouw. De hertog las het document en hield de zegel omhoog die om zijn middel hing. Minister Ji haalde een pot zegellak uit zijn andere mouw. De hertog doopte zijn zegel in de inkt en drukte hem op de rol. De keizer en de hertog bogen stijfjes naar elkaar. Minister Ji schreeuwde een bevel en dienaren brachten tafels van benedendeks naar boven en zetten ze klaar voor een banket. De keizer gebaarde de hertog dat hij aan de ene kant naast hem moest komen zitten, de dodenbezweerder aan de andere kant.

Bewakers sleepten Ping benedendeks naar een ruim dat gevuld was met zakken graan en kruiken wijn. Ze bonden touwen om haar handen en voeten en lieten haar alleen.

De woorden van de keizer klonken nog na in Pings hoofd. De oude keizer was binnen een paar dagen gestorven, nadat hij had gegeten van het drakenzuur die zij had helpen maken. Danzi was niet gelukkig geweest op Huangling. Ze had hem helpen ontsnappen, maar hij werd zo ziek dat hij naar het Eiland van de Gezegenden was gevlogen. De Hemelreikende Toren was ingestort op dezelfde avond dat zij – tegen de wil van de keizer - had lopen rondsnuffelen.

Ze probeerde te bedenken wat ze had kunnen doen waardoor alles anders was gelopen. Had ze moeten proberen Danzi met een boot te volgen? Had ze op de Tai Shan moeten blijven? Had ze van de sterrendauw moeten drinken opdat ze duizend jaar zou leven?

De geluiden van muziek en stemmen kwamen van het dek boven. De geuren van het banket vonden hun weg naar het ruim. Niemand bracht haar eten of water. De tijd verstreek met de snelheid van een schildpad. Het banket duurde tot het licht begon te verdwijnen. De zakken en kruiken werden vaag en verdwenen toen in het donker. De geluiden van de mensen aan dek hielden langzamerhand op. Er ging meer tijd voorbij en een streep zilverachtig maanlicht kroop naar de diepe romp.

Ping hoorde het snelle, tikkende dribbelen van een rat. Ze merkte dat Hua niet meer in de plooien van haar jurk zat.

'Ben jij dat, Hua?'

Er klonken meer dribbelige stapjes. De maan leverde genoeg licht, zodat Ping kon zien dat er meer ratten waren

– ratten van gewoon formaat die in de kleine, donkere plekjes woonden tussen de spanten van de boot. Geen van die ratten was Hua.

De streep maanlicht verschoof langzaam in Pings richting, vastbesloten haar in al haar ellende te belichten. Toen het licht bij haar gescheurde en gevlekte jurk was, kon ze een vage glans zien die haar vanuit haar buideltje toestraalde. Het lukte haar met moeite een van haar stijve, geboeide handen in het buideltje steken. Ze trok iets uit het zakje dat in haar buidel zat. Het had de grootte van een flink blad, maar het was dikker en had een ruw, prikkend oppervlak. In het licht van de maan straalde het een zachtgroen licht uit. Ze bracht haar handen naar haar gezicht en rook eraan. Ze roken vaag naar overrijpe pruimen en vispekelnat. Het was de drakenschub.

Haar arm klopte van de wond van het mes. Ping voelde een schroeiende pijn in haar borst. Het voelde alsof iemand van boven tot onder spelden stak in haar verkrampte benen. Wat zou Danzi denken als hij haar nu kon zien? Zij zou voor zijn zoon zorgen en dat was volledig mislukt. Ze voelde dat ze slaap kreeg. Moest ze niet proberen te ontsnappen? Moest ze geen plan bedenken om Kai te redden? Ze wist het niet meer.

Hoofdstuk 27

De kracht van het getal vijf

De dodenbezweerder hief het mes boven haar.
Het lemmet glansde in het maanlicht.

De draak stond in een cirkel van maanlicht. Hij glansde in het heldere licht. Hij draaide zich naar haar toe. Zijn rode lippen glimlachten.

'Danzi, jij zei tegen mij dat ik de ware drakenhoeder was en dat ben ik niet.'

Wel.

'Maar alles is fout gegaan en nu heb ik niemand.'

Niet alleen.

'Wel waar, helemaal alleen. Zelfs Hua is weggegaan.'

De kop van de draak bewoog zich langzaam van de ene kant naar de andere.

De wereld bestaat uit vijf elementen – aarde, water, vuur,

metaal en hout – er zijn vijf windrichtingen, vijf kleuren. Er ligt macht en kracht in het getal vijf.

Ping stak haar hand uit om de draak aan te raken. Ze voelde zijn schubben onder haar vingers. Die waren heel duidelijk zichtbaar in het heldere licht van de maan. Ze waren echter nog hard en ruw als je erover streek, maar ze hield van dat gevoel. De schubben waren even troostend als een schapenvacht. Ze klom met gemak op de rug van de draak, hoewel haar handen waren geboeid. Hij wachtte tot ze goed zat en zich stevig vasthield aan een van zijn hoorns, voor hij zijn vleugels uitsloeg en wegvloog.

De lucht ruiste in haar oren en deed haar haar ritselen als bladeren in de wind. Ze zag alleen maar de donkere - met sterren bezaaide – hemel. Zoveel sterren dat je ze onmogelijk kon tellen. De glanzende draak vloog rustig verder. Ze hoefde zich niet vast te houden. Ze voelde zich rustig.

'Het is zo vredig hierboven, Danzi,' zei Ping. 'Ik wil voor altijd door de nachtelijke lucht blijven vliegen. Met jou.'

De Hemel bepaalt de tijd van leven en van sterven.

De zwarte hemel veranderde in de kleur van een onweerswolk, maar er viel geen regen, er was geen rommelende donder. De glans van de sterren werd dof. De lucht had nu de kleur van duivenvleugels. Er waren geen sterren meer. Het werd licht. Ze keek naar beneden. De maanlichtdraak vervaagde.

De zon kwam op boven de horizon. Ping moest een hand boven haar ogen houden tegen het felle licht. Nu voelde ze niets stevigs meer onder zich. Alleen maar zon, door de zon beschenen lucht. De draak was verdwenen. Maar Ping viel niet. Glimlachend vloog ze verder door de lucht. Helemaal alleen.

Licht scheen door haar oogleden heen. Ze deed haar ogen open. Het was geen zonlicht – het was het licht van een lamp. De dodenbezweerder stond over haar heen gebogen. Ze rook wijn, knoflook en de stank van bederf.

'Sta op, slavenmeid.'

Ping voelde haar benen niet. Al zouden haar enkels niet geboeid zijn, dan nog had ze zich niet kunnen bewegen. De dodenbezweerder trok haar ongeduldig aan de rug van haar jurk omhoog, gooide haar over zijn schouder en droeg haar een ladder op naar het dek.

Het was nog nacht. Bewakers liepen wacht, maar ze letten niet op hen, toen de dodenbezweerder haar naar de oever bracht. Daar waren tenten opgezet voor de hertog en zijn mannen. Vlaggen wapperden in de ijskoude nachtlucht. Een paar soldaten van de hertog zaten rond een vuur. Zij waren evenmin geïnteresseerd in de situatie waarin een onbeduidend meisje zich bevond.

De dodenbezweerder kreeg gauw genoeg van het dragen. Hij liet Ping op de grond vallen en sleepte haar verder aan de kraag van haar jurk. Niet één lichaamsdeel deed het. Ze kon alleen maar kijken naar de stukken lucht die verlicht werden door de sterren tussen de wolken, en het accepteren dat ze als een zak graan werd voortgesleept over de hobbelige grond. Hij sleurde haar een bamboebos in, zigzaggend tussen de dikke stengels door. Pings lijf botste tegen de stengels. De scherpe jonge loten prikten in haar huid.

De dodenbezweerder bleef staan bij een open plek waar de bamboestengels in een perfecte cirkel omhoog staken in de bewolkte nachtlucht. Hij sloeg met een hamer twee palen in de grond. De volle maan verscheen in een gat in de wolken. In het licht van de maan was de huid van de dodenbezweerder ziekelijk grauw. Het licht etste donkere rimpels in zijn voorhoofd en rond zijn neus. Hij zag eruit als een levend lijk. Hij bond haar handen boven haar hoofd vast aan een van de palen, haar voeten aan de andere paal. Ze lag er uitgestrekt als een varken, klaar voor de slacht.

De dodenbezweerder gooide de cape van zijn schouders. Hij stond daar in het vest van jade. Toen maakte hij het vest los en deed dat ook uit. Hij stonk naar rottend vlees. Hij stond voor Ping en had alleen nog maar een wijde broek aan. Ze huiverde bij het zien van zijn blote, grauwe huid.

Hij hield zijn mes in beide handen, zodat het naar de lucht wees. Hij deed zijn ogen dicht en mompelde woorden in een vreemde taal. Het was een betoveringsformule of misschien was het een gebed – niet tegen de acht Onsterfelijken in de Hemel, daar was Ping zeker van, maar tegen een of andere duivel in de ergste regionen van de hel.

Ping herinnerde zich Flodderbroek, de arme, dode drakenverzorger en het afschuwelijke gat in zijn buik. Ze besefte wat de dodenbezweerder op het punt stond te doen. Hij zou haar lever ook uit haar lijf snijden. Het moest een ritueel zijn geweest dat deel uitmaakte van zijn betoveringen. Vreemd genoeg was Ping niet bang. De droom van Danzi had haar rustig gemaakt. Het gevoel kwam terug in haar armen en benen, maar ze vocht niet tegen de touwen.

Ze zag vier merktekens op de buik van de dodenbezweerder – rechte lijnen die stervormig als donkere stralen uit zijn navel leken te komen. De afstanden tussen de lijnen waren even groot en hun lengte was gelijk. Eerst dacht ze dat het tatoeages waren, zoals de merktekens op zijn gezicht, maar de huid eromheen was rimpelig. Ze begreep opeens dat de lijnen wonden waren die met zorg en precisie in zijn buik waren gesneden. Eentje was een litteken geworden. Twee andere waren niet goed genezen, maar gezwollen en gekneusd, alsof een of ander vergif eronder naar buiten probeerde te komen. De vierde was een rauwe wond met vers bloed eromheen dat nog niet was opgedroogd. De randen van deze wond werden bij elkaar gehouden met zijden draad. Ping herinnerde zich de naald en draad die de dodenbezweerder in zijn hand had gehouden in Ming Yang Lodge. Net zoals zij de scheur in Danzi's vleugel had gerepareerd met naald en draad, had de dodenbezweerder een wond in zijn eigen vlees dichtgenaaid. Er was ruimte op zijn buik voor nog een litteken om een vijfpuntig patroon te voltooien.

De droomwoorden van de draak schoten haar weer te binnen. De Hemel bepaalt de tijd van leven en van sterven. Als het tijd voor haar was om te sterven, was ze er klaar voor. Danzi had ook iets gezegd over de macht van het getal vijf. Ze had niet begrepen wat hij daarmee bedoelde, maar de woorden van de oude draak waren vaak een geheim voor haar.

Ze zou de dodenbezweerder in elk geval niet de voldoening geven haar te kunnen bekijken terwijl ze ondraaglijke pijn had. Ze moest haar qi-kracht vergroten zodat ze de pijn kon doorstaan zonder te schreeuwen. De volle maan verscheen weer tussen de wolken. Ze haalde adem in het licht van de maan. Het qi-peil van het licht van de maan was veel lager vergeleken bij het licht van de zon, maar het was beter dan niets. Ze dacht aan Kai.

Hij was het enige schepsel waarvan ze de gedachte dat ze zijn hoeder niet meer was en dus niet meer voor hem kon zorgen, ondraaglijk vond. Jun zou proberen de rol van drakenhoeder op zich te nemen, maar hij had Danzi nooit gekend. Hij had niet de kennis die de oude draak aan haar had gegeven. Ze begon de zilverachtige bamboebladeren om haar heen te tellen.

De dodenbezweerder draaide het mes in zijn handen zodat de punt naar haar wees. En mompelde nog steeds zijn betoveringen. Ping dacht aan alle mooie en wonderlijke dingen die ze in haar leven had gezien – Danzi vliegend in het maanlicht, de Tai Shan, Kai toen hij pas geboren was. De Tuinen van de Purperen Draak voor ze door de brand werden verwoest, het glimlachende gezicht van haar broertje. Haar leven was kort geweest, maar heel bijzonder. Ze had niet het verlangen het te ruilen tegen het leven van iemand die heel oud zou worden, zonder al die dingen te hebben meegemaakt.

De dodenbezweerder hief het mes boven haar. Het lemmet glansde in het maanlicht. Op dat moment werd de stilte van de nacht verbroken door schreeuwende stemmen, het kletteren van metaal en een hoge, onwelluidende fluittoon, alsof iemand hard op een fluit blaast zonder zijn vingers op de gaatjes te drukken. De dodenbezweerder liet het mes zakken en draaide zich om om te zien waar het lawaai vandaan kwam. Tussen de hoge bamboestruiken waren lichtflitsen te zien. Fel-oranje vuurbollen vlogen in een boog over de open plek. Aan een andere kant was een griezelige purperen gloed te zien die zich tussen het bamboe door bewoog. De dodenbezweerder tuurde in het donker.

'Wie is daar?' riep hij.

Er kwam geen antwoord, maar het lawaai ging door. Een witte mist steeg op uit de bamboe. De wolk mist groeide snel tot hij de hele open plek vulde. Het lawaai hield op. Even was het stil en toen leek het of de wereld uitbarstte in gegil, geschreeuw, gekrijs en gejammer. Donkere gestalten kwamen tussen de bamboestruiken uit, vielen de dodenbezweerder van achteren en van twee zijkanten aan. Het leek of de grond golfde en krioelde van kleine, zwarte gestalten. Door de mist zag Ping de punt van een speer, een zwaard, vuurkogels. Ze hoorde de dodenbezweerder schreeuwen.

Het meisje kreeg weer hoop. Iemand was gekomen om haar te redden. Ze voelde dat haar kracht terugkeerde.

Maar de dodenbezweerder wist de speer met zijn arm tegen te houden. Met zijn mes verweerde hij zich tegen de kling van het zwaard. De vuurkogels kwamen vlakbij de plek terecht waar ze moesten vallen. De dodenbezweerder maakte met zijn hand een boog door de lucht en de mist trok op. Hij lachte toen hij zijn aanvallers zag. Dong Fang Suo en Jun lagen op de grond. De helft van Hua's staart ontbrak. Kai zat tussen de bamboestruiken. Hij zag er klein en angstig uit, een sliert mist kwam uit zijn mond.

Pings hoop was even snel verdampt als de mist. Dus dit was Danzi's kracht van het getal vijf: een meisje met geboeide handen, een oude man, een jongen, een rat en een kleine draak. De oude draak had er geen idee van gehad hoe machtig de dodenbezweerder was geworden.

Dong Fang Suo stond op. 'Neem mijn lever maar,' zei hij.

'Waarom zou ik jouw zwakke oude lever willen, als ik de lever kan krijgen van een jonge drakenhoeder?' riep de dodenbezweerder spottend.

Ping hoorde kleine bewegingen rond haar hoofd. Vacht en snorharen streken langs haar geboeide handen. De touwen om haar polsen verslapten. Ratten aten zich erdoorheen. De laatste flarden mist verborg de beestjes voor de dodenbezweerder, maar Ping kon ze zien. Het waren ratten van gewoon formaat zoals de ratten die ze op de boot had gezien.

'Ze verdient het niet om te sterven,' zei Dong Fang Suo.

'Ja, dat verdient ze wel.' Er klonk bittere haat in de stem van de dodenbezweerder. 'Ze heeft de drakensteen van me gestolen. Ze heeft me op Wucheng vernederd.'

'De kracht die jij krijgt van de levers van de doden,' zei Dong Fang Suo, 'is maar van korte duur.'

De ratten knaagden nu de touwen rond Pings enkels door.

'Er zijn nog veel meer levers in het keizerrijk,' grauwde de dodenbezweerder. 'Ga weg, ouwe man, jouw dagen zijn voorbij.'

'Ik ken de bron van je macht,' zei Dong Fang Suo. 'De lever is het huis van de eeuwige ziel – de ziel die naar de Hemel vliegt als iemand sterft.'

De oude tovenaar was niet bezig de tijd te rekken zodat de ratten haar konden bevrijden, besefte Ping . Hij probeerde haar iets te vertellen.

'Als je een levende man van zijn lever berooft en je naait die in je eigen lijf...'

'Ik heb genoeg van je kinderpraat,' zei de dodenbezweerder.

Hij draaide zich plotseling om, hief zijn mes opnieuw op en gooide het naar Ping. Ze wist het te ontwijken en het lemmet boorde zich diep in de grond.

Jun had de spiegel in zijn hand. Hij hield hem in een bepaalde hoek, zodat een straal helder, wit maanlicht in het oog van de dodenbezweerder scheen. Hij draaide zich om, wilde de jongen aanvliegen, maar Dong Fang Suo liet hem struikelen over de schacht van zijn speer. Hua rende langs de rug van de dodenbezweerder naar boven. De man schreeuwde. Hij liet het mes vallen en probeerde de rat kwijt te raken. Hua sprong naar beneden met de oorlel van de man tussen zijn scherpe, gele tanden. De dodenbezweerder drukte op dat wat over was van zijn oor. Het bloed stroomde tussen zijn vingers door.

De man draaide zich om. De razernij was duidelijk te zien in zijn ene oog. Hij keek woedend naar Jun. De jongen stond als aan de grond genageld door die blik. Hij was niet in staat zich te bewegen. De dodenbezweerder stak zijn hand op. Op datzelfde moment sloeg hij Dong Fang Suo de lucht in als een boomblad. De oude man viel terug op de grond als een zak botten. De dodenbezweerder was sterker dan de macht van het getal vijf. Ping wist dat ze hem alleen onder ogen moest komen, maar ze had iets nodig om zich tegen zijn ontzagwekkende kracht te beschermen. Het vest van jade lag aan haar voeten. Ze pakte het op en schoot het aan.

De dodenbezweerder draaide zich om en stond tegenover Ping.

'Steek hem,' fluisterde Dong Fang Suo buiten adem. Hij krabbelde overeind. 'Snijd de littekens open.'

Ping dook op het mes af en pakte het stevig in haar hand. Ze begreep wat haar te doen stond. De dodenbezweerder concentreerde zijn blik op het mes in Pings hand. Het werd roodgloeiend en ze moest het laten vallen.

'IJzer doet Kai pijn,' zei een stem in Pings hoofd.

De kleine draak, nog steeds glanzend in het licht van de volle maan, stond aan haar voeten. Ze schopte het mes weg.

'Mes niet nodig. Ping heeft Kai.'

Ze herinnerde zich hoe ze in haar eigen huid had gesneden. Ze had precies het gereedschap dat ze nodig had. Terwijl ze zich bukte om Kai op te tillen, greep de dodenbezweerder het roodgloeiende mes en gooide het naar haar. Dong Fang Suo sprong naar voren. Het roodgloeiende mes drong in de borst van de oude man en hij viel.

Ping pakte de linkervoorpoot van de draak. Ze rende naar de dodenbezweerder en sneed met Kais langste klauw een van de genezen littekens open op de buik van de dodenbezweerder. De man brulde van pijn en woede. Zwart bloed en etter spoot uit het litteken. Een verschrikkelijke stank vulde de lucht. Hij richtte zijn kracht op haar. Ze viel om, maar de kracht was verzwakt en het vest beschermde haar. Hij raapte Juns zwaard op en slingerde het naar haar. Ping concentreerde zich op haar eigen kracht en sloeg het opzij.

'De andere littekens, Ping.' Dong Fang Suo slikte moeilijk.

Ping sneed nog een litteken op de buik van de dodenbezweerder open en nog een. De stank was afgrijselijk. De dodenbezweerder zakte op zijn knieën. Stukken groenachtige, rottende lever kwamen uit de wonden en gleden op de grond. Ping zag hoe de vonk in zijn ogen kwam. Ze hurkte neer om zijn blik te vermijden, schraapte een handvol vuil bij elkaar en gooide dat in zijn gezicht. Blind strekte hij zijn armen uit en probeerde haar opzij te duwen, maar zijn kracht was aan het verdwijnen en Ping had genoeg kracht om hem te weerstaan. De lucht om hem heen raakte verstoord toen hij probeerde een andere gedaante aan te nemen, maar het lukte hem niet. Kais zwarte klauw trok de draad stuk die de randen van de nieuwste wond bij elkaar hield. Een stuk verse lever kwam vast te zitten in de wond. Ping haalde het stuk eruit met de klauw. De dodenbezweerder viel voorover en zakte in elkaar op handen en knieën.

Een plotselinge onnatuurlijke, ijzige windvlaag draaide om Ping heen en blies zand en bladeren in haar ogen. De wind waaide om en door haar heen en verkilde haar hart. Een geluid als een schreeuw van woede vulde de lucht.

Dong Fang Suo was zwak, maar hij leefde nog.

'Graaf een kuil, Ping,' fluisterde hij. 'Vlug! Zielen die niet in de Hemel worden toegelaten scheppen de woedendste geesten. Begraaf de stukken lever.'

Ping zette Kai op een veilige afstand neer en groef een kuil in de grond, schraapte het vlees erin en dekte het weer af.

Dong Fag Suo mompelde een gebed, vroeg de eeuwige zielen van de boze geesten om hun weg naar de Hemel te zoeken.

De schreeuw werd een zucht van opluchting en verdween. De wind ging liggen, maar de lucht bleef ijskoud. Ping wist niet wie de overige drie slachtoffers van de dodenbezweerder waren, maar ze bad dat hun reis naar de Hemel een gemakkelijke was.

Zware wolken bedekten de nachtelijke hemel volkomen. Nu het maanlicht was verdwenen, glansde Kai niet meer.

Ping drukte hem tegen zich aan en knuffelde het draakje.

'Alles goed met je?'

Hij knikte.

'Dikzak niet goed,' zei hij.

Ping liep naar het gebroken lichaam van de oude tovenaar. De voorkant van zijn gewaad was doorweekt van het bloed. Ze keek in zijn ogen en wist dat hij het niet lang meer zou maken.

De dodenbezweerder zat nog steeds op handen en knieën. Jun keek vol walging naar hem.

'Je moet hem doden,' zei Jun. 'Hij zal altijd kwaadaardig zijn.'

Ping schudde haar hoofd. 'Nee. De Hemel beslist over leven en dood.'

Dong Fang Suo knikte langzaam.

'Wat doen we met hem?' vroeg Ping.

'Laat hem gaan,' zei de keizerlijke tovenaar. 'Hij heeft zijn lot met zijn eigen handen bezegeld. Het rottende vlees heeft zijn lichaam vergiftigd. Hij zal gauw genoeg sterven, zonder jouw hulp.'

De dodenbezweerder krabbelde overeind. Ping zag nu dat het niet door het maanlicht kwam dat hij zo bleek en grauw eruit zag. Dit was zijn huidskleur. Met elke beweging scheidde zijn vergiftigde lichaam de rottingslucht af. Toen hij naar Ping keek, blonk er geen toverachtige vonk in zijn ene oog, alleen maar angst en verslagenheid. Hij strompelde naar het bamboebos, gebogen en gebroken, als een oude man.

Ping hurkte naast Dong Fang Suo neer.

'Hij verliest teveel bloed,' zei ze tegen Jun.

'Probeer wat mos te vinden om de bloeding te stelpen.'

Jun rende weg en verdween in de duisternis.

'Maak je niet druk om mij,' fluisterde Dong Fang Suo.

Ping pakte zijn hand. 'Ik heb u verkeerd beoordeeld,' zei ze. 'Ik dacht dat alles uw schuld was.'

'Ik heb veel fouten gemaakt. Ik was te bang om mijn positie te verliezen als ik me tegen de keizer zou verzetten en tegen zijn plannen om onsterfelijk te worden. Ik heb geen pogingen gedaan hem tegen te houden toen hij je wilde doden, en ook niet toen hij Kai bloed begon af te tappen. Het hielp niet. Hij keerde zich nog steeds tegen me.'

Jun knielde naast Ping neer en gaf haar wat mos. Ze legde het op de wond.

'Op de boot hoorde ik de dodenbezweerder tegen de keizer zeggen dat hij van plan was je lever uit je lichaam te snijden.'

Ping boog zich dichter naar de oude man toe om te horen wat hij zei. 'Ik moest proberen alles in orde te maken. Jun wilde helpen.'

Ping keek Jun aan. 'Ik dacht dat jij de drakenhoeder wilde zijn.'

De jongen schudde zijn hoofd.

'Niet toen ik zag wat de dodenbezweerder met Kai had gedaan,' zei Jun. 'Ik wist dat ik hem niet kon verslaan, maar ik hoopte dat jij het wel kon, Ping.'

'En je zei tegen Kai wat je van plan was?'

'Nee. Ik kan niet tegen Kai praten in mijn gedachten, zoals jij.'

Jun liet zijn hoofd hangen en keek haar niet aan.

'Maar...'

'Ik loog toen ik zei dat ik hem kon begrijpen. In de koets deed ik alsof ik verstond wat hij zei. Mijn moeder heeft het verhaal verzonnen dat ik helderziend zou zijn.' Hij keek eindelijk op, gluurde naar Ping door zijn pony. 'Ik ben eigenlijk niet eens linkshandig. Mijn ouders wilden zo graag dat ik drakenhoeder werd. Toen ik klein was, bonden ze mijn rechterhand vast op mijn rug om me te dwingen mijn linkerhand te gebruiken. Neem het hen niet kwalijk. Ze zijn arm en hebben veel dochters.'

'Maar Kai wist dat je een drakenhoeder was.' Ze draaide zich om naar de draak. 'Of niet,?'

Kai schudde zijn kop. 'Jongen speelt spel beter dan Ping,' zei hij. 'En jongen eet snoep.'

'Snoep?'

Jun trok iets uit zijn mouw. Hij deed zijn hand open. In zijn handpalm lagen drie rode bessen.

'Het is een truc die doorgegeven is door mijn overgrootvader,' zei Jun, terwijl zijn hoofd nog dieper zonk. 'Draken zijn dol op deze bessen. Ze komen altijd naar je toe als je er een paar in je mouw verstopt. Het spijt me Ping.'

'Toen Jun en ik bespraken wat we konden doen,' zei de oude tovenaar, 'beseften we dat Kai ons verstond en kon helpen. Hua ook.'

Ping moest zich verder naar hem toe buigen om te horen wat Dong Fang Suo zei.

'We zeiden tegen Kai dat hij tegen jou moest vertellen wat het plan was.'

'Ik begreep het niet,' zei Ping. 'Ik dacht dat iedereen zich tegen me had gekeerd, zelfs Kai.'

Ze aaide de kleine draak. 'Ik was fout. Jij was heel dapper. Het was jouw idee om de littekens open te trekken met je klauwen.'

'Mijn vader zei gebruik klauwen,' antwoordde Kai. 'In droom.'

Het was nooit bij Ping opgekomen dat Danzi Kai ook in zijn dromen bezocht.

'Ik was klaar om met je mee te gaan, Ping, waarheen dan ook, maar dat is nu niet mogelijk.' De stem van Dong Fang Suo klonk zwak. Hij ademde moeilijk. 'Ik had moeten proberen de dodenbezweerder te stoppen bij het Ravijn van de Kronkelende Slang. Ik volgde blind de bevelen van de keizer op.'

'U hielp me toen ik dat het meest nodig had,' zei Ping. 'U hebt uw leven gegeven. Ik zal uw deel in de kracht van vijf nooit vergeten.'

Dong Fang Suo's oppervlakkige ademhaling stopte.

'Tot ziens, Dikzak,' zei Kai.

Ping drukte de ogen van de oude man voorzichtig dicht. Hij was gestorven met een glimlach op zijn gezicht. Wist ze maar een gebed om zijn ziel op weg naar de Hemel te helpen.

Jun hield Ping de zegel van de drakenhoeder voor.

'Ik wil hem niet,' zei ze. 'Ik ben niet de keizerlijke drakenhoeder. Er is geen keizerlijke drakenhoeder. Ik ben de hoeder van een draak die in het wild is geboren en in vrijheid zal leven, niet in gevangenschap. Jij houdt de zegel – als herinnering. Ik wil wel graag de spiegel terug.'

Jun gaf haar de spiegel.

'Ik zal het lichaam van Dong Fang Suo terugbrengen en tegen de keizer zeggen dat jij de dodenbezweerder hebt verslagen. Misschien begrijpt hij dan dat zijn plannen om onsterfelijk te worden alleen maar ellende brengen.'

'Zeg tegen hem dat de Hemel beslist over leven en dood,'

zei Ping.

Jun knikte. 'Ik blijf zo lang mogelijk verborgen, zodat jij de tijd hebt om te ontsnappen.'

Hij tilde het lichaam van de tovenaar op. Jun was klein en tenger, maar Ping zag dat hij een kracht bezat die ze niet van hem had verwacht. Hij verstevigde zijn greep op de oude man en liep toen weg, het bamboebos in.

'Tot ziens, jongen,' zei Kai

Het werd lichter, hoewel zware wolken de zon verborgen hielden. Ping voelde zich moe en zwak. Tijdens het gevecht met de dodenbezweerder had ze niet meer aan haar verwondingen gedacht, maar nu merkte ze dat ze overal pijn had.

Ze hoorde piepen. De ratten die de touwen om haar polsen en enkels hadden doorgeknaagd, hadden zich verzameld. Ping begreep niet waarom ze niet terugrenden naar hun nest. Toen begreep ze dat ze wachtten. Ze wachtten op Hua. Ze tilde Hua op en begroef haar gezicht in zijn zachte, warme vacht. Ze wilde tegen hem zeggen dat hij niet moest gaan, hem smeken te blijven en haar naar het volgende deel van haar reis te helpen. Maar ze deed het niet.

'Danzi heeft je teruggestuurd om mij te helpen,' zei ze. 'Je hebt me zo vaak gered, Hua. Je was geweldig.'

Ze zette Hua zachtjes op de grond.

'Ik weet niet hoe ik het zonder jou red, maar jij moet nu een echt rattenleven gaan leiden,' fluisterde ze. 'Ga met ze mee.'

Hua rende naar de andere ratten en voegde zich bij hen. Hij keek om naar Ping.

'Vaarwel, oude vriend,' zei ze.

De ratten haastten zich weg en Hua volgde hen.

Bedroefdheid dreigde Ping te overweldigen, maar ze had er de tijd niet voor om te treuren om iedereen die ze verloren had. Nog niet. Ze moest beslissen wat ze nu ging doen.

Ping probeerde zich alle momenten te herinneren dat ze van Danzi gedroomd had. Was er iets in zijn boodschappen geweest dat haar zou kunnen helpen besluiten waarheen ze zou gaan?

'Kai, heeft Danzi jou nog andere dingen gezegd in je dromen?'

'Eet wormen,' zei de draak.

'Wormen?'

'Goed voor de ogen.'

'Nog meer dingen?'

'Niet zoveel. Van teveel wormen laat je scheten.'

De kleine draak maakte tinkelende fluitgeluiden. Het geluid maakte Ping opeens blij. Goed om de geluiden van een gelukkige draak weer te horen, dacht ze.

'Zei ook vijf.'

'Vijf wat? De kracht van het getal vijf?'

'Nee. Vijf ondersteboven.'

Kais dromen van de oude draak waren even raadselachtig als de hare. Kai tilde zijn kop op zodat Ping hem onder zijn kin kon kriebelen.

'Maar je wilt nooit onder je kin gekriebeld worden.'

'Nu wel.'

Ze kriebelde de kleine draak, maar haar vingers raakten tussen zijn schubben. Onder zijn kin had Kai vijf schubben die ondersteboven zaten, net als zijn vader. 'Vijf schubben ondersteboven. Zei hij dat?'

Kai knikte. Ping boog zich naar hem toe om hem beter te bekijken. Zijn omgedraaide schubben waren veel kleiner dan die van Danzi.

'Zit er iets onder je omgedraaide schubben?'

'Misschien.'

De omgedraaide schubben waren zo klein dat Ping haar vinger er niet achter kon krijgen, maar ze zag wel dat ze allemaal een beetje opbolden.

'Laat eens zien wat er onder je schubben zit, Kai.'

'Niet laten zien.' De kleine draak keek schuldig.

'Toe, Kai. Ik word niet boos, beloofd.'

De kleine draak stak twee klauwen achter de eerste omgekeerde schub. Hij haalde er een dode rups uit en een half opgegeten snoepje.

'Snacks,' zei Kai.

Onder de tweede schub haalde Kai de hanger van jade uit die Wang Cao aan Ping had gegeven.

'Ik dacht dat ik die verloren had!' riep Ping.

Onder de derde zat een gouden oorbel in de vorm van een lotusbloem.

'Mooi,' zei Kai.

'Heb je die van de prinses gestolen? Je bent een stoute draak.'

Onder de vierde schub haalde Kai een drakenklauw tevoorschijn.

'Van mijn vader,' zei het draakje. 'Voor dromen.'

Ping wist niet goed wat hij bedoelde.

'Wat zit er onder de laatste schub, Kai?' vroeg Ping.

Hij trok een opgevouwen stuk ongeverfde zijde tevoorschijn.

'Wat is dat?' vroeg Ping.

'Weet ik niet.'
'Heb jij het daar weggestopt?'
Kai schudde zijn hoofd.
'Wie dan?'
'Rat.'
'Hua?'
De kleine draak knikte. 'Rode vogel heeft het over de zee hierheen gebracht van mijn vader.'
Met trillende vingers pakte Ping het stukje zijde uit de klauwen van de kleine draak. Het was een boodschap van Danzi. Geen raadsel uit een droom, maar iets dat ze kon vasthouden. Ze vouwde het open. Het werd buiten steeds lichter. Ze bekeek het stukje zijde nauwkeurig. Het was helemaal blanco. Ze draaide het om. Er stond niet één teken op het zijden vierkant.

Hoofdstuk 28

Een zijden vierkant

'In het tweede jaar van keizer Wu zal een nieuwe drakenhoeder verschijnen. Zij zal gemeden worden, maar zij is de ware drakenhoeder.'

Pings gevoel van geluk stortte neer als een rijpe perzik die uit een boom valt. Een poosje geleden had ze nog de kracht van het getal vijf gehad. Zij had met haar vrienden de dodenbezweerder verslagen met de vijf elementen. Ze had Kais droom verklaard. Ze had een boodschap van Danzi gevonden. Haar hart leek toen te barsten van blijdschap. Eindelijk ging alles goed, maar haar vriendenkring was uiteengevallen en de boodschap van de oude draak bleek van geen enkele betekenis te zijn. De perzik van haar geluk spatte uiteen en werd pulp.

Ping had geen tovenaar, geen jongen met heimwee of een draak nodig om haar dat te vertellen. Ze wist wat haar te doen stond. Ze moest Kai naar een plek brengen waar niemand hem ooit zou kunnen vinden.

De keizer zou soldaten uitsturen om het hele keizerrijk uit te kammen, op zoek naar de kleine draak. Zodra dat gerucht zich had verspreid zouden begerige mensen maar al te graag Kai aan de keizer geven tegen een beloning, of hem verkopen voor zijn waarde in goud. Waar ze ook heenging, als er mensen in de buurt waren, zou Kai nooit veilig zijn. Het verzuim om te zorgen voor bekwame drakenhoeders gecombineerd met zelfzuchtige keizers hadden het aantal draken teruggebracht tot één. Mensen hadden hun kans voorbij laten gaan om draken tussen hen te laten leven.

Ping en Kai zouden door het keizerrijk moeten sluipen, zich verbergen in wouden, 's nachts reizen tot ze een verlaten plek vonden, waar niemand hen zou storen. Ping stelde zich opeens de verlaten heuvels rond het Huangling Paleis voor. Dat was een plek waar niemand wilde wonen. En het zou nooit bij de keizer opkomen daar naar haar te laten zoeken. Kai en zij konden leven van vogels en hagedissen. Ze konden een hut bouwen van takken en bundels gras. De winters zouden koud en guur zijn; ze zouden als dieren een winterslaap moeten houden. Het zou een ellendig leven zijn, maar het was het enige plan dat ze kon bedenken.

Ze herinnerde zich wat Danzi in haar droom had gezegd. Zij die in hun bed blijven zijn niet altijd veilig. Ze had geprobeerd veiligheid te zoeken – op de Tai Shan, op Ming Yang Lodge, bij haar familie – maar de Hemel had haar altijd teruggevoerd naar haar ware levenspad. Ze zwoer dat ze er nooit meer van zou afwijken - als ze er maar achter zou komen welke richting ze uit moest.

Ze wilde Kai zo ver mogelijk weg zien te krijgen van de keizer. Op dit ogenblik waagde ze het overdag te reizen en hoopte ze dat de keizer en zijn soldaten het te druk hadden met het vertrek van prinses Yangxin om op Ping te letten.

'Overdag moet je van vorm veranderen, Kai,' zei ze. 'Hoe wil je eruit zien?'

Het draakje werd een emmer, toen een potplant en koos tenslotte voor een mand.

Ping was zwak, maar Kai ook. Ze tilde hem op. Pings borst deed pijn bij elke ademhaling. Haar linkerarm hing slap. De wond aan de zijkant van haar hoofd bloedde weer. Ze was zwak, uitgeput. Ze wist niet of ze haar eigen gewicht kon dragen, laat staan dat van de draak.

Zware wolken hingen laag boven het land. Het was nog vroeg, maar op de weg naar het noorden bij de rivier was een heleboel activiteit. Het nieuws had zich verspreid dat de kamelenkaravaan van de Hertog van Yan was aangekomen, en de mensen uit de omliggende dorpjes kwamen om naar de kamelen te kijken. Op de oever waren kramen als paddenstoelen uit de grond gerezen om eten en drinken te verkopen aan de toeschouwers. Ping keek – beschermd door het bamboebosje – terwijl de bewakers de menigte tegenhielden en dragers gereed waren met het laden van de bagage van de prinses, waarbij elke kameel met kisten, manden en tassen werd beladen. Er waren ook gesloten draagstoelen waar prinses Yangxin en haar hofdames in gedragen zouden worden. De draagstoelen waren voorzien van geborduurde gordijnen om de ingezetenen te verbergen.

Niemand zocht nog naar haar. Toen Ping op de weg verscheen kwam Lady An uit een van de tenten. Hun ogen ontmoetten elkaar, maar Lady An keek weg en ging door met haar bezigheden.

Ping had geen geld, geen eten, zelfs geen waterzak. Ze had al haar bezittingen verloren, behalve de drakenschub en haar spiegel. Kai vroeg niet waar ze heen gingen.

Ping vroeg een boer met een overdekte kar of hij haar wilde meenemen naar de volgende stad. Hij keek wantrouwig naar het groezelige meisje met een gescheurde lange jurk en bloed op wat er nog over was van haar mouw. Hij schudde zijn hoofd.

Ping liep langzaam verder. Ze wilde dat ze zich sterker voelde. Kai kon er nu elk ogenblik genoeg van krijgen een mand te zijn en terugkeren naar zijn eigen gedaante. Zodra de keizer erachter kwam dat ze met Kai was ontsnapt, zouden beloningen worden uitgeloofd voor haar gevangenneming. Het zou niet lang meer duren voor iedereen naar haar op zoek was.

Elke stap bracht hen verder weg van de keizer. Ping had zich nooit voorgesteld dat ze zo blij zou zijn om Liu Che achter zich te laten, blij dat ze hem nooit meer zou hoeven zien.

Het zijden vierkant zat gekreukt in haar hand. Ze was boos op Danzi dat hij haar zoveel hoop had gegeven. Even had ze gedacht dat ze er iets nieuws en waardevols van zou leren. Ze gooide het stukje zijde op de weg.

'Hou zijde!' riep een stem in Pings hoofd.

'Waarom?' vroeg Ping. 'Ik heb er niets aan.'

Een koopman met een handkar passeerde hen. Een van de wielen van de kar rolde over het zijden vierkant. De kar reed verder met het stukje zijde aan het wiel geplakt.

Kai veranderde plotseling in een geit. Ping liet hem vallen. Ze keek om zich heen. Gelukkig had niemand deze verandering gezien.

'Kai zijde halen,'zei Kai.

Hij begon achter de kar aan te rennen.

'Nee!' Ping greep hem om zijn geitennek. Hij probeerde zich los te trekken.

'Je moet bij me blijven, Kai,' zei Ping. 'Beloof me dat je niet wegrent.'

Hij hield op met tegenstribbelen. 'Beloofd.'

Kai bleef in zijn geitengedaante. Na niet meer dan tweemaal-tien stappen moest Ping blijven staan om op adem te komen. Ze vroeg zich af hoe lang ze nog kon doorlopen zonder water, zonder iets te eten.

Toen hoorde ze schreeuwende stemmen. Er was al alarm geslagen. Ze keek om. Bewakers verdeelden zich in groepen om te zoeken.

Ping trok de geit met zich mee en zocht dekking tussen de hoge bamboestruiken. Maar daar bleek het niet veiliger. Ze zag ook daar bewakers die zich in alle richtingen verspreidden. Ping hurkte achter een dikke bamboestruik neer.

'Het kan me niets schelen als het meisje wordt gedood,' schreeuwde een stem, 'maar de draak mag niets overkomen. En denk erom dat het beest van vorm kan veranderen. Hij kan de vorm hebben van een emmer, een bloempot of een soeplepel, of wat ook.'

Met grote stappen kwam een bewaker langs. Hij gooide zijn speer tussen de bamboetakken waar Ping en Kai zich verstopten. De speerpunt stak minder dan een hand breedte van Kais neus in de grond. De kleine draak maakte geen geluidje.

'Brave draak, Kai,' fluisterde ze.

Ze hoorde de bewakers nu van alle kanten. Ze sloegen met hun zwaard de stengels om, en staken hun speren in de meest dichte struiken. Ping begon te denken dat die uiteindelijk nog veiliger zou zijn. Ze wilde net die kant uitgaan, toen een hand over haar mond werd gelegd. Ping probeerde zich los te rukken.

'Je hoeft niet bang te zijn,' zei een zachte stem achter haar.

Ping liet haar armen zakken. Ze herkende de stem. Het was Lady An.

'Trek dit aan,' zei ze, terwijl ze de blauw met gouden mantel uittrok en de sjaal die ze om haar hoofd droeg afdeed.

Eronder droeg ze een roodachtige jurk die enigszins leek op die van Ping. Ping deed de cape om en bond de sjaal om haar hoofd.

'Zeg tegen Kai dat hij zich in iets verandert dat je kunt dragen,' zei Lady An.

Kai begreep wat ze zei. Hij was opeens weer een mand.

'Er zijn meer bewakers onderweg,' zei Lady An. 'Ga naar prinses Yangxin.'

Voor Ping de kans kreeg iets te zeggen, begon Lady An te rennen door het bamboebos. Ze glipte tussen de hoge stengels door, en zocht zigzaggend haar weg als een angstig dier. Bewakers renden langs. Ze negeerden het meisje in de kleuren van de hertog. Ze had een mand bij zich. Ze renden achter de rennende figuur aan.

Ping stapte de weg op, blij dat de cape en de sjaal haar

vermomden. Overal waren bewakers, hielden elke wagen aan, doorzochten hem, waarbij ze in elke mand staken en in elke emmer en pot snuffelden. Ze liepen naar de draagstoelen en de kamelen die beladen waren met de bagage van de prinses.

Ping moest even op adem komen. Ze zette de draak-in-de-vorm-van-een-mand even neer bij een kraam die warm eten verkocht.

'Ik heb haar gevonden!'

Een keizerlijke bewaker verscheen bij de kraam. Hij had een soeplepel ontdekt met een handvat in de vorm van een draak. Hij schoof de lepel heen en weer met zijn zwaard, maar durfde hem niet op te rapen.

Ping zag Kai nergens.

Ze hoorde zoete fluittonen. Ping keek om zich heen en probeerde erachter te komen uit welke richting ze kwamen. Er waren overal mensen en dieren, maar haar oog viel op een kleine jongen. Hij was een jaar of vier. Het was haar eigen halfbroertje. Hij keek naar haar op met een met een brede glimlach. Er ontbraken een paar tandjes aan zijn gebit. Ping legde een hand op zijn hoofd. Ze voelde iets raars: Het was geen zijdeachtig haar dat ze voelde, maar de ruwe schubben van een draak.

Ping staarde de jongen aan.

'Maar jij was er toch niet bij in het huis van mijn familie? Jij kunt toch niet weten hoe Liang eruit ziet?'

'Heeft Kai gezien in het hoofd van Ping.'

De gordijnen van een van de draagstoelen werden opzij geschoven.

'Stap in, Ping.' Het was de prinses. 'Waar is Kai?'

Ping wees naar het kind naast haar. Op het moment

dat Ping en Kai instapten, sloegen de kamelendrijvers hun dieren met een zweep. De kamelen zetten zich grommend en kreunend in beweging.

De dragers tilden de draagstoel op. Ze waren op weg. Ping viel neer op haar stoel, opeens doodmoe, maar opgelucht. Ze keek naar de prinses die er even rustig en kalm uitzag als altijd.

'Dank u, uwe Keizerlijke Hoogheid,' zei ze.

Kai snuffelde aan een mand. 'Zou Kai iets willen eten?'

'Hij heeft sinds gisteren geen eten meer gehad en hij is heel zwak.

'Ik heb gehoord wat mijn broer hem heeft aangedaan,' zei de prinses. Ze maakte de mand open en de geur van geroosterd vlees steeg op.

'Vogeltjes!' zei Kai, die op hetzelfde moment weer de kleine draak was.

In de mand zaten een aantal geroosterde kwartels.

'Eet je buikje maar rond,' zei de prinses.

Kai had geen aanmoediging meer nodig. Hij stak zijn kop in de mand en at de kwartels met botjes en al op.

'Ik ben bang dat jij moet wachten tot we stoppen voor het middagmaal. Dan kun je eten en je omkleden, Ping.'

'Ik wil u niet tot last zijn,' zei Ping. 'Zodra we weg zijn van de rivier, zoeken we onze eigen weg.'

'Jullie zullen niet ver komen. Jullie zijn ernstig gewond en het weer wordt slechter. Ga met ons mee naar Yan.'

'Ik heb op de belofte van veiligheid en gemak me te vaak van mijn eigen pad laten weglokken.'

'Je moet jezelf niet straffen, Ping. Je hebt Kai gered. Laat je wonden eerst genezen voor je weer op reis gaat. Je hebt de tijd nog niet gehad om te besluiten waar je heengaat. En, geloof me, Yan is niet altijd veilig of gemakkelijk.'

'En de hertog dan?'

'Jij kunt doen of je een van mijn bedienden bent. Kai kan een weesjongetje zijn die ik heb meegenomen om te trainen als lijfwacht. De hertog zal in geen van jullie tweeën erg geïnteresseerd zijn.'

Door een kier in de draperieën zag Ping de bamboestengels aan haar voorbijgaan zonder dat ze een teentje hoefde op te lichten. Ze was bereid daarheen gedragen te worden waar de stoel hen heenbracht.

'U bent zo aardig voor me geweest, prinses Yangxin,' zei Ping.

'Mijn broer heeft jou en Kai schandelijk behandeld,' zei de prinses. 'Als hij niet zo verblind was geweest door zijn obsessie, zou hij weten dat jij de ware drakenhoeder bent.'

'Gelooft u dat ik dat ben?'

'Dat wéét ik,' antwoordde de prinses. 'Ik heb je gezien met Kai. Ik heb je toewijding voor hem gezien. Je bent gewond, je bloedt, maar je eerste gedachte gaat uit naar hem.'

'De keizer denkt niet dat ik de ware drakenhoeder ben.'

'Ik moet toegeven dat ik dat aanvankelijk ook niet dacht.'

'Waardoor gelooft u het nu wel?'

De prinses haalde iets uit de mouw van haar jurk. Het was een reep bamboe waarop karakters geschreven stonden. Het was dezelfde reep die Hua haar had gebracht. Ping keek naar de karakters. Tot haar verbazing kon ze ze bijna allemaal lezen. Het was een voorspelling.

'In het tweede jaar van keizer Wu zal een nieuwe drakenhoeder verschijnen. Ze zal gemeden worden, maar ze is de ware drakenhoeder.'

Ping staarde naar de reep. 'Er staat "ze".'

'Ja.'

'Het zou een vergissing kunnen zijn.'

De prinses schudde haar hoofd.

'Hoe hebt u dit gekregen?'

'Je rat heeft hem me gebracht.'

'Maar ik dacht dat u ratten haatte.'

'Dat klopt, maar hij zette door. Nadat hij het voor de derde keer bij me had gebracht las ik de reep. Het is het laatste stuk van een boek. Iemand heeft het boek losgehaald, zodat deze reep kon worden gelezen.'

Ping herinnerde zich de dag waarop ze binnenviel bij de keizer en Dong Fang Suo, toen de bamboe boeken over draken waren gearriveerd vanuit Chang'an. De keizerlijke tovenaar was toen bezig de touwtjes van een boek weer vast te binden. Ze keek naar de reep in haar hand. Alle boeken zouden vernietigd worden in het vuur. Deze ene strip was alles wat ervan overbleef. Nu was er geen twijfel meer mogelijk. Alle kennis over draken in het keizerrijk zat in haar hoofd.

'Je hebt je twijfels gehad, Ping,' zei prinses Yangxin. 'Ben je er nu van overtuigd dat jij de ware drakenhoeder bent?'

'Ik weet dat ik het ben,' zei ze. 'Ik had geen bamboe boek nodig om me dat te vertellen. In mijn hart wist ik het.'

Ze streelde Kais ruwe schubben. 'Ik geloofde alleen niet dat ik geschikt was voor de taak.'

Ping wist niet of Danzi met opzet dingen niet aan haar had verteld, of dat de oude draak gewoon vergeten was wat hij werd verondersteld tegen haar te zeggen. Het deed er niet toe. Geen regels konden haar helpen. Ze moest het zichzelf leren. En Danzi vertrouwde erop dat ze dat deed.

Zij was de laatste drakenhoeder, dat had hij gezegd. En daarmee had hij haar eigenlijk alles verteld was ze moest weten. Zij moest ervoor zorgen dat draken niet meer op de mensen rekenden. Ze moest Kai leren hoe hij voor zichzelf moest zorgen. Het aannemen van de keizerlijke zegel was een vergissing geweest. Door haar liefde voor de keizer was haar oordeel beneveld geraakt. Ze was geen slavenmeisje, maar ze hoorde ook niet bij het hof. Zij was de drakenhoeder. De laatste. Ze moest een plek vinden waar Kai in vrijheid kon leven.

'Liu Che zei dat er nergens de mogelijkheid van een vrouwelijke drakenhoeder geopperd werd,' zei Ping. 'Hij heeft tegen me gelogen.'

De ogen van de prinses vulden zich met tranen. 'Zijn ware karakter is goed en eerlijk. Ik bid dat het niet voor altijd verloren is gegaan.'

'Bent u niet boos dat hij u terugstuurt naar Yan?' vroeg Ping.

De prinses schudde haar hoofd. 'Ik heb de hertog gesmeekt me mee terug te nemen.'

Ping keek de prinses verbaasd aan.

'De hertog was er klaar voor de barbaren aan de andere kant van de Chinese muur te hulp te roepen en bereidde zich voor op de oorlog tegen de keizer. Liu Che negeerde deze bedreiging. Je had gelijk, Ping. Mijn broer heeft een obsessie: hij is op zoek naar onsterfelijkheid.'

'Maar hij gaat nu terug naar Chang'an, of niet? De Grote Raadsman zal hem wel onder handen nemen.'

De prinses schudde treurig haar hoofd.

'Hij gaat niet naar Chang'an. Hij is van plan naar de bron van de Gele Rivier te gaan. Hij heeft gehoord dat daar de perziken van onsterfelijkheid groeien. De keizer is al zwak. Oorlog zou fataal voor hem kunnen zijn. Ik kan voorkomen dat dit gebeurt. De hertog was dol op me vóór mijn misstap.'

De draagstoel minderde vaart en stopte.

'Wat is er mis?' vroeg Ping angstig.

De gordijnen werden opzij getrokken en Lady An klom naar binnen. Ze had zweetdruppels op haar voorhoofd.

'Een van de dozen is losgegaan. De drijvers van de kamelen maken het in orde.'

'Je bent je achtervolgers kwijtgeraakt?' vroeg de prinses.

Lady An glimlachte. 'Ze jagen achter een hert aan.'

Opeens klonken er een paar dringende fluittonen. 'Kai moet plassen.'

'Nee, Kai,' zei Ping geschrokken. 'Dat kan nu niet.' Ze herinnerde zich wat er de vorige keer was gebeurd toen ze op reis waren en Kai moest plassen.

'Moet nu.'

Ping kon de gedachte van de draagstoel van de prinses, overstroomd door stinkende drakenurine niet verdragen.

'We zijn zo terug,' zei ze tegen de prinses.

Prinses Yangxin keek haar verward aan. 'Maar de kamelen zetten zich elk ogenblik in beweging. We moeten hen bijhouden.'

'Snel, Kai,' zei Ping. 'Neem de gedaante van Liang aan.'

De kleine draak schudde zijn hoofd. 'Kan alleen plassen in drakenvorm.'

Kai sprong uit de draagstoel. Ping haastte zich achter hem aan. Ze hadden niet meer dan twee of drie li gereisd. Op de weg was het druk met mensen die vanuit Yan waren komen kijken naar de karavaan kamelen. Ping spreidde haar cape uit om de draak te verbergen.

'Schiet op!' zei ze.

'Het lukt niet,' zei Kai treurig.

De prinses gluurde door de draperieën om te zien waarom de draagstoel zich nog niet in beweging had gezet.

'Ik probeer,' zei Kai.

'Majesteit,' zei Ping. 'Hebt u misschien een wijnkruik?'

De prinses knikte. Ze gaf Ping een mooie albasten wijnkruik. Ping schonk wat wijn uit de kruik op de weg. Het druppelende geluid werkte.

'Ik plas,' zei Kai triomfantelijk.

Op de weg vormde zich een plas donkergroene drakenurine. Ping keek bezorgd om zich heen. Ze was er zeker van dat de verschrikelijke stank aandacht zou trekken. De drijvers van de kamelen riepen iets in een vreemde taal. De kamelen antwoordden met gegrom en gekreun en zetten zich weer in beweging.

'Schiet op!'

'Niet klaar.'

De dragers pakten de draagstoel op.

Opeens waaide er een vlaag ijzige wind. Bladeren wervelden door de lucht. Iets anders werd door de wind meegeblazen. Het fladderde en draaide, bolde op in de wind als een klein zeil op een boot. Het fladderde naar beneden en belandde op een pol gras die tussen twee keien groeide. Het was het zijden vierkant. De draak schoof een stukje op. De graspol en het zijden vierkant raakten doorweekt van een nieuwe stroom urine.

'Nat,' zei Kai vrolijk.

Ping gluurde naar de zijde. Het stukje stof veranderde. Er verschenen vage tekens op. Ondanks de verschrikkelijke stank raapte ze de zijde bij een hoekje op. Ze zag er vaag karakters op staan. De tekenen werden duidelijker.

De draagstoel was een eind vóór hen. Ping pakte Kai op en probeerde het ding in te halen. Bij elke stap voelde ze de pijn in haar lichaam. De dragers versnelden hun pas. De prinses trok de gordijnen open. Met heel veel moeite lukte het Ping de kleine draak in de draagstoel te tillen. Ze rende ondanks de pijn, maar het lukte haar niet om zelf in de draagstoel te klimmen. Haar laatste shu energie was opgebruikt.

Het begon te sneeuwen. De wolken die meer dan een week al dreigend aan de lucht hingen, besloten zich van hun last te bevrijden. Prinses Yangxin boog zich uit het raam en pakte Pings uitgestrekte hand. Ze trok het meisje naar binnen. De prinses had meer kracht dan Ping ooit had gedacht.

Ping zakte op de vloer van de draagstoel in elkaar, kreunend van pijn en uitputting. Ze hees zich op een stoel naast de prinses en staarde naar de druppelende zijde die nog steeds op een prop in haar hand zat. De tekenen waren nu donkerbruin. Het stukje zijde was bedekt met lijnen en bochten. Er waren ook een paar karakters, slordig geschreven met een bibberende hand. Ping kon er een aantal lezen. Het waren de namen van wegen rivieren en een berg.

'Wat betekenen deze twee karakters?' vroeg ze.

De prinses hield een stuk van haar sjaal voor haar neus en keek naar de zijde. 'Kun-lun,' antwoordde ze. 'Het Kunlun gebergte. Het is een landkaart.'

Kai zat op het bankje tussen haar en de prinses in en liet hoge en blijde fluittonen horen.

'Boodschap van vader,' zei hij.

'Ja,' zei Ping. 'Het is een boodschap van Danzi. Hij zat verborgen achter een van je omgekeerde schubben. Nu weet ik waar ons pad ligt.'

'Maar nu nog niet,' zei de prinses. 'Gun jezelf een beetje tijd om uit te rusten en bij te komen.'

De sneeuw viel nu zwaar. Het land om hen heen was helemaal wit.

'Je kunt het Kun-lun gebergte niet overtrekken in de winter. Je moet de wintermaanden in Yan doorbrengen.'

'Reis met Presje mee,' zei Kai, terwijl hij vol welbehagen rondsnuffelde in de mand om te zien of er nog iets lekkers in zat dat hij wellicht gemist had.

Het duurde maar een moment voor Ping begreep wie Kai met 'Presje' bedoelde.

De kleine draak keek op naar de prinses. 'Presje spelen met bal?'

'Nee Kai!' riep Ping.

'Presje verhaaltje vertellen?'

'Nee! Je moet stil zitten en je gedragen tot we helemaal in Yan zijn.'

Kai liet een boer.

'Oké.'

Hij liep rond in een kring in de ruimte tussen Ping en de prinses. Eindelijk ging hij zitten. Hij draaide zijn geschubde lijf in een strakke knoop met zijn neus onder zijn achterpoten en zijn staart ingetrokken onder zijn buik.

De prinses glimlachte. Ping ook. Ze leunde naar achteren om te genieten van de rust en de vrede in de draagstoel. Ze wist dat het niet lang zou duren.

Chang
Een afstandsmaat gelijk aan ongeveer 2,3 meter.

Cinnabar
Een felrood mineraal waarvan de chemische benaming luidt:Zwavelkwik.

Confucius
Een Chinese filosoof die leefde rond 500 jaar v.C.

De Vijf Klassieken
Vijf Chinese boeken, meer dan 2.000 jaar oud en die de basis vormden van de kennis in het oude China.

Vier Spirituele Dieren
De draak, de qilin, de rode feniks en de reuzenschildpad. De Oude Chinezen noemden vier sterrenbeelden naar deze dieren.

Han Dynastie
Een periode in de Chinese geschiedenis, waarin de keizers allemaal behoorden tot een bepaalde familie. De periode duurde van 202 v.C. tot 220 n.C.

Han Voet
Een lengtemaat gelijk aan ongeveer 23 centimeter.

Jade
Een halfedelsteen, ook bekend als nefriet. De kleur varieert van groen naar wit.

Jin
De gewichtsmaat voor goud.

Li
Een afstandsmaat gelijk aan ongeveer een halve kilometer.

Mou
Een maat voor landoppervlakte, een stap breed en 240 stappen lang.

Pangolin
Een dier met een geschubde huid en een lange snuit. Hij eet mieren.

Qi
Volgens traditionele Chinese zienswijze is qi de levensenergie die door ons stroomt en de werkingen van het lichaam regelt.

Qilin
Een mythisch Chinees dier met het lijf van een hert, staart van een os en maar één hoorn.

Red Phoenix
Een mythische Chinese vogel die veel lijkt op een pauw.

Shen
Volgens het traditionele Chinese geloof, is shen de spirituele energie die onze geestelijke en spirituele activiteiten aandrijft. Soms wordt het vertaald als de ziel.

Shu
Een gewichtsmaat gelijk aan ongeveer een halve gram.

CAROLE WILKINSON

Carole Wilkinson heeft als schrijfster vele prijzen in de wacht gesleept. Ze is al heel lang gefascineerd door draken en had altijd al een levendige belangstelling voor geschiedenis. Carole doet altijd nauwgezet onderzoek naar een onderwerp waarover ze wil gaan schrijven – ze vindt het onderzoek vaak zo boeiend, dat ze er bijna niet mee kan ophouden om dan eindelijk aan het schrijven zelf te beginnen. Zo was ze eens weken aan het uitzoeken of er ten tijde van de Han-Dynastie narcissen groeiden in China.
Carole is getrouwd en heeft een dochter; ze woont in Melbourne.

– **www.carolewilkinson.com.au** –

Met de bestsellerserie ***Drakenhoeder*** *heeft Carole Wilkinson al vele prijzen gewonnen:*

Winner
Fiction For Older Readers, 2009 Kids Own Australian Literary Awards (KOALA)

Shortlisted
2009 Young Australian Best Book Award (YABBA)

Winner
2006 West Australian Young Book Readers Awards

Shortlisted
2006 Queensland Premier's Literary Awards

Shortlisted
2006 Kids Own Australian Literary Awards (KOALA)

Shortlisted
2006 COOL (Canberra's Own Outstanding List) Award